REIKI
ESSENCIAL

MANUAL COMPLETO SOBRE
UMA ANTIGA ARTE DE CURA

Diane Stein

REIKI
ESSENCIAL

MANUAL COMPLETO SOBRE
UMA ANTIGA ARTE DE CURA

Tradução
RENATA MARIA MATOSINHO WENTZCOVITCH
Cientista e Mestra de Reiki

Consultoria Técnica
CECILIA ANA CORTE WENTZCOVITCH
Massoterapeuta e Mestra de Reiki

Revisão
RENATO MARTINS MATTOZINHO
ALÍPIO CORREIA DE FRANCA NETO
DENISE DE C. ROCHA DELELA

Editora
Pensamento
SÃO PAULO

Título original: *Essential Reiki – A Complete Guide to an Ancient Healing Art.*

Copyright © 1995 Diane Stein.
Publicado mediante acordo com a Crossing Press, um selo da Random House, uma divisão da Penguin Random House LLC.

Copyright da edição brasileira © 1998 Editora Pensamento-Cultrix Ltda.

1ª edição 1998.

18ª reimpressão 2023.

Ilustrações: Ian Everard
Caligrafia: Carl Rohrs

Todos os direitos reservados. Nenhuma parte deste livro pode ser reproduzida ou usada de qualquer forma ou por qualquer meio, eletrônico ou mecânico, inclusive fotocópias, gravações ou sistema de armazenamento em banco de dados, sem permissão por escrito, exceto nos casos de trechos curtos citados em resenhas críticas ou artigos de revistas.

A Editora Pensamento não se responsabiliza por eventuais mudanças ocorridas nos endereços convencionais ou eletrônicos citados neste livro.

Direitos de tradução para o Brasil adquiridos com exclusividade pela
EDITORA PENSAMENTO-CULTRIX LTDA., que se reserva a
propriedade literária desta tradução.
Rua Dr. Mário Vicente, 368 – 04270-000 – São Paulo, SP – Fone: (11) 2066-9000
http://www.editorapensamento.com.br
E-mail: atendimento@editorapensamento.com.br
Foi feito o depósito legal.

AGRADECIMENTOS

Muitas pessoas ajudaram a tornar este livro possível. Primeiramente, agradeço a Elaine Goldman Gill e John Gill, co-proprietários da Crossing Press, pela coragem e desejo de publicar o que pode ser um livro controvertido. Ensinar Reiki I, II e III a Elaine na Mystical Dragon Bookstore, em Carlsbad, Califórnia (Lammas, 1993), foi um dos pontos altos de minha vida. Agradeço a Richard Donovan pela assistência jurídica, a Diana Acuna pelas técnicas de ensino alternativas e transmissão de símbolos e a Sasha Daucus pela assistência na localização de livros raros e pelo encorajamento constante. Jane Brown e Linda Page leram o manuscrito e fizeram a crítica, e Jane Brown e Carol Hunner forneceram material importante para os exercícios de Ki. Patty Callahan, da Brigit Books, St. Petersburg, Flórida, e Joy Weaver, da Treasures Bookstore, Tampa, Flórida, também cooperaram na pesquisa de livros.

Laurel Steinhice e Suzanne Wagner estavam comigo entre as mulheres que participaram das sessões de canalização do Reiki durante vários anos. Detong Cho Yin me explicou pacientemente o Budismo quando eu não conhecia nada sobre o assunto e ofereceu outras informações vitais para este livro. Também agradeço a várias pessoas que me deram treinamento em Reiki, sabendo que eu divulgaria tudo o que aprendera e provavelmente escreveria sobre isso. Elas me deram treinamento de forma Tradicional e moderna num período de minha vida em que pagar era impossível. Algumas me deram informações por telefone e pelo correio, outras me deram ensinamento Tradicional para complementar meu método não-Tradicional, e outras ainda ofereceram idéias e até mesmo iniciação nos primeiros encontros. Embora eu não as mencione, eu lhes agradeço profundamente.

Agradeço também aos meus iniciados em Reiki III que continuam a transmitir o Reiki, a preços acessíveis, a tantas pessoas que querem aprender. Entre esses incluem-se Jill Elizabeth Turner, Anastasia Marie Zepp, Jane Brown, Sasha Daucus, Diana Acuna, Tom Oakley, Carolyn Taylor, Lisa Severn e Liz Tarr. Eu lhes agradeço pela amizade e cooperação.

Cura e Medicina são duas disciplinas muito diferentes, e a lei exige o seguinte esclarecimento: a informação contida neste livro não tem nenhuma relação com a Medicina, mas com a cura, e não deve ser interpretada como recomendação médica. Em caso de doença grave, consulte um profissional da sua escolha.

Para Elaine Goldman Gill

SUMÁRIO

Apresentação: Importante 15
Introdução 17

Reiki I: O Primeiro Grau
    Capítulo 1. A História do Reiki 25
    Capítulo 2. O que É Reiki? 37
    Capítulo 3. A Sessão de Cura com o Reiki 57
        A Cura de Si Mesmo 67
        A Cura de Outras Pessoas 80
        A Cura em Grupo 93

Reiki II: O Segundo Grau
    Capítulo 4. Os Símbolos do Reiki 101
    Capítulo 5. A Cura a Distância e Mais 119
    Capítulo 6. Como Ativar a Kundalini 137

Reiki III: O Terceiro Grau
    Capítulo 7. Os Símbolos do Terceiro Grau 165
    Capítulo 8. Como Realizar a Iniciação 185
    Capítulo 9. O Ensino do Reiki 203
    Capítulo 10. O Reiki e o Caminho da Iluminação 221

Posfácio: O Futuro do Reiki em Nossos Tempos de Crise Planetária 239
Apêndice: Apostila de Aulas 243
Bibliografia 261

ILUSTRAÇÕES

Reiki Escrito em Japonês 35
Fontes Emocionais das Doenças 41
Os Princípios do Reiki 54
Posição das Mãos para Ministrar o Reiki 58
Tratamento de Animais com o Reiki 61
Os Sete Chakras mais Importantes 64
Como Desenvolver os Chakras: A Linha do Hara 65
Posições de Mãos do Reiki I: Autocura 69-76
Localização dos Órgãos mais Importantes do Corpo 77-78
Posições de Mãos do Reiki I: A Cura de Outros 82-88
Colocação Opcional das Mãos 88
Localização do Ponto Estacionário 90
Cura em Grupo 94
"O Grande C" 97
Símbolos do Segundo Grau 106-107
Símbolos Duplos 109
Símbolos Alternativos do Reiki II 116-117
Reiki II — Cura a Distância 127-128
Os Canais da Kundalini e os Chakras 141
A Linha do Hara 142
Circuito do Ki no Corpo 143-145
Fluxo de Energia através da Linha do Hara 146
Exercícios de Ki para Mulheres 151-152
Exercícios de Ki para Homens 154
Como Localizar a Posição Hui Yin 157
Contração do Hui Yin 159
Posição Hui Yin da Língua 159
Dai-Ko-Myo 169-170-171
Dai-Ko-Myo Não-Tradicional 172-173
Energizador Imune Dai-Ko-Myo 175
Raku 176-177
Símbolos Não-Reiki 178-181
A Antahkarana 179
Como a Iniciação É Recebida 186

Como a Iniciação É Passada 187
Como Realizar a Iniciação 197
A *Stupa* e os Cinco Elementos 224
A *Stupa* e o Corpo 226
A Mandala 228
O Vajra 235

Aquilo que é um mistério não mais o será, e aquilo que tem sido velado será revelado; aquilo que tem sido desprezado emergirá à luz, todas as mulheres verão e, juntas, hão de se alegrar.

Alice Bailey[1]

Quando você se cura e ajuda os outros a se curar, você cura a Terra. Você faz a diferença.

Laurel Steinhice
Canalizando a Mãe-Terra[2]

Creio que existe Um Ser Supremo — o Infinito Absoluto — a Força Dinâmica que governa o mundo e o universo. Trata-se de um poder espiritual invisível que vibra, e todos os outros poderes se tornam insignificantes ao seu lado. Portanto, é o Absoluto!...
Eu o chamo "Reiki"...
Sendo uma força universal do Grande Espírito Divino, pertence a todos os que buscam e querem aprender a arte da cura.

Hawayo Takata[3]

---

1. Alice Bailey, *The Rays and the Initiations, Vol. V.* (Nova York, NY, Lucius Publishing Co., 1972), p. 332. Do modo como foi citado por Rosalyn L. Bruyere e Jeanne Farrens (orgs.), *Wheels of Light: A Study of the Chakras, Vol. I* (Sierra Madre, CA, Bon Productions, 1989), p. 17.

2. Laurel Steinhice in Diane Stein, *Dreaming the Past, Dreaming the Future: A Herstory of the Earth* (Freedom, CA, The Crossing Press, 1991), página de rosto.

3. Hawayo Takata in Paul David Mitchell, *Reiki: The Usui System of Natural Healing* (Coeur d'Alene, Idaho, The Reiki Alliance, 1985), pp. 5-6.

APRESENTAÇÃO: IMPORTANTE

Para se tornar um praticante do Reiki I, II ou III, é necessário receber, pessoalmente, a iniciação de um Mestre que, por sua vez, também a tenha recebido e tenha sido treinado. Este livro não pode substituir o processo de iniciação direta. Depois de receber a iniciação, este livro será um manual para o instrutor e o praticante do Reiki. É o primeiro livro publicado contendo os ensinamentos do Reiki por completo, num formato moderno, para os agentes de cura ocidentais.

Neste tempo de mudanças e de crises para as pessoas e o planeta, a cura é tão desesperadamente necessária, que de nenhuma forma deve ser mantida em segredo ou em exclusividade por muito tempo. Sempre tenha respeito pela informação sagrada que segue e pelo presente divino, que é o Reiki. Use-o apenas com propósitos elevados e use-o livremente para qualquer um que deseja beneficiar-se com ele. O que você transmite retorna num grau muito maior. Reiki é Amor Universal.

Lua Cheia em Virgem
26 de março de 1994

Introdução

Entrei em contato pela primeira vez com a cura pelas mãos no Festival Feminino de Música, de Michigan; entrei também em contato com várias outras técnicas de cura. Desse dia em diante, soube que queria dedicar minha vida à cura. Tive vontade de desenvolver poderes mediúnicos e de aprender a fazer coisas que outras mulheres pareciam fazer tão facilmente. Durante os cinco anos seguintes, li todos os livros que pude encontrar sobre o assunto — não havia muitos — e experimentei (na maioria das vezes em mim mesma) o que aprendera. Senti que estava apenas começando, mas ainda estava me empenhando muito e queria aprender mais e me tornar mais segura. Minha cura não me parecia eficaz. Também estava ensinando técnicas de cura a outras pessoas, principalmente por meio dos cristais, das pedras preciosas e da imposição das mãos, procurando formas de tornar o aprendizado mais fácil e proveitoso para os outros. De alguma forma, senti que faltava uma parte da informação, algo que aumentaria o efeito da cura pelas mãos, além de torná-la fácil e simples, como suspeitara que poderia e deveria ser.

Em agosto de 1987 (um pouco antes da Convergência Harmônica), encontrei a chave, mas parecia totalmente inacessível. Durante uma reunião para um jantar "metafísico", encontrei dois belos homossexuais. Eles me viram fazer uma breve sessão de cura pelas mãos e então me perguntaram: "Quem lhe ensinou o Reiki?" Respondi que não recebera treinamento em Reiki e que nem mesmo sabia do que se tratava. Os homens insistiram que o que eu estava fazendo era Reiki, e pediram para sentir minhas mãos. Ambos declararam que elas estavam quentes e que essa era a marca de um agente de cura em Reiki. Eu quis saber mais.

Mais tarde, em minha casa, quando esses dois homens fizeram comigo uma sessão de cura Reiki completa, soube que este era o sistema de cura simples que eu estava procurando. Perguntei onde poderia passar pelo treinamento em Reiki e quais eram os custos; fiquei admirada ao saber que o treinamento para iniciantes em Reiki — Reiki I — custava, na época, US$ 150 e que havia somente uma mulher na cidade que poderia ensinar. O treinamento em Reiki II custava US$ 600, e o treinamento em Reiki III/Mestre, a US$ 10.000, raramente era dado, mesmo que o interessado pudesse pagar. Nenhuma bolsa de estudos era possível. Nessa época, eu trabalhava como garçonete para viver, e mal podia pagar o aluguel. O Reiki teria de esperar.

Logo depois, um desses homens recebeu o treinamento em Reiki II. Começamos a conversar muitas horas sobre a cura e o alto custo desse treinamento. Este era um assunto freqüente. Um dos homens considerava que o alto custo era necessário, que significava compromisso, enquanto o outro via essa questão mais à minha maneira — que a cura e o treinamento de agente de cura deveriam estar disponíveis a qualquer um que usasse a experiência para beneficiar a si próprio e aos outros. Senti que o meu trabalho, como escritora e agente de cura, era (e é) ensinar qualquer método e dar qualquer informação sobre a cura de que eu possa dispor. Custo ou remuneração não são prioridades, e para mim qualquer custo que ponha a informação fora do alcance das pessoas é imoral. Esses homens sabiam que qualquer informação sobre a cura que eu recebesse deles provavelmente um dia estaria nos meus livros.

Quando meu amigo que tinha treinamento em Reiki II começou a tentar transmitir iniciações em Reiki, embora ele ainda fizesse o Reiki II e não tivesse recebido o treinamento de Mestre em Reiki III, pedi-lhe para tentar em mim. Por vários meses, ele se recusou. Em janeiro de 1988, nós três decidimos fazer um trabalho de cura numa ala destinada ao tratamento de AIDS num hospital local, e ele mudou de idéia. Recebi minha iniciação em Reiki I em 2 de fevereiro de 1988, e ficou muito evidente que o processo iniciático havia funcionado para mim, apesar do *status* de Reiki II do homem que me iniciou.

Eu me senti cheia de uma energia que nunca antes tivera nem sonhara que existisse. Eu estava cheia de luz e amor por todos os seres. Minha capacidade de curar aumentou imediatamente, mais do que eu acreditava fosse possível, e a facilidade de usar o Reiki confirmou que esse era o método de cura que eu estava procurando. Se minhas mãos ficavam quentes antes, durante as sessões de cura, elas estavam muito mais quentes agora. Eu soube naquele momento que eu queria ensinar o Reiki, mas não tinha idéia de como isso seria possível.

Começamos nosso trabalho de cura no hospital; um período que, sinto, transformou-me de principiante em agente de cura e, quando meu amigo completou seu treinamento em Reiki III naquele verão, participei da sua primeira turma de iniciantes. Como eu ainda ganhava menos de US$ 300 por mês e não podia pagar a taxa de US$ 150, deixaram-me assistir e receber a iniciação Tradicional, mas não recebi o certificado de conclusão. Meu amigo revisou o capítulo sobre o Reiki que incluí no meu livro *All Women Are Healers* (The Crossing Press, 1990), mas não me ensinaria mais. Comecei a ensinar a posição das mãos nos meus cursos e a falar freqüentemente sobre um dia ir além com o treinamento em Reiki e aprender a ensiná-lo.

Em novembro de 1989, viajei ao Meio-Oeste para dar um curso organizado por duas mulheres que eu encontrara, em 1988, no Festival Feminino de Música, de Michigan, e das quais fiquei muito amiga. Uma das mulheres tinha, recentemente, recebido o treinamento em Reiki III de um Mestre que também achava que o método de cura precisava tornar-se mais acessível. Ela não tinha os US$ 10.000 tradicionalmente exigidos como taxa para o Reiki III, mas recebera o treinamento por muito menos. Seu Mestre estava testando métodos de ensino modernos, e também fora treinado de forma Tradicional. Completamente de surpresa, durante aquele fim de semana, ela deu vários cursos de treinamento em grupo, em Reiki I, e me deu o Reiki II; forneceu-me um certificado para ambos os graus e me prometeu dar o treinamento em Reiki III no nosso próximo encontro, dizendo: "Eu quase fiz isso agora, mas não consegui encontrar as apostilas com os símbolos."

Embora nos tenhamos encontrado por duas vezes durante o ano seguinte, a mulher apresentou desculpas para não continuar os ensinamentos, e eu estava ficando muito frustrada. Desde que recebi minha primeira iniciação em Reiki I de um iniciado em Reiki II, decidi criar uma forma de fazê-lo. Imaginei que colocar os símbolos do Reiki II nos chakras da coroa e do coração dos iniciantes, tanto quanto nas suas mãos, seria a base do processo, e isso, de fato, estava muito próximo do que deveria ser feito. Entretanto, tendo somente o Reiki II, faltavam-me símbolos-chave, e eu não tinha nenhuma forma de descobri-los.

Depois de conversar por telefone com uma mulher que eu nunca vira antes, mencionei-lhe meus esforços; recebi por correio, num pedaço de papel rasgado, os símbolos de Mestre Tradicional em Reiki III. Com os novos símbolos, minhas experiências se tornaram mais bem-sucedidas, e algumas de minhas tentativas resultaram na abertura do iniciante para a energia. Continuei a ensinar nos meus cursos revelando todas as informações que eu tinha, explicando que, como uma Reiki II, eu estava fazendo experiências.

Em outra conversa por telefone, em 1990, mencionei à minha instrutora de Reiki II do Meio-Oeste que eu estava tentando transmitir iniciações. A raiva dela foi imediata, violenta, e tivemos uma discussão muito acalorada sobre isso. "Você me prometeu a informação completa", disse-lhe eu, "mas você não manteve a sua promessa." A mulher voltou a me telefonar uma hora depois, dizendo: "Se você vai fazer isso de qualquer forma, é melhor que faça direito." Ela, então, pelo telefone, me ensinou o processo de transmitir iniciações em Reiki.

Usei o método dela, que era moderno, e meus iniciados notadamente começaram a se abrir para a energia do Reiki I. Entretanto, isso não foi suficiente, e nem todos ficaram com as mãos quentes nem tiveram as sensações interiores que marcam uma abertura à energia Reiki. Minha instrutora de Reiki II continuou a instruir-me por telefone, dando-me informações esparsas que eu mesma devia organizar. Fui ficando cada vez mais frustrada, mas não tinha outra fonte de ensinamento.

Em junho de 1990, durante o solstício de verão, dei um curso de fim de semana perto de Denver. Durante o curso, ofereci iniciações em Reiki I, a título de experiência, a qualquer pessoa que desejasse obtê-las. Seis mulheres concordaram e todas se abriram para a energia Reiki. Depois do fim de semana em Denver, a parceira de minha instrutora de Reiki II, que também estava viajando pela região, veio passar um dia comigo. Uma de suas amigas, que eu nunca encontrara antes, trouxe-a até a casa onde eu estava e ficou para o jantar. Durante o jantar, falei sobre o curso e como desejava a iniciação em Reiki III, "de forma que eu pudesse fazer direito". A amiga disse: "Não tenho tempo para ensinar, mas, se tudo o que você precisa é a iniciação, posso transmiti-la agora mesmo." Sentadas à mesa de jantar, tendo à frente a sobremesa, ela me deu a iniciação em Reiki III. Nunca mais me falaram sobre ela, mas lhe sou profundamente grata. Minhas iniciações depois disso se tornaram muito mais eficazes e completamente seguras — todos se abriram para a energia. Agora, eu era uma Mestra em Reiki (instrutora), pronta para ensinar.

Em fevereiro de 1991, novamente durante a festa da Purificação da Virgem Maria, dei um curso de fim de semana em outra cidade. Ensinei o Reiki I e II juntos e vi uma mulher, na classe, olhar com cara feia e franzir as sobrancelhas durante todo o curso. Quando terminou, ela disse que era uma Mestra/Instrutora em Reiki Tradicional e queria falar comigo. Censurou severamente vários aspectos do meu ensino. Uma coisa que ela condenou foi o fato de eu deixar que os alunos me vissem transmitir as iniciações sagradas — algo que continuo a fazer. Ela protestou dizendo que meu método não era o Tradicional, e que qualquer mudança com relação ao método Tradicional não seria mais Reiki. Eu discordei.

A essa altura, a mulher que estava me hospedando interveio com a sugestão de que a outra me ensinasse a forma "correta" e desse o certificado, ou parasse de me fazer perder tempo. Ela concordou em fazer e passou mais ou menos uma hora, no dia seguinte, instruindo-me sobre a iniciação Tradicional e os métodos de ensino. Também repetiu minha iniciação em Reiki III de forma Tradicional. A mulher me prometeu um certificado, que nunca me foi entregue, dizendo que não o faria a menos que eu adotasse seu método estritamente Tradicional. O que eu estava usando naquela época era uma combinação dos métodos de minha instrutora em Reiki II e o meu próprio; por serem altamente eficazes, eu não desejava alterá-los.

Em maio de 1991, durante o festival de Beltane — notei enquanto estava escrevendo estas páginas como a maioria dos acontecimentos marcantes em minha vida com relação ao Reiki ocorreu durante os *Wiccan Sabbats* — minha antiga instrutora de Reiki II me enviou a cópia de um "novo" símbolo para o Reiki III, insistindo que eu o experimentasse. Fiz isso com relutância, mas continuo a usá-lo. É inegável que sua eficácia é maior. Isso me afastou ainda mais do método de ensino Tradicional de cura Reiki. Ao final do mês, participei do Festival Feminino de Música e Comédia da Região Sul e atingi outro marco em minha jornada para me tornar Mestra em Reiki.

Nesse Festival, não ensinei o Reiki, pois o número de participantes era grande demais, muito maior do que o número limitado de iniciações que posso transmitir num dia. Em vez disso, dei um curso sobre Remédios Naturais e, durante esse curso, duas mulheres me revelaram que estavam prestes a morrer. Ofereci iniciações em Reiki, se quisessem, e disse onde poderiam me encontrar depois do término do curso. Emprestei duas cadeiras dobráveis e dei a iniciação às mulheres, esperando facilitar o processo delas e dar-lhes um instrumento de cura. Depois disso, quando me dei conta, havia uma fila de mulheres esperando; também queriam a iniciação. Uma Reiki II, que estava presente no grupo, me ajudou ensinando a posição das mãos, enquanto eu dei iniciações em Reiki durante pelo menos duas horas. Eu estava preocupada por estar transmitindo a iniciação sem os benefícios de um curso completo, mas os guias espirituais me incentivavam, dizendo: "Continue, continue", toda vez que eu perguntava.

No dia seguinte, coloquei-me no setor das artesãs; a fila se formou novamente e continuei a transmitir a iniciação em Reiki. Mais tarde, me disseram que se ouvia a recomendação: "Entre na fila, Diane Stein está dando às mulheres a maior experiência espiritual de suas vidas." A maioria não tinha idéia do motivo por que estava na fila e, mesmo assim, meus guias espirituais continuavam a me dizer: "Continue." No total, provavelmente fiz 150 iniciações em dois dias, sem nada cobrar. Foi demais para mim, do ponto de vista físico, e fiquei doente nas três semanas seguintes, pois 25 iniciações num dia são suficientes. No mínimo, a experiência me mostrou o quanto o Reiki é necessário, e a quantos.

Depois desse festival, ficou claro para mim o que eu devia fazer — ensinar o Reiki a mulheres (e homens) que o quisessem, tanto quanto possível. Esse magnífico sistema de cura deve estar disponível a todos, independentemente de poderem pagar ou não pelos ensinamentos. Tenho me mantido nesse caminho até hoje, embora muitas vezes tenha dificuldade para explicar aos organizadores de cursos e festivais por que esse método de cura é tão importante. Depois de ouvir minhas aventuras no Festival do Sul, minha instrutora de Reiki II, que até aquele momento ainda me prometia a iniciação em Reiki III e o certificado, recusou-se a continuar me ensinando. Ela disse que eu estava fazendo mau uso do Reiki ao transmiti-lo gratuitamente e cancelou nossos novos planos de completar o ensinamento.

Embora eu seja uma Mestra em Reiki há quatro anos, e tenha ensinado centenas de alunos, não tenho o Certificado Tradicional oficial. Não acho que isso seja importante. Ofereço aos alunos meu próprio certificado com o título de Reiki não-Tradicional, completamente convencida de que não estou perdendo nada da capacidade de ensinar com eficácia. Em 1992, no equinócio do outono, uma de minhas alunas me presenteou no meu aniversário com um certificado. "Você me treinou", disse ela, "portanto, eu lhe confiro o certificado!" Foi uma brincadeira da qual nós duas gostamos. Até o momento, já treinei centenas de alunos em Reiki III, muitos dos quais agora estão ensinando. Pedi-lhes que continuassem com minha ética de preços baixos e bolsas de estudo, quando necessário, e dessem prosseguimento à desmistificação de um sistema de cura que precisa ser universal. Muitas mulheres e alguns homens estão seguindo por esse caminho.

REIKI I
O Primeiro Grau

CAPÍTULO 1

A História do Reiki

O Reiki é um sistema de cura pelo toque das mãos de incomparável simplicidade e eficácia. O que ele pode fazer e como funciona são o assunto deste livro; mas, para apreciar o Reiki em toda a sua extensão, primeiramente é necessário conhecer de onde ele veio e como chegou ao Ocidente. A história se desenrola desde os primórdios da Humanidade, e esse sistema de cura certamente é mais antigo do que qualquer relato escrito. Fiz o máximo para descobrir as origens do Reiki por meio de pesquisas e várias leituras, mas ainda há muito por descobrir. Muita informação pertinente nunca foi traduzida para o inglês e muitas outras nunca foram impressas em nenhuma língua. A história do Reiki Tradicional começa por volta de 1800, mas o Reiki já era muito antigo mesmo nessa época.

Informações anteriores à escrita humana só podem ser obtidas por meio da canalização de energia; embora o material recebido dessa forma deva ser considerado especulativo, não deixa de ser interessante e de nos fazer pensar. Ainda que não seja possível sua comprovação, o material é por demais interessante para que o deixemos de lado, e creio que seja altamente valioso. Em 1990, para o meu livro *Dreaming the Past, Dreaming the Future* (The Crossing Press, 1991), a médium Laurel Steinhice descreveu os doze planetas que foram os primeiros colonizadores da Terra. A maioria desses planetas está localizada na constelação das Plêiades, e alguns estão nos sistemas estelares de Sírius e Órion.[1] Nós não tivemos origem na Terra; fomos trazidos para cá de várias culturas planetárias, e um grande número de canalizadores, atualmente, também está descrevendo essas culturas. Alguns tradutores especializados em documentos antigos também começam a constatar essas informações, apesar que, neste momento, ainda se exige coragem para tal.

Em 1991, pedi a Laurel para "canalizar" informações sobre a origem do Reiki. Ela o descreveu como sendo originário do planeta que também enviou muitos deuses e deusas armados para a Terra, a cultura-raiz do que mais tarde se tornou a Índia pré-patriarcal. O deus hindu, que hoje conhecemos como Shiva, e que era feminino naquele tempo, foi quem trouxe o Reiki para cá e ela(e) quer ser lembrada(o) por essa dádiva. Quando o corpo humano foi projetado para este planeta, o Reiki foi incorporado no código genético como um direito de nascimento para todos.[2]

O Reiki é uma parte de cada um de nós. Um dia foi universal e nunca deveria ter-se perdido. Nos primórdios do planeta Terra, as crianças da civilização hoje conhecida como Mu recebiam treinamento em Reiki I no começo da escola primária, em Reiki II durante a idade que corresponde ao colegial e em Reiki III, o treinamento de Mestre/Instrutor, era exigido dos educadores e estava disponível a todos os que quisessem recebê-lo. Quando as pessoas da cultura-raiz deixaram a terra de Mu para colonizar o que hoje é a Índia e o Tibet, o Reiki continuou com elas, embora Mu, posteriormente, tenha-se perdido. As mudanças na Terra, que primeiramente destruíram Mu e, mais tarde, a Atlântida, produziram vários conflitos culturais, obrigando que o sistema de cura fosse conhecido só por uns poucos eleitos. Quando, no século XIX, um japonês buscou a origem do método de cura de Jesus e de Buda, ele a encontrou entre os vestígios antigos da cultura primeva de Shiva, nos ensinamentos esotéricos da Índia.

A história do Reiki Tradicional[10] começa na metade do século XIX com Mikao Usui, que era diretor da Universidade Doshisha, em Kyoto, Japão, e também um pastor cristão. Quando seus alunos pediram que mostrasse o método de cura de Jesus, Usui iniciou uma busca que durou dez anos para encontrar e aprender a técnica. Quando autoridades cristãs do Japão lhe disseram que essa cura não devia ser assunto de discussão e muito menos conhecida, Usui buscou a informação no Budismo. Há semelhanças surpreendentes entre a vida de Buda na Índia (Sidarta Gautama, 620-543 a.C.) e a vida do Jesus histórico. Monges budistas disseram a Usui que o antigo método de cura espiritual fora perdido e que a única maneira de se aproximar dele era por meio dos ensinamentos budistas, o Caminho da Iluminação.

CRONOLOGIA

Índia

620 a.C.	Nascimento de Sidarta Gautama, Buda Sakyamuni, na fronteira entre a Índia e o Nepal.
543 a.C.	Morte de Sidarta Gautama em Kusingara, Índia.
Séculos II e I a.C.	Escritos Tantra, Lótus, Sutra,[3] outros textos de cura ainda existentes.
7 a.C.	Nascimento histórico de Jesus.[4]
5 a.C.	Os "Três Reis Magos" vêm do Oriente (Índia) buscar a reencarnação de um Iluminado. Levam Jesus e sua família para o Egito e para a Índia.
27 ou 30 d.C. até 30 ou 33 d.C.	Jesus retorna a Jerusalém por dois ou três anos.[5]
30 ou 33 d.C.	A Crucificação. Evidências de que Jesus sobreviveu.[6]
46 ou 49 d.C.	Jesus retorna à Índia, dezesseis anos depois da Crucificação.[7]
110 d.C.	Morte de Jesus em Srinagar, Índia. As lendas alegam que ele viveu até os 120 anos, o que não era raro no seu tempo.[8]

Japão

Final do século XIX	A busca do Reiki de Mikao Usui.
1925	Chujiro Hayashi recebe o grau de Mestre em Reiki (Reiki III) aos 47 anos.
1930	Morte de Mikao Usui. Ele formou 16 ou 18 Mestres em Reiki, dependendo da fonte de informação.
10 de maio de 1941	Morte de Chujiro Hayashi. Ele formou 13 ou 16 Mestres em Reiki, incluindo as primeiras mulheres, sua esposa Chie Hayashi e Hawayo Takata.

Havaí

24 de dezembro de 1900	Nascimento de Hawayo Kawamuru (Takata).
10 de março de 1917	Casa-se com Saichi Takata.
Outubro de 1930	Morte de Saichi Takata.
1935	Takata vai ao Japão para curar-se no Hospital Maeda, em Akasaka, e depois vai à clínica de Reiki, fundada por Hayashi, em Shina No Machi, Tóquio. Ela se cura em quatro meses.
Primavera de 1936	Takata recebe o Reiki I de Chujiro Hayashi.
1937	Takata recebe o Reiki II de Hayashi e volta ao Havaí. Abre sua primeira clínica de cura em Kapaa.
Inverno de 1938	Takata recebe o Reiki III de Hayashi, no Havaí. Em 22 de fevereiro de 1938, Chujiro Hayashi apresenta Hawayo Takata como Mestra em Reiki e sua sucessora.
11 de dezembro de 1980	Morte de Hawayo Takata. Ela formou 22 Mestres Reiki entre 1970-1980. Algumas fontes citam a data de sua morte como 12 de dezembro.[9]

Mikao Usui viajou então para os Estados Unidos, onde viveu durante sete anos. Não encontrando resposta entre os cristãos, entrou para a Escola Teológica da Universidade de Chicago. Diz-se que ali recebeu o grau de Doutor em Teologia, depois de estudar religiões comparadas e filosofia. Também aprendeu a ler sânscrito, a língua erudita antiga da Índia e do Tibet. Ainda assim Usui não encontrou respostas para a busca desse método de cura. Não se faz mais referência a Mikao Usui como cristão ou pastor, mas somente como budista, que, depois de voltar ao Japão, residiu num mosteiro zen.

É interessante notar que William Rand, Mestre em Reiki, não encontrou registros de Mikao Usui na Universidade de Doshisha, como diretor, professor ou aluno. Além disso, não existem registros de sua presença na Universidade de Chicago, nem de ter recebido qualquer diploma.[11] Seria fácil especular que o aspecto cristão da história foi introduzido no Ocidente, para os americanos aceitarem o poder do sistema de cura Reiki. Entretanto, os paralelos entre o Budismo e os ensinamentos originais do Jesus histórico (em vez da religiosidade cristã ou da doutrina da Igreja) exigem uma revisão. Deixo de lado a história do Reiki para examinar brevemente este ponto.

Buda, o Grande Salvador da Índia, nasceu em 620 a.C., perto da fronteira do Nepal. Ele era filho de um rei e seu nome de nascimento era Sidarta Gautama. O príncipe foi mantido longe do sofrimento do mundo, vivendo num palácio fechado sem permissão para sair. Chegando à maioridade, desejou tão fortemente ver o mundo como ele realmente era que desobedeceu à vontade do pai e fugiu dessa prisão dourada. Pela primeira vez, conheceu a velhice, a doença, a morte, a pobreza e o sofrimento, o que despertou sua herança kármica para aliviar a dor de todas as pessoas.

Renunciando à riqueza e a sua jovem e adorada mulher, Sidarta Gautama escolheu o caminho de peregrino. Dormiu sob as árvores, mendigou e meditou sobre como evitar o sofrimento. Um dia, sentado, meditando à sombra de uma figueira, foi-lhe mostrada a maneira de curar todas as pessoas, e essa revelação, sob a árvore "Bodhi", foi sua primeira Iluminação. Buda Sakyamuni descobriu que o apego, junto com a negatividade e a inveja que ele inevitavelmente causa às coisas deste mundo e mesmo às pessoas, é a fonte do sofrimento humano. As ações baseadas nesses apegos geram o karma, positivo ou negativo, que prende o espírito da pessoa ao plano terrestre. O karma faz com que as pessoas renasçam muitas vezes, com o propósito de resolver seus problemas. O renascimento e a vida na Terra são a fonte do sofrimento humano, e, mesmo assim, o karma não pode ser resgatado exceto pela reencarnação num corpo humano.

A resposta para esse paradoxo, ou seja, como resolver o karma e terminar o círculo de reencarnações e renascimentos, é a essência dos ensinamentos budistas. Essa filosofia que aceita os deuses e as deusas de qualquer cultura em que ela seja praticada tem provocado um impacto profundo em todas as principais religiões, incluindo o Cristianismo. Os ensinamentos budistas baseiam-se no princípio da compaixão por todos os seres vivos, na não-agressão às pessoas e aos animais, no amor sem apego e na ajuda aos outros. Para o budista, a cura significa muito mais do que a cura do corpo, pois a mente e as emoções também devem ser curadas, e a cura, em primeiro lugar, deve ser espiritual. O mundo é visto como uma ilusão, uma criação da Mente derivada do Vazio. Muitas das parábolas e histórias encontradas no Cristianismo mais recente são tiradas diretamente do Budismo, inclusive a Parábola da Semente de Mostarda, a história do Filho Pródigo, o Sermão da Montanha e a Tentação no Deserto pelo Demônio.

A descoberta pelo Buda do Caminho da Iluminação tornou possível a Iluminação de outros. Numerosos Budas se seguiram a Sidarta Gautama e a outros seres conhecidos como Bodhisattvas. Um Bodhisattva (salvador) é uma pessoa que atingiu a Iluminação e, portanto, não precisa mais reencarnar. Ainda assim, ela volta fisicamente à Terra, com o propósito de afastar as pessoas do sofrimento e da dor e encaminhá-las para a Iluminação. Entre os Bodhisattvas femininos mais conhecidos, encontram-se Kwan Yin, na China (chamada Kannon no Japão), e Tara, no Tibet, embora o Budismo cite muito pouco as mulheres. Creio que Maria e Jesus também sejam exemplos de Bodhisattvas.

Buda e vários outros Budas que se seguiram a ele foram chamados de Os Grandes Médicos (como Jesus mais tarde ficou conhecido). No início do Budismo, deu-se tanta ênfase à prática da cura física e espiritual, que mais tarde se tornou uma norma desencorajá-la como se fosse um desvio do Caminho da Iluminação. O que hoje é conhecido como Reiki já era conhecido na Índia no tempo de Sidarta Gautama. O Reiki foi parcialmente descrito nos *Sutras* budistas (escrituras sagradas), mas foi transmitido mais provavelmente através de ensinamentos orais. Várias escrituras budistas primitivas descrevem os efeitos da cura espiritual — libertação do sofrimento e reencarnação numa "Terra Pura" onde a Iluminação podia ser atingida — em vez do método de cura em si. Rituais e preces para se invocar o Buda da Cura são descritos em vários textos.

Conceitos mais familiares ao Ocidente, como técnicas de vidência, visualização, iniciação/sintonização, estados de meditação, curas espirituais envolvendo a mente, as emoções e o corpo indicam uma forma de Budismo conhecida como Tantra ou Vajrayana. O Tantra é uma forma altamente esotérica do Budismo Mahayana desenvolvido no Tibet. Exige dedicação completa e muitos anos de treinamento de vidência pela meditação. O Tantra é conhecido erroneamente no Ocidente como uma prática sexual; ao contrário, seu objetivo é a união ou fusão com o Todo. Essa união é personificada pela visualização — não-concreta — do parceiro sexual. Duas ramificações da prática tântrica são o desenvolvimento das capacidades de vidência e de cura. Os adeptos são ensinados a usá-las somente quando necessário, pois estas são "distrações" do processo de Iluminação.[12]

O Budismo Tibetano também envolve o conceito de Tulkas, a reencarnação com memória consciente de vidas passadas para certos adeptos de alto nível. O atual Dalai Lama é um exemplo de um Tulka. Algum tempo depois da morte de um Dalai Lama, os monges da ordem começam a procurar sua reencarnação, que eles identificam por meio de vários sinais e testes. O novo Lama, ainda criança, é então levado ao mosteiro para treinamento a fim de iniciar o papel que ele deixou na vida passada. Essa é uma relação importante entre o Budismo místico e Jesus, e que descreverei mais adiante.[13]

O material escrito referente ao Budismo Tântrico não oferece descrições claras, passo a passo, de como atingir o Caminho. Os ensinamentos são transmitidos oralmente e apenas aos adeptos. Os manuscritos são cuidadosamente protegidos por receio de que sejam profanados; por isso, são escritos deliberadamente de forma obscura. Um instrutor tem de desvendar a linguagem mística e o faz somente para alunos altamente qualificados e prontos.[14] Às vezes, os ensinamentos são perdidos se o Mestre/Instrutor não aceita discípulos para passá-los adiante; as práticas perdidas eventualmente são recuperadas através de vidências. O *Sutra do Lótus*, texto tibetano de inspiração Tântrica escrito no século I ou II a.C., oferece a fórmula simbólica para a técnica do Reiki.

Como essa técnica de cura Reiki — embora seja uma palavra japonesa, não era esse o seu nome no princípio — chegou até Jesus no Oriente Médio? De acordo com o pesquisador e escritor alemão Holger Kersten no seu fascinante livro *Jesus Lived in India* (Element Books, Ltd., 1991), Jesus foi um Bodhisattva reencarnado, como foi descrito antes — um Tulka. Seu nascimento era esperado por membros de uma ordem budista, e os "Três Reis Magos" seguiram a conjunção astrológica incomum do ano 5 a.C. para encontrá-lo. A essa altura, o Budismo tinha se espalhado pelo Oriente e havia centros budistas na maioria dos países do Oriente Médio.

Nessa época, Jesus tinha dois anos de idade e estava em perigo por causa de Herodes, que recebera a profecia de que um líder essênio recém-nascido desafiaria o comando romano. Um mosteiro essênio tipicamente budista existia em Qumran, perto das cavernas que mais tarde guardaram os Manuscritos do Mar Morto. Sendo uma ordem mística e possivelmente budista, os Essênios sabiam dessas profecias. Entre os ensinamentos essênios, incluem-se os conceitos de reencarnação e karma, de imortalidade da alma, de paz misericordiosa e de vida simples.[15] Reconhecendo no menino Jesus o Tulka que eles buscavam, ou talvez mandados pelos essênios que o reconheceram, os "Reis Magos" levaram com eles o menino e sua família para o Oriente. A criança cresceu e foi educada, primeiro, no Egito e, mais tarde, na Índia. Tendo acesso a ensinamentos do Budismo Mahayana e Vajrayana, ele voltou a Jerusalém como adulto, um adepto budista e um agente de cura Reiki. Ele também era um Bodhisattva.

Holger Kersten vai além para desvendar a vida de Jesus, apresentando argumentos lógicos para a possibilidade de que ele tivesse sobrevivido à Crucificação. Existem numerosas menções a Jesus como Issa ou Yuz Asaf nos *Sutras* budistas, e como Ibn Yusf nas escrituras islâmicas. A maioria das fontes descreve seu passado ou se refere às cicatrizes da crucificação, tornando sua identificação inegável. Jesus sobreviveu à crucificação e viveu uma vida muito longa e respeitada na Índia, como um homem sagrado.[16] Os túmulos de Maria, de Maria Madalena e de Yuz Asaf (Jesus) são conhecidos e considerados como lugares de peregrinação em Mari, no Paquistão (Maria); em Kashgar, na Índia (Maria Madalena); e em Srinagar, na Índia (Jesus). Os locais estão claramente demarcados.[17] Kersten cita 21 documentos que descrevem a residência de Jesus em Kashmir, na Índia, depois da crucificação, além de várias indicações de nomes e lugares.

A maior parte dessa informação erudita tem sido suprimida pela Igreja Cristã, que reflete mais os ensinamentos de Paulo do que a influência budista de Jesus. O Jesus histórico é uma figura fascinante, e sua presença na história do Reiki é justificada. Se ele também ensinou a outros esse método de cura — e o Novo Testamento afirma que ele pelo menos o ensinou a seus discípulos —, então o Reiki se espalhou pelo mundo antigo, além da Índia, por uma região muito maior do que se tem conhecimento. Na doutrina cristã esse ensinamento provavelmente se perdeu, devido à intervenção de Paulo, que parece ter reinterpretado os ensinamentos de Jesus. Por volta do século V, os conceitos fundamentais de renascimento e karma foram retirados dos cânones da Igreja, e o método de cura de Jesus — que poderia ter ajudado a tantos — também se perdeu para o Ocidente em desenvolvimento. A cura permaneceu ativa apenas entre os adeptos budistas, que a usaram mas não divulgaram sua existência.

Mikao Usui voltou ao Japão e fixou residência num mosteiro zen-budista; aí encontrou os textos que revelaram a fórmula de cura que, agora, ele podia ler no original, em sânscrito. Entretanto, os textos não incluíam a informação de como ativar a energia e fazê-la funcionar. Como tem sido afirmado, essa falta de informação nos *Sutras* era intencional, feita com freqüência para manter os poderosos ensinamentos longe do alcance de mãos não preparadas para conhecê-los e usá-los corretamente. Hawayo Takata narra isso:

> Ele estudou a versão sânscrita e, mais tarde, depois de estudos profundos, encontrou a fórmula. Clara como o dia. Nada difícil, mas muito simples. Como dois e dois são quatro... E então disse: "Muito bem, eu a encontrei. Agora, tenho que interpretar isso porque foi escrito há 2500 anos. Mas tenho de passar pelo teste."[18]

O teste foi um período de três semanas de meditação, de jejum e oração no monte Koriyama, no Japão. Ele escolheu o local da meditação e reuniu 21 pedras pequenas à sua frente para marcar o tempo, jogando fora uma pedra ao final de cada dia. Na última manhã dessa busca, um pouco antes de clarear o dia, Usui viu um projétil de luz vindo na sua direção. Sua primeira reação foi fugir do projétil; mas então ele pensou novamente. Decidiu aceitar o que estava vindo em resposta à sua meditação, mesmo que resultasse na sua morte. A luz atingiu seu terceiro olho e ele perdeu a consciência por certo tempo. Então, viu "milhões e milhões de bolhas de arco-íris"[19] e, finalmente, os símbolos do Reiki como numa tela. Ao ver os símbolos, foi-lhe dada a informação sobre cada um deles para ativar a energia de cura. Essa foi a primeira iniciação Reiki, a redescoberta de um método antigo por meio de vidência.

Mikao Usui deixou o monte Koriyama sabendo curar como Buda e Jesus haviam curado. Descendo a montanha, *aconteceu* o que é tradicionalmente conhecido como os quatro milagres. Primeiro, ele feriu um dedo do pé enquanto andava; instintivamente, sentou-se e pôs as mãos sobre ele. Suas mãos ficaram quentes e o dedo machucado foi curado. Segundo, ele chegou a uma casa que servia a peregrinos, ao pé da montanha. Pediu uma refeição completa, algo nada recomendável depois de jejuar durante 21 dias apenas com água, mas comeu normalmente. Terceiro, a mulher que o serviu sentia dor de dente e, colocando as mãos sobre a face dela, ele a curou. Quando voltou ao mosteiro, soube que o diretor estava acamado com um ataque de artrite, e ele também o curou.

Usui deu à energia de cura o nome de Reiki, que quer dizer energia da força vital universal e, em seguida, levou o método às favelas de Kyoto. Morou ali por vários anos, ministrando sessões de cura no quarteirão dos mendigos da cidade. Na cultura e ética de seu tempo, pessoas com deformidades, aleijadas ou com doenças aparentes eram sustentadas pela comunidade, que as tratava como mendigos. Depois de curar essas pessoas, pediu-lhes para começar uma vida nova; no entanto, elas voltaram ao antigo modo de viver. Vendo pessoas que ele considerara curadas voltando a esmolar em vez de ganhar a vida honestamente, desanimou-se e deixou as favelas. As pessoas ficaram zangadas porque, tendo sido curadas das doenças, não podiam mais ganhar a vida como mendigos e teriam de trabalhar.

A experiência de Usui nas favelas é usada como justificativa para os altos preços cobrados hoje em dia pelo treinamento em Reiki, presumindo-se que as pessoas não apreciariam a cura se não pagassem por ela. A falha de Usui pode ser devida, não ao fato de os mendigos não terem pago, mas ao fato de ele ter curado apenas o corpo deles, e não sua mente e espírito. A doutrina budista não enfatiza a cura do corpo, mas a espiritual, e afirma que esta depende de se entrar no Caminho da Iluminação. Uma vez alcançada a Iluminação, a pessoa não precisa mais encarnar, e essa é a maneira de terminar com o sofrimento. Os budistas apontam o Caminho da Iluminação como o único método de cura verdadeiro e válido.

Mikao Usui tornou-se um peregrino, levando o Reiki andando a pé pelo Japão, carregando uma tocha e dando aulas. Dessa forma, encontrou Chujiro Hayashi, um oficial aposentado da Marinha. Hayashi recebeu de Usui seu treinamento em Mestre em Reiki em 1925, com 47 anos, e tornou-se o sucessor de Mikao Usui. Este morreu em 1930, tendo formado dezesseis ou dezoito Mestres em Reiki (as fontes de informação mais importantes variam), embora nenhum outro, exceto Hayashi, seja mencionado por qualquer fonte a respeito do Reiki. Em toda a sua vida, Chujiro Hayashi treinou equipes de praticantes do Reiki, homens e mulheres, num total de dezesseis Mestres. Ele abriu uma clínica de cura em Tóquio, onde agentes de cura trabalhavam em grupo com as pessoas que ficavam internadas durante o período de cura. Curadores Reiki também iam à casa das pessoas incapazes de ir à clínica. Em 1935, Hawayo Takata foi à clínica de Chujiro Hayashi, em Shina No Machi, para se curar.

Hawayo Kawamuru nasceu em 24 de dezembro de 1900, numa família de cortadores de abacaxi, na Ilha de Kauai, Havaí, em Hanamaulu.[20] Por ser pequena e frágil demais para o trabalho na plantação, ela passou por vários empregos enquanto ainda estudava em escolas públicas. Ajudou a ensinar crianças mais jovens e trabalhou numa fonte de água gaseificada. Assim que saiu da escola, ofereceram-lhe um trabalho na grande e rica plantação do proprietário da casa. Ela trabalhou nesse lugar durante 24 anos, como governanta e guarda-livros, uma posição de grande responsabilidade. Ali conheceu e se casou com o tesoureiro da plantação, Saichi Takata, em 1917; foram felizes e tiveram duas filhas.

Saichi Takata morreu de um ataque cardíaco aos 32 anos, em outubro de 1930. Durante os cinco anos seguintes, Hawayo Takata, viúva e com duas crianças pequenas, passou a ter graves problemas de saúde e esgotamento nervoso. Diagnosticou-se uma doença no fígado que exigia uma cirurgia, mas, devido a problemas respiratórios, o uso de anestésicos era contra-indicado. Sua saúde se deteriorou e os médicos disseram-lhe que sem cirurgia ela não sobreviveria, mas, se praticada, ela morreria. Depois da morte de uma irmã, em 1935, Takata levou a notícia a seus pais, que haviam voltado a morar em Tóquio, e, em seguida, foi para o Hospital Maeda, em Akasaka.

Por várias semanas, ela ficou internada no hospital. Foi marcada a cirurgia. A essa altura, também foi diagnosticada apendicite, um tumor e cálculos biliares. Na noite anterior à cirurgia, ela ouviu uma voz dizendo: "A operação não é necessária." Ouviu novamente a mesma voz na mesa de cirurgia e, levantando-se, perguntou ao cirurgião se havia outro método para sua cura. O médico lhe disse: "Sim, se ela pudesse permanecer no Japão por tempo suficiente", e falou-lhe sobre a clínica de Reiki de Chujiro Hayashi. A irmã do cirurgião, que havia sido tratada pelos curadores de Hayashi e tinha recebido treinamento em Reiki, levou-a no mesmo dia para a clínica de Reiki.

Takata passou a morar na clínica e foi completamente curada no nível físico, mental e espiritual em quatro meses. Pediu para ser treinada em Reiki. De início, foi recusada, não porque fosse mulher, mas porque era estrangeira. Hayashi não queria que o Reiki fosse praticado fora do Japão naquele tempo. Com o tempo, ele cedeu devido à intervenção do cirurgião do Hospital Maeda. Hawayo Takata recebeu treinamento em Reiki I na primavera de 1936. Ela se juntou à equipe de agentes de cura que trabalhava na clínica e, em 1937, recebeu treinamento em Reiki II e voltou ao Havaí. Ela tinha vivido no Japão durante dois anos.

Sua primeira clínica Reiki foi em Kapaa, e ela foi bem-sucedida no trabalho. Obteve uma licença como massoterapeuta para se proteger legalmente das autoridades.

No inverno de 1938, Chujiro Hayashi visitou Takata no Havaí e, juntos, empreenderam uma *tournée* para ensinar o Reiki. Ela recebeu dele o treinamento em Reiki III nessa época e, em 22 de fevereiro de 1938, Hayashi apresentou Hawayo Takata como Mestra/Instrutora e sua sucessora. Insistiu em que ela não desse treinamento sem cobrar. Também lhe disse que, quando a chamasse, que viesse vê-lo no Japão, imediatamente. Em 1939, ela abriu o segundo centro de cura em Hilo. Em 1941, Takata acordou certa manhã e viu mediunicamente Hayashi, ao pé de sua cama. Ela soube que esse era o chamado e tomou o primeiro navio disponível para Tóquio.

Quando Takata chegou à clínica de Reiki, Chujiro Hayashi, sua esposa Chie Hayashi e outros Mestres Reiki japoneses estavam presentes. Ele lhe disse que uma grande guerra estava para acontecer, que todos os envolvidos com o Reiki desapareceriam e que a clínica seria fechada. Temendo que o Reiki fosse totalmente perdido para o mundo, ele escolhera Takata — uma estrangeira — como sua sucessora. Chujiro Hayashi ainda disse que, como oficial da Marinha na reserva, fora chamado e que, como agente de cura e médico, não tiraria vidas. Ao contrário, estava determinado a aceitar a própria morte e que por isso tinha chamado Takata.

Em 10 de maio de 1941, na presença dos alunos, Chujiro Hayashi fez seu coração parar por meios metapsíquicos e morreu. A grande guerra que ele previu foi a II Guerra Mundial e, como fora previsto, o Reiki desapareceu do Japão. Chie Hayashi sobreviveu, mas sua casa e clínica foram tomadas pela ocupação e não foram mais usadas como centro de cura.

Takata foi o meio pelo qual o Reiki continuou. Ela o trouxe primeiramente para o Havaí, depois para os Estados Unidos e, finalmente, para o Canadá e a Europa. Ela viveu até os 80 anos, mas sempre aparentou ser muito mais jovem. Treinou centenas de pessoas no sistema de cura Reiki. Nos últimos dez anos de vida, de 1970 a 1980, iniciou 22 Mestres Reiki, homens e mulheres. Hawayo Takata morreu em 11 de dezembro de 1980.

Em sua clínica, se um cliente estivesse seriamente doente e precisasse de muitas sessões de cura, ela dava treinamento em Reiki para uma pessoa da família do doente para fazer o tratamento. Quando o cliente estivesse suficientemente forte, ele também recebia o treinamento. Takata ensinava por meio de histórias e exemplos. Ela não permitia que seus alunos tomassem nota e ensinava sempre de forma diferente. Às vezes, iniciava as posições de cura pela cabeça e, outras, pelo meio do corpo ou mesmo pelos pés. Em seu treinamento de Mestre em Reiki, o grau de Reiki III, o trabalho também variava. Os Mestres/Instrutores que ela treinou não foram ensinados exatamente da mesma forma.

Takata sempre cobrou dos alunos, mesmo dos membros de sua família. Ela achava que isso era realmente necessário, porque as pessoas que não pagavam pelo aprendizado não valorizavam o seu uso. Achava também que aqueles que não pagavam pelo ensinamento não seriam bem-sucedidos nos negócios ou na vida.[21] Os instrutores que treinou continuam a cobrar preços altos, o suficiente para tornar o Reiki algo exclusivo, fora do alcance da maioria das pessoas.

Na minha opinião, o alto preço de qualquer sistema de cura é moralmente errado no mundo de angústias de hoje, embora seja válida a opinião de Takata e sua experiência. De fato, alguns alunos não valorizam o que não pagam com esforço. A cultura americana promove esse conceito de respeito baseado em preços, em vez de basear-se no valor intrínseco do ensinamento. Acho, entretanto, que, embora certos alunos não entendam o valor do que tenham recebido, o Reiki, mesmo assim, os ajuda de uma forma importante.

Desde a morte de Hawayo Takata, o Reiki sofreu muitas mudanças no Ocidente. Phyllis Furumoto, a sucessora e neta de Takata, tem sido chamada de a Grande Mestra em Reiki Tradicional de Usui. As técnicas e métodos de ensino sofreram mudanças e vários ramos do Reiki evoluíram. Cada um desses ramos diz que é o detentor da única forma correta, mas o fato é que todos os métodos funcionam e foram derivados dos ensinamentos de Hawayo Takata.

O Reiki Tradicional de Usui, também chamado de Reiki Ryoho de Usui, é provavelmente o mais próximo daquele que Hawayo Takata trouxe originalmente do Japão. Ele ensina o Reiki em três graus, com o Reiki III como treinamento de Mestre/Instrutor. Poucas pessoas são aceitas para o treinamento de Mestre em Reiki Tradicional; mesmo aquelas que podem pagar US$ 10.000 têm de ser convidadas. Alguns instrutores de Reiki agora dividem o Terceiro Grau em dois níveis: grau de Reiki III para praticantes e Reiki III para instrutores. Alguns chamam o grau de Reiki III para praticantes de Reiki II avançado. Um sistema, Radiância, divide o treinamento Reiki em onze graus, declarando que os níveis mais altos vão além e aprofundam os ensinamentos de Takata. Um maior número de graus também significa custo mais alto.

Os métodos de ensino dentro de um grau também variam. A maioria dos instrutores ensina o Reiki I da mesma forma, com algumas mudanças e acréscimos no Segundo Grau. Entretanto, as maiores variações ocorrem no Terceiro Grau, em que os métodos para transmitir a iniciação diferem. O método de Iniciação/Sintonização Tradicional exige quatro iniciações para o Reiki I. Alguns instrutores usam as quatro para o Reiki II, enquanto outros métodos modernos usam apenas uma iniciação combinada para cada grau. Nos meus treinamentos e neste livro, divido o Reiki em três graus apenas, sendo que o Reiki III inclui a informação completa para se ensinar o sistema a outras pessoas. Embora eu tenha sido treinada em ambos os métodos de iniciação, prefiro usar a forma moderna, que transmite cada grau numa única iniciação. Essa é, para mim, a forma mais eficaz, além de ser sensivelmente a mais simples. O conteúdo deste livro reflete esses métodos e inclui todos os três graus pormenorizadamente. Meus métodos são mais modernos do que os do Reiki Tradicional, pois têm sido aperfeiçoados pelo critério do que funciona melhor e mais facilmente.

O Reiki está mudando e evoluindo desde os tempos de Mikao Usui, de Chujiro Hayashi e de Hawayo Takata. Ele está se tornando acessível a um número maior de pessoas, particularmente pelo fato de que alguns instrutores não-Tradicionais não co-

"Reiki" escrito em japonês em diferentes estilos de escrita.

bram mais taxas altas. Como Buda ensinou o método de cura pela imposição das mãos e como Jesus o aprendeu e o ensinou não se sabe mais. As origens do Reiki precisam ser honradas e, ao mesmo tempo, as mudanças no mundo e as necessidades das pessoas e da Terra precisam ser respeitadas. É minha esperança que este livro transmita o ensinamento do Reiki, preservando métodos eficazes de tal forma que estes não se percam mais, e igualmente ponham o Reiki ao alcance de qualquer pessoa que queira aprendê-lo. Reiki é amor e, neste tempo de crise planetária, nós precisamos de todo o amor que possamos obter.

1. Laurel Steinhice in Diane Stein, *Dreaming the Past, Dreaming the Future: A Herstory of the Earth*, pp. 196-199, 3 de junho de 1990.
2. Laurel Steinhice, Comunicação Pessoal, fevereiro de 1991.
3. A datação se acha em Raoul Birnbaum, *The Healing Buddha* (Boulder, CO, Shambala Publications, Inc., 1979), pp. 26-27.
4. Holger Kersten, *Jesus Lived in India: His Unknown Life Before and After the Crucifixion* (Dorset, Inglaterra, Element Books, Ltd., 1991), p. 86. As datas sobre a vida de Jesus são desta fonte. Sua importância para o Reiki ficará evidente.
5. *Ibid.*, pp. 124-125.
6. *Ibid.*, p. 127ss.
7. *Ibid.*, p. 174, datação na p. 183.
8. *Ibid.*, pp. 205-206.
9. Datas de 1800 a 1900 são duplicadas em várias fontes do Reiki. Uma referência primária é Fran Brown, *Living Reiki: Takata's Teachings* (Mendocino, CA, LifeRhythm, 1992).
10. A história do Reiki Tradicional está disponível virtualmente em todos os livros sobre o sistema de cura Reiki. Minha fonte primária, aqui, é Hawayo Takata, *The History of Reiki as Told by Mrs. Takata* (Southfield, MI, The Center for Reiki Training, 1979), *audiotape* e transcrição.
11. William L. Rand, *Reiki: The Healing Touch, First and Second Degree Manual* (Southfield, MI, Vision Publications, 1991), p. 2.
12. John Blofeld, *The Tantric Mysticism of Tibet: A Practical Guide to the Theory, Purpose and Techniques of Tantric Meditation* (Nova York, NY, Arkana Books, 1970), pp. 36-40.
13. Holger Kersten, *Jesus Lived in India*, pp. 86-91.
14. John Blofeld, *The Tantric Mysticism of Tibet* pp. 198-199. A maior parte da minha informação sobre o Budismo vem desse excelente livro.
15. Holger Kersten, *Jesus Lived in India*, pp. 106-108.
16. *Ibid.*, p. 150ss.
17. *Ibid.*, pp. 186-187, 196-197, 203-206.
18. Hawayo Takata, *The History of Reiki as Told by Mrs. Takata*, transcrito p. 4.
19. *Ibid.*, p. 6.
20. Essencialmente, todos os livros sobre Reiki descrevem a vida de Hawayo Takata. As fontes principais usadas aqui são: Fran Brown, *Living Reiki: Takata's Teachings*, e Helen J. Haberly, *Reiki: Hawayo Takata's Story* (Olney, MD, Archedigm Publications, 1990), pp. 11-44. Ambos os livros são bastante recomendados.
21. Hawayo Takata, *The History of Reiki as Told by Mrs. Takata*, transcrito pp. 14-15.

CAPÍTULO 2

O Que É Reiki?

O ato de impor as mãos sobre o corpo humano ou sobre um animal para transmitir bem-estar e aliviar a dor é tão antigo quanto o instinto. Quando sentem dor, a primeira coisa que as pessoas fazem é colocar as mãos sobre a região dolorida. Quando uma criança cai e machuca o joelho, ela quer que sua mãe a toque (ou a beije) para que melhore. Quando uma criança está doente ou com febre, o instinto materno a faz pôr a mão na testa da criança. O toque humano transmite calor, serenidade e cura. Também transmite carinho e amor. Quando um animal está sentindo dor, o primeiro instinto do gato ou do cachorro é lamber a área afetada — pela mesma razão que uma pessoa aplica o toque com as mãos. A mãe do animal também lambe o filhote que está sofrendo. Esse ato simples é a base de toda técnica de cura pelo toque.

O corpo vivo, de um homem ou de um animal, irradia calor e energia. Essa energia é a fonte da vida em si, e tem tantas denominações quanto as civilizações que já existiram. Mary Coddington, no seu livro *In Search of the Healing Energy* (Destiny Books, 1978), examina a história dessa energia em várias culturas. Os Hunas da Polinésia chamam essa energia de cura de *Mana*, e os índios americanos iroqueses a chamam de *Orenda*. É conhecida como *Prana* na Índia, *Ruach* em hebraico, *Barraka* em países islâmicos e *Ch'i* na China. Alguns agentes de cura a têm chamado de *Energia Orgone* (Wilhelm Reich), *Magnetismo Animal* (F.A. Mesmer) e *Archaeus* (Paracelso); no Japão, a energia é chamada de *Ki* e é dessa palavra que o Reiki tem sua origem.

O instrutor de Ch'i Kung, Mantak Chia, define o Ch'i (o equivalente chinês de Ki) como "energia, ar, respiração, vento, sopro vital, essência vital... energia ativadora do universo".[1] Ch'i Kung é uma arte de cura asiática antiga. Funciona para aumentar e conservar o Ch'i, direcionando o movimento da energia no interior do corpo. Ch'i ou Ki é um tipo de energia elétrica que o corpo produz, e determina o estado de saúde. Quando o Ki deixa o organismo, a vida cessa. Ch'i ou Ki também é a energia essencial da vida na Terra, nos planetas, nas estrelas e no céu; essas fontes de energia afetam o Ki do organismo vivo. Tudo o que tem vida contém Ki e o irradia — é a energia biomagnética da aura.

Na energia da força vital do Reiki, a pessoa que está sintonizada como agente de cura Reiki teve os canais de energia do seu corpo abertos e livres de bloqueio pela iniciação em Reiki. Agora, ela não só recebe um aumento da energia vital, ou Ki, para sua própria cura, como também se liga à fonte de todo o Ki ou Ch'i do universo. Essa fonte pode ser descrita do modo que o agente de cura queira chamá-la. Eu a chamo de Deusa. Outros termos podem ser usados: Deus, Eu Superior, Primeira Fonte, Universo, ou qualquer coisa que possa representar a criação primária ou energia da vida. O Reiki não é uma religião nem está filiado a nenhuma religião. Essa energia vital é a fonte da vida em si, um conceito e um fato muito mais antigo do que qualquer filosofia religiosa.

Enquanto tudo o que tem vida tem Ki, uma iniciação em Reiki aumenta indefinidamente a ligação do receptor com sua fonte. Ao receber a primeira iniciação em Reiki I, o iniciante torna-se um canal para a energia de cura universal. Desde o momento da iniciação e vida afora, tudo o que ele precisa fazer para se ligar ao Ki de cura é colocar as mãos sobre si mesmo ou em outra pessoa e deixá-lo fluir naturalmente através de si. A iniciação, colocando a pessoa em contato direto com a fonte do Ki, também aumenta a energia de sua força vital. Ela sente uma energia que, depois de curá-la, também cura os outros sem esgotá-la. Durante os poucos minutos do processo iniciático, a pessoa iniciada na energia Reiki recebe um presente que muda sua vida para sempre de forma totalmente positiva.

O processo iniciático é o que diferencia o Reiki de todas as outras formas de cura pela imposição das mãos ou pelo toque. A iniciação não é uma sessão de cura, mas cria o agente de cura. No Reiki I, o aluno recebe a primeira iniciação combinada (quatro iniciações, se ele recebe de um Mestre em Reiki Tradicional). Ele recebe uma iniciação adicional em Reiki II e ainda outra em Reiki III. Cada uma das iniciações aumenta consideravelmente sua capacidade de canalizar o Ki. As iniciações em si são o Reiki, e sem este processo — que deve ser passado diretamente do Mestre/Instrutor para o aluno — o sistema de cura não é Reiki, mas alguma outra coisa.

As iniciações são dadas de uma em uma e podem constituir um belo ritual, ou podem ser feitas rapidamente sem nenhuma cerimônia. De qualquer forma, receber a iniciação é um presente mágico. Para transmiti-la, o Mestre começa em pé, atrás do aluno, desenhando os símbolos. Ele então repete o processo à frente do iniciante e volta para trás dele, a fim de completá-lo. Cada iniciante tem uma sensação diferente. Algumas pessoas percebem cores, outras vêem desenhos; algumas relembram vidas passadas — especialmente vidas passadas nas quais já tiveram o Reiki. Outras se enchem de luz ou têm um sentimento de perfeita paz, admiração e amor. Alguns alunos percebem mais coisas do que outros. As sensações são muito agradáveis e claramente perceptíveis. Quando se pede para que coloquem as mãos em outras pessoas para ativar a energia, o novo agente de cura Reiki pode sentir, pela primeira vez, o calor radiante característico do Reiki através das mãos.

Desse ponto em diante, a pessoa que recebeu a iniciação é uma praticante de Reiki, com novas capacidades cuja existência ignorava. A iniciação não acrescenta nada novo à iniciante; ela abre e alinha o que já era parte dela. O processo assemelha-se ao modo de colocar uma lâmpada numa casa onde a fiação elétrica já existia; quando o agente de cura impõe as mãos com a intenção de curar, ele acende a luz.

Instrutores Tradicionais dizem que, se você recebe o Reiki, é porque já o teve em outras encarnações. Eles dizem que o Reiki é uma lembrança, e creio que vá além disso. Todos nós já tivemos o Reiki em vidas passadas; ele faz parte da nossa herança genética e de todos nós.

O Reiki é dividido em três graus. Em Reiki I, a iniciação cura as doenças físicas da pessoa que está sendo iniciada. Sua saúde física freqüentemente melhora nos meses que se sucedem à iniciação. As sessões do Reiki I são principalmente de autocura. O agente de cura do Reiki I também pode realizá-la em outras pessoas que estejam presentes. Essa cura é chamada cura direta — o agente de cura deve colocar as mãos diretamente sobre si ou sobre outra pessoa. (As posições das mãos no Reiki I serão examinadas no próximo capítulo.)

A adaptação à iniciação em Reiki leva de três a quatro semanas. Durante esse tempo, a energia Reiki pode ser ativada em momentos inesperados sem que esteja ocorrendo a cura intencional. A pessoa pode se sentir aérea ou debilitada, ter sonhos muito vívidos, inclusive sonhos acerca de vidas passadas, ou apresentar sintomas de desintoxicação. Entre esses incluem-se diarréia, coriza ou diurese. Ainda assim, a pessoa se sentirá bem. É nesse momento que a energia está se adaptando e aumentando a capacidade do novo agente de cura para canalizá-la. Mais energia Ki está entrando na sua aura e no seu corpo do que ele já recebera antes, e sua aura e chakras estão sendo purificados. Se o processo se torna incômodo, o fato de realizar a cura de si mesmo ou de outra pessoa reequilibra a energia e diminui essas sensações. Depois de receber o Reiki I, é melhor fazer tantas sessões de cura quantas forem possíveis, pelo menos durante o primeiro mês, incluindo uma sessão de autocura todos os dias.

A iniciação em Reiki II aumenta visivelmente o potencial de energia de cura e se concentra na cura emocional, mental e kármica da pessoa que a recebe. Depois da iniciação, emoções antigas, situações passadas que não foram resolvidas, vidas anteriores e modos de pensar negativos afloram para ser finalmente curados. Isso pode levar até seis meses para se completar e, embora o processo nem sempre seja agradável, é positivo e necessário.

A cura com o Reiki II aumenta consideravelmente a eficácia das sessões diretas. Também potencializa os métodos e os instrumentos para se ministrar a cura em alguém que não esteja fisicamente presente — a cura a distância. No Reiki II, são introduzidos três dos símbolos do Reiki usados conscientemente pela primeira vez. No Reiki I, os símbolos já estão na aura do agente de cura e eles emergem inconscientemente através de suas mãos quando ele ministra a cura. O Reiki II começa direcionando essas energias. Também oferece informações preliminares sobre a canalização da energia exigida para se transmitir iniciações como um Reiki III.

Reiki III é o grau de Mestre/Instrutor. O Mestre é simplesmente um instrutor, alguém que já dominou a disciplina. Não existe nesse termo nenhum tipo de atributo ou motivo de envaidecimento. A iniciação implica a energia espiritual, e a pessoa que a recebe alcança a cura espiritual. Essa energia é alegria pura, unidade com toda a vida e ligação com a Deusa/Fonte. Depois do trabalho duro que se segue à iniciação em Reiki II, o Reiki III é um presente especial. Durante as sessões de cura, o praticante de Reiki III sente um aumento da sua capacidade de canalizar a energia de cura, e sua capacidade de curar também atinge níveis mais altos. O Reiki III inclui mais dois símbolos-chave, mais informação esotérica sobre os símbolos e o método de transmitir iniciações. Esse grau só é recomendável para o agente de cura sério, especialmente os que desejam ensinar o Reiki e fazer dele uma parte importante de sua vida.

O processo de aprendizado começa com o Reiki I. Uma vez recebida a primeira iniciação, o agente de cura só precisa colocar as mãos sobre a área em que a pessoa sente dor ou usar a posição das mãos para o corpo todo. A energia do Ki está sempre fluindo, sem nenhuma direção, através das mãos do agente de cura. Este pode ou não ter consciência de que região do corpo precisa ser curada, mas a energia do Ki tem uma inteligência muito além da humana e se irradia para onde é necessário. Ela não é retirada do curador nem de sua aura, mas da Deusa/Fonte Viva. Ele coloca as mãos numa série de posições que constitui uma sessão, e o Reiki faz o resto. A energia também cura em todos os níveis do corpo — físico, emocional, mental e espiritual.

A energia Reiki cura a pessoa como um todo. Ao curar uma dor de cabeça, o Reiki pode, por exemplo, curar outros órgãos e níveis. Embora o agente de cura esteja com as mãos na cabeça da pessoa, região em que ela sente dor, muitas dores de cabeça têm origem no sistema digestivo. Se a dor de cabeça é causada por um distúrbio intestinal, a energia vai para o intestino, tanto quanto para a cabeça, que dói. Ambas as áreas estão no plano físico. Se a dor de cabeça tem origem emocional — por exemplo, tensão excessiva —, o Reiki também cura nesse nível. Da mesma forma, se a origem da dor de cabeça estiver no nível mental ou espiritual do corpo, esta será curada. Se a pessoa que recebe a cura tem outra doença, talvez uma alergia, o Reiki será útil nesse aspecto, independentemente de o agente de cura saber ou não disso.

Pessoas e animais são mais do que seres físicos. Temos um corpo físico denso imediatamente perceptível pela visão e pelo toque, mas também temos três outros corpos. Esses corpos não-visíveis e não-físicos são níveis de energia constituídos de Ki que dirigem o estado do corpo físico. A cura não pode ser apenas física, mas deve incluir os corpos de energia vibracional. Enquanto a medicina trata somente do corpo físico, a cura — particularmente a cura com o Reiki — trata de todos os quatro corpos. Portanto, a cura vai muito além da medicina, e seu escopo é muito mais amplo. No caso da dor de cabeça, por exemplo, tomar uma aspirina pode aliviar a dor, mas nada faz para combater sua causa. O Reiki não só trata a dor, mas também a sua causa. Com uma aspirina, é provável que a dor de cabeça volte depois de três horas; com o Reiki, ela desaparece definitivamente.

Isso de fato acontece especialmente em casos de doenças mais graves. A origem de toda doença física é provavelmente mais do que física, e a causa não-física deve ser tratada para se debelar a dor no corpo. A maioria dos curadores metafísicos crê que todas as dores físicas têm raízes não-físicas, em traumas emocionais, em modos de pensar negativos, ou no desespero espiritual. Para curar a doença, essas raízes devem ser encontradas e tratadas. Esse tem sido o principal trabalho de duas mulheres, Louise Hay (*Heal Your Body* e *You Can Heal Your Life*, Hay House, 1982 e 1984) e, antes dela, Alice Steadman (*Who's the Matter With Me?*, ESPress, Inc., l966). Ambas apresentam uma lista de partes do corpo e doenças com suas definições e causas.

FONTES EMOCIONAIS DAS DOENÇAS[2]

Problema	Fonte
Acessos	Pensamento negativo, falta de alegria, forçar a mudança de direção.
Acidentes	Expressão de raiva, frustração, revolta.
Anorexia/Bulimia	Raiva de si mesmo. Negação do alimento da vida, "não ser bom o suficiente".
Artrite	Modelos de crítica a si mesmo e a outros, perfeccionismo.
Asma	Complexo de culpa, amor reprimido, complexo de inferioridade.
Braços	Capacidade de abraçar, emoções antigas e estagnadas nas articulações.
Cabeça	Nós mesmos, aquilo que revelamos ao mundo, algo totalmente errado.
Câncer	Ressentimento profundo, desconfiança, piedade de si mesmo, falta de esperança, desespero.
Coração	Coração é amor e sangue é alegria. Ataques cardíacos são uma negação e uma supressão do amor e da alegria.
Costas	Central = culpa.
	Inferior = dificuldades financeiras, cansaço.
	Superior = falta de apoio emocional, necessidade de apoio.
Dedos	Anular = união e sofrimento.
	Indicador = ego, raiva e medo.
	Médios = raiva; direito: um homem; esquerdo: uma mulher.
	Segurar com a outra mão para melhorar.
	Mínimo = família e fingimento.
	Polegar = preocupação.
Dores	Culpa em busca de punição, é preciso especificar onde se manifesta.
Dores de Cabeça	Negação do eu.
Enxaquecas	Raiva e perfeccionismo, frustração. A masturbação é um modo de acabar com esse problema.
Estômago	Incapacidade de assimilar idéias e experiências. Quem ou o que você "engole"? Medo.

Garganta	Medo de mudança, incapacidade de falar, raiva, criatividade frustrada.
	Amigdalite ou tireóide = criatividade reprimida, criatividade bloqueada quando a pessoa está com leucemia.
	Dor de garganta = raiva.
	Laringite = nervoso demais para falar.
Inchaço	Estagnação no pensamento, lágrimas reprimidas, sentir-se apanhado numa armadilha.
Joelhos	Inflexibilidade, incapacidade de se dobrar, orgulho, ego, teimosia, medo de mudança, integridade.
Mãos	Prender-se demais a dinheiro e relacionamentos.
	Artrite = crítica de si mesmo, crítica interior e crítica a outros.
Obesidade	Necessidade de proteção, insegurança.
Órgãos Genitais	Assuntos relacionados com a feminilidade ou com a masculinidade; rejeição da sexualidade, "o sexo é sujo", "o corpo feminino é impuro".
	Doenças venéreas = culpa sexual.
	Frigidez = medo, culpa sexual, repugnância por si mesmo.
	Impotência = medo ou ressentimento contra o parceiro.
	Infecções na bexiga = estar zangada, segurar a raiva.
	Próstata = bom desempenho sexual e auto-estima exaltada.
	Vaginite = mágoa do parceiro.
	TPM = negação do ciclo feminino ou do valor das mulheres.
Ouvidos	Dificuldade em aceitar o que ouve.
	Dores de ouvido = raiva, surdez = recusa a ouvir.
Pele	Individualidade ameaçada, outros têm o poder sobre você. Pele sensível, sensibilidade emocional, necessidade de cuidar de si mesmo.
Pernas	Medo ou relutância de avançar, não querer progredir. Varizes = estar num lugar que se odeia.
Pés	Compreensão de si mesmo, mover-se para a frente.
Pescoço	Problemas relacionados com a flexibilidade.

Pulmões	Incapacidade de dar e de receber vida, negação da vida.
	Enfisema ou fumo excessivo = negação da vida, inferioridade.
Queimaduras, Bolhas, Febre, Inflamações em geral, Úlceras, Inchaço	Raiva
Reto	Constipação é incapacidade de se desligar; diarréia é medo de segurar; constipação = falta de confiança quanto a ter o suficiente; acúmulo.
Rigidez	Corpo rígido = mente rígida, inflexibilidade, medo, crença de que só há um caminho, resistência à mudança. Onde se manifesta = onde se acha o padrão.
Seios	Cuidado excessivo com uma pessoa/coisa/lugar/experiência.
	Câncer nos seios = ressentimento profundo associado a cuidado excessivo.
Sinusite	Irritado com alguém.
Tumores	Crescimento falso, "mexer numa ferida antiga", não permitir a cura. Tumor uterino = alimentar atitudes de desrespeito quanto à feminilidade; insultos.
Úlceras	Medo de não ser bom o suficiente, não dar valor a si mesmo.

Essas definições podem ser muito precisas para algumas pessoas e menos precisas para outras. Nenhuma das autoras tem consciência política e suas definições refletem isso. Por exemplo, Louise Hay fala dos problemas da menstruação como uma "rejeição da feminilidade",[3] em vez de rejeição da condição social, considerada inferior, das mulheres. A consciência disso torna as definições mais precisas. Alguns agentes de cura metafísicos também fazem mau uso dessas definições e do conceito de karma (situações remanescentes de vidas passadas), culpando as pessoas por suas dores. A atitude dessas pessoas é: "Essa é a causa da sua dor. Você a provocou. Agora, acabe com ela." A justificativa para isso é que essa doença é kármica, que é um castigo; que as pessoas escolhem suas doenças e dores, e podem optar por não tê-las.

O karma não é tão simples. As leis kármicas pressupõem que em cada vida existe uma encarnação de acordo com uma série de coisas que se deve aprender; ficar doente pode ser uma forma de fazer esse aprendizado. Karma, por definição, significa simplesmente ação, e toda ação tem uma reação. Outra forma de se dizer isso é o ditado Wiccan: "O que você envia volta a você." Na vida, os erros requerem um novo exame, compreensão, ou que haja uma mudança de atitude para corrigi-los. Eles podem exigir simplesmente a liberação de todas as emoções bloqueadas para que sejam resolvidos. Se isso não acontece durante a vida, enquanto a situação ocorre, poderá acontecer na próxima vida. Isso não deve ser considerado uma punição.

A pessoa pode desenvolver uma doença para facilitar o aprendizado de que precisa. A pessoa que é muito impaciente numa vida, por exemplo, pode concordar em ficar acamada ou confinada a uma cadeira de rodas na próxima, para aprender a ser paciente. Entretanto, raramente as situações são claras ou simples. Também seria uma explicação muito simplória dizer que, se você quebra uma perna nesta vida, é porque fez com que alguém quebrasse a perna numa vida passada. Trata-se de uma má interpretação do karma acreditar que alguém tenha escolhido uma determinada doença, quando essa escolha é feita antes da encarnação, sem a consciência ou a percepção inerentes ao corpo.

Os budistas acham que o karma é gerado pelo apego emocional, transmitido de uma vida à outra. Essa é a força que faz as pessoas voltarem à Terra muitas vezes para resolver problemas e conflitos emocionais. Eles afirmam que o Caminho da Iluminação cura todos os karmas e libera as pessoas dos ciclos de renascimento; e que o karma só pode ser resolvido durante a encarnação. Alguns curadores se perguntam se o uso do Reiki para curar doenças interfere no karma da pessoa, ou se o agente de cura torna-se karmicamente responsável por ela. Minha interpretação é que, quando alguém é curado através do Reiki ou por qualquer outro meio, isso equivale à realização do seu karma, ou a cura não teria ocorrido. O agente de cura não é responsável, ele é tão-somente o canal para a energia. Essas curas ocorrem entre a pessoa que está recebendo a cura, seus guias espirituais e a Deusa. Um exame mais pormenorizado do karma faz parte do Reiki II.

Com isso em mente, como são usadas as fontes emocionais e o karma na cura pelo Reiki? Com delicadeza, compaixão e respeito. Usando uma definição de Louise Hay ou de Alice Steadman numa sessão de cura sobre esta vida, em vez de fazer alguma afirmação, primeiro pergunte ao paciente: "É possível que você esteja sentindo irritação na pele porque alguém o está irritando?". Se o paciente disser "Não", pergunte-lhe qual é a causa, como ele a percebe. No estado de relaxamento da cura, ele pode vir a descobrir a causa, embora antes da sessão não a conhecesse. Ele pode se lembrar de uma vida passada, e ver a situação; em geral, o problema é resolvido. Use a sua resposta não para julgá-lo, mas para aumentar-lhe a percepção de si mesmo. Se ele disser que se sente ameaçado em algum aspecto, pergunte o que deve fazer para mudar isso. Pergunte também como você pode ajudá-lo na condição de agente de cura.

Isso pode significar ouvi-lo falar sobre suas dificuldades, ou fazer da sessão de cura uma situação segura para que expresse sua raiva ou chore. Em torno de um quarto das sessões de cura pelo Reiki, em geral, quando o curador põe as mãos na região da garganta ou do coração, a pessoa que recebe o tratamento tem uma descarga emocional. Isso significa que ela expressará emoções relacionadas com sua doença ou situação; freqüentemente as emoções reprimidas são a fonte direta de sua doença. A pessoa pode chorar, ficar com muita raiva, conversar sobre o que aconteceu com ela, rir sem motivo ou ficar agitada. O papel do curador é dar apoio. Ele fica com a pessoa que passa pela experiência da descarga emocional e deixa que ela ocorra enquanto mantém a posição das mãos e a cura pelo Reiki.

É preciso que o agente de cura não julgue. Ele pode ouvir coisas terríveis, mas não pode reagir. Seu trabalho é ouvir e fazer com que a pessoa expresse suas emoções, sentindo-se totalmente segura. Se o paciente chorar, diga-lhe: "Você está certo em chorar, você está seguro fazendo isso aqui. Deixe sair, está certo." Se a pessoa descreve um trauma desta vida — por exemplo, um incesto —, ajude-a a superar a dor. Diga coisas como: "Veja como você foi forte e sobreviveu. Isso acabou, e nunca mais vai acontecer. Você é uma pessoa boa, maravilhosa." Se ela estiver com raiva, diga: "Você está certa em sentir raiva. Desabafe." Se ela libera o trauma de uma vida passada, pode estar abrindo a fonte do padrão desta vida. Contribuindo com essa descarga, as emoções que causaram a doença são liberadas. Essa é uma cura importante; a pessoa se curará agora, o que não poderia ter ocorrido antes.

Se a pessoa fica agitada ou parece tentar falar, sem conseguir, encoraje-a a falar o que precisa. Às pessoas nessa cultura, particularmente as mulheres, ensinou-se que não se deve expressar os sentimentos, que aceitar uma emoção forte pode ser muito assustador. Tornando a sessão de cura um espaço suficientemente seguro para expressar qualquer coisa que precise, essas emoções emergem. Comece perguntando-lhe: "Você pode me dizer o que está acontecendo?" ou "Você pode me descrever o que está vendo?". Se a pessoa ainda não estiver pronta para falar, não insista. Entretanto, lágrimas de raiva podem vir a seguir. Novamente, a descarga dessas emoções reprimidas é ela mesma uma cura importante.

Quando o agente de cura presenciar, pela primeira vez, a descarga emocional de uma pessoa que ele está curando, provavelmente se assustará. Essas descargas geralmente duram só alguns minutos e desaparecem antes de o curador chegar às posições das pernas. Embora, às vezes, essas descargas sejam violentas e assustadoras para o curador, são muito benéficas para a pessoa que recebe a sessão de Reiki. O Universo parece proteger também os agentes de cura inexperientes; eles só serão expostos a situações com as quais podem lidar. As sessões mais difíceis e carregadas emocionalmente ocorrem quando o curador está pronto para isso. Quando a pessoa começa a usar o Reiki, sua cura também se torna cada vez mais dirigida. Ao entrar, conscientemente ou não, em contato com os guias espirituais, o curador sabe o que dizer. Numa descarga emocional, ou em qualquer outra situação, o agente de cura sabe o que fazer. Ele pode se perguntar depois como pensou nisso.

Depois da cura, a pessoa que passou pela descarga emocional sente-se muito melhor e mais aliviada, e o agente de cura também amadureceu. Essa é a hora de discutir outras atitudes, tais como a participação num grupo de apoio à sobrevivência depois do incesto, ou a compreensão de um padrão de vida passada. Por causa da natureza protetora da energia Reiki, é menos provável que o curador absorva estados emocionais ou dores dos outros do que em qualquer outra forma de cura. Se absorveu, será necessário que reconheça isso e o expresse. Depois de uma sessão de Reiki, ambos, curador e paciente, estão energizados e dotados de energia em equilíbrio. O curador, que levou a energia Reiki por meio das mãos para outra pessoa, também recebeu a cura.

Por causa dessas dificuldades, e porque a energia Reiki cura tudo o que precisa ser curado, não se pode prever ao certo o que ocorre numa sessão. Isso está literalmente além do alcance das mãos do curador, embora suas mãos estejam aplicando o Reiki. O agente de cura só pode prometer que o Reiki beneficia qualquer um que o pratique. Ele não pode prometer que a sessão de Reiki curará uma doença em particular ou tenha qualquer outro resultado específico. O Reiki alivia a dor, acelera o processo de cura, estanca as hemorragias, tranqüiliza o paciente, equilibra os chakras das pessoas e energiza-lhes a aura. A respiração fica mais lenta durante a sessão de Reiki e a pressão sangüínea abaixa; as emoções se acalmam. Qualquer outra coisa que aconteça depende da Deusa ou Fonte de Energia, e não é previsível.

Isso não quer dizer que milagres não possam acontecer — eles freqüentemente ocorrem. Qualquer um que já tenha trabalhado com a energia Reiki tem histórias sobre os resultados. Uma vez, eu trabalhei com dois homossexuais para ministrar a cura num paciente jovem, com AIDS, próximo da morte num hospital; ele tinha febre de 42,5° e não se esperava que vivesse além daquela noite. Estava inconsciente, muito agitado e delirava. Quando ministramos a cura, um dos homens realizou as posições da mão na cabeça, o outro segurou os pés do paciente, enquanto eu ministrava o Reiki nas posições do tronco. Durante a cura, de alguma forma eu soube que a febre tinha cedido três graus, embora não houvesse possibilidade de eu saber. Depois da sessão, ligamos o monitor de temperatura novamente (nós o havíamos desligado para poder chegar até o homem na cama) e realmente a febre havia diminuído três graus.

Esperamos meia hora e fizemos uma segunda sessão; dessa vez, a febre cedeu completamente. Observamos os números no monitor mudarem enquanto trabalhávamos. O jovem recuperou a consciência enquanto ainda estávamos no quarto e conversou com a mãe pelo resto da noite. Havia um problema não resolvido, e a cura deu a ambos tempo para resolvê-lo. O jovem morreu na manhã seguinte, durante um sono calmo e profundo. Então, a mãe me chamou; agradeceu-me pelo tempo que estiveram juntos, proporcionado pela cura e pela morte calma do filho. Se alguém é um doente terminal, o Reiki não interromperá o processo de morte, mas o facilitará.

Em outra ocasião, certa amiga caiu durante o trabalho e machucou as costas. Foi diagnosticado que ela tinha quatro hérnias de disco e a ruptura de uma. Em virtude da obesidade, da idade e da pouca saúde (problemas cardíacos, diabetes, seqüelas da poliomielite) decidiu-se que não poderia ser operada. Em vez disso, disseram-lhe que deveria passar seis meses numa clínica de repouso e usar cadeira de rodas. Visitei-a no hospital. Ela mostrou-me um grande cisto acima do joelho; os médicos que fizeram a biópsia suspeitavam de um tumor. Pus minhas mãos sobre o cisto e senti que era apenas um espasmo muscular, que voltou ao normal enquanto eu ainda estava com as mãos sobre ele. Depois da rápida cura, os testes sangüíneos diários repentinamente indicaram que ela não precisava mais de injeções de insulina — ela vinha tomando 75 unidades por dia durante treze anos. As enfermeiras controlavam o nível sangüíneo várias vezes ao dia, mas ela nunca mais precisou usar a insulina.

Quando entrou para a clínica de repouso, eu e dois alunos fomos vê-la e fizemos uma sessão de cura completa. Quando voltamos à clínica uma semana depois, ela já estava no pátio e tinha andado até lá sem a ajuda de ninguém. Fizemos outra sessão. A mulher ficou na clínica de repouso por duas semanas e meia, em vez de seis meses, e saiu andando; as enfermeiras e os médicos não tinham idéia de como isso acontecera. Na mesma noite, sentamo-nos no pátio e também curei o cachorrinho de um visitante que viera me procurar para receber a energia de cura. O cachorro precisava dessa energia, embora o seu dono não entendesse, e minha amiga, que estava ciente do meu trabalho com o Reiki, apenas sorrisse. Algumas semanas depois, ela me disse que Ralph, o cachorro, fizera exames de sangue e que a doença do fígado, que ameaçava a vida do animal, aparentemente havia desaparecido. O resultado dos exames eram normais. O dono não tinha idéia do porquê da doença e eu, enquanto tocava com as mãos o cão no pátio naquele dia, não percebera que ele tinha problemas no fígado.

Certa vez, uma mulher veio a mim com três nódulos grandes nos seios, de proporções variáveis, indo desde o tamanho de uma noz até o de um limão. Tentei convencê-la a ir ao médico, porém ela já tinha a firme decisão de não se deixar operar e de não extirpar o seio. Senti primeiro que os nódulos estavam muito grandes para que a cura holística fosse bem-sucedida, mas com dois outros agentes de cura Reiki III começamos a fazer sessões de cura semanais. Ela também começou a usar ervas — cutucando a pele com as raízes e cobrindo-a com compressas de óleo de mamona, de chaparral e de cartilagem de tubarão.

Depois de um mês, uma mancha escura se formou em seu seio, e achamos que poderia se tratar de um abscesso. Dissemos-lhe para não parar com o processo caso essa suspeita se confirmasse. Quase no terceiro mês de tratamento, com a ajuda de um ungüento mexicano, finalmente desenvolveu-se no seio o maior abscesso que eu vira, com cerca de cinco centímetros de diâmetro. Esse abscesso vazou durante várias semanas e, ao final, os três nódulos tinham desaparecido. Recomendei-lhe que pedisse ao seu médico um antibiótico para evitar infecções, e ela fez isso. Embora o processo fosse doloroso e a assustasse, um abscesso não ameaça a vida como o câncer.

Uma das minhas alunas contou a seguinte história. Sua filha teve o primeiro filho, um menino, que nasceu com apenas 10% da audição normal. A avó fez várias sessões de cura para a criança, e ambos desenvolveram uma profunda afinidade. Quando o bebê tinha cinco meses, a mãe chamou a avó para ajudar. A criança estava gritando desesperadamente como ela nunca ouvira antes, e a mãe não sabia o que fazer. Minha aluna foi e acalmou a criança com o Reiki, e então disse: "Ora, bolas! Vá e faça um teste de audição nela." Na visita seguinte ao pediatra, soube que a audição do bebê era normal.

Essas experiências são de fato surpreendentes. O Reiki não vem do agente de cura, mas do Universo através desse agente. Este não tem o mérito pelo que acontece na cura. De fato, às vezes, não acontece nada, ou nada é percebido no momento. Da mesma forma, o agente de cura não é responsável se a cura não ocorre. Pode haver uma boa razão para isso. Pode ser que o karma da pessoa a obrigue a passar por toda a experiência da doença, mesmo que a leve à morte. Esta também é uma cura.

A pessoa que recebe a cura também pode, conscientemente ou não, recusar a energia, resolvendo continuar doente ou morrer. Pode haver uma razão para isso;

talvez a doença possa dar a ela algo que, de outra forma, não teria condições de obter. Ela pode querer ser tratada por uns tempos. Quando percebo que isso está acontecendo, tento alertar o paciente sem julgar — ele tem direito à escolha — mas para tornar o processo consciente. Consciente, a pessoa pode ter uma visão mais ampla da situação e fazer uma escolha diferente. Entretanto, se optar por morrer, ela morrerá.

Sinto que não é ético dizer: "Curei essa pessoa." Só uma pessoa pode se curar a si mesma. A cura só pode ocorrer no próprio corpo. O papel de um agente de cura é simplesmente canalizar a energia que o paciente pode usar da maneira que julgue melhor. Creio sinceramente que a cura seja um acordo entre três partes — o agente de cura, o paciente e a Deusa/Fonte. Um agente de cura não transmite a energia de cura *para* alguém, mas só *com* alguém. Sem o consentimento e a participação do paciente no processo, a cura não pode ocorrer. A única regra no Reiki I é a de que o paciente deve dar permissão ao agente de cura quanto a realizar a cura. Com essa permissão, qualquer coisa que aconteça durante a sessão é o que deveria acontecer.

O Reiki é totalmente positivo e nunca pode causar mal a um ser vivente, qualquer que seja sua condição ou *status*. O tratamento com o Reiki pode ser usado em qualquer pessoa, independentemente de ela ser jovem, idosa ou frágil. Pessoas idosas, bebês e crianças reagem bem à cura com o Reiki, tanto quanto animais de estimação e plantas. Se alguém estiver doente, com dor ou sofrendo emocionalmente, o Reiki ajudará. Para a pessoa ou animal saudável, o Reiki tranqüiliza e rejuvenesce. As posições equilibram os hemisférios esquerdo e direito do cérebro, todos os chakras e o campo de energia, e purificam e aumentam o fluxo da força vital do Ki pelo corpo humano ou animal. Quando alguém está morrendo, o Reiki facilita o processo, mas não impede que a pessoa ou animal morra no momento designado. Para os familiares aflitos, o Reiki também é de grande ajuda e consolo.

Embora o Reiki não cure a maioria dos defeitos congênitos, pode ser a causa de benefícios importantes mesmo em condições aparentemente sem esperança. Para a pessoa que vive com limitação física permanente, a energia Reiki pode não ser capaz de corrigir essa condição, mas ajuda a tornar a vida tão confortável quanto possível. A energia diminui a dor, relaxa as tensões musculares e acalma as emoções. Quando um membro ou parte do corpo foi amputado, o Reiki não pode substituí-lo, todavia contribuirá para que a pessoa não sinta tanto essa perda e proporcionará novas maneiras de agir.

Mesmo assim, tenho visto também algumas curas "impossíveis" nesses casos. Certa vez, no caso de um bebê com problemas cerebrais, sessões de Reiki diárias levaram a um desenvolvimento mais rápido do que o previsto pelos médicos. Outro caso envolveu um bebê de três semanas com uma fissura na parede do coração. As sessões de Reiki de meus alunos, durante a semana anterior à cirurgia corretiva, resultaram num processo mais simples e numa recuperação mais fácil do que se esperava. O defeito se revelou menor do que mostravam os raios X antes das sessões de cura, e o bebê estava mais forte. Vi isso ocorrer em outras cirurgias, quando o Reiki foi ministrado de antemão — a recuperação foi mais rápida e o problema, menos sério do que o previsto.

Certa feita, numa viagem que fiz para dar um seminário, uma mulher trouxe-me um bebê de seis ou sete meses e disse: "Este bebê não tem cérebro, ou, pelo menos, foi isso o que os médicos me disseram." Eu lhe disse que o bebê era perfeitamente normal. A mulher contou-me sua história. "Quando eu estava no sexto mês de gravidez, o médico começou a fazer vários testes e a tirar várias radiografias, mas não me dizia o porquê. Finalmente, disseram-me que o bebê era anencéfalo; que ele nasceria sem crânio, sem função cerebral e que morreria poucos dias depois do nascimento. Eu fiquei horrorizada. Na ocasião, eu participava de um grupo religioso de mulheres, e três delas eram iniciadas em Reiki I. Duas vezes por mês, em nossos encontros, elas me punham no centro do círculo e ministravam a cura em mim. Meu bebê nasceu normal e os médicos ainda não sabem o porquê. Eles têm várias fotos de um bebê sem crânio." Dos três filhos que teve, esse foi o parto mais fácil.

Às vezes, depois de uma sessão de cura ou de uma série delas, a pessoa ou animal que recebe o tratamento em Reiki começa a desintoxicar-se. Isso é muito parecido com o que acontece ao agente de cura depois da primeira iniciação em Reiki. Ele pode ter diarréia, fezes sem cor ou malcheirosas, aumento da urina, cheiro forte no corpo, irritações temporárias na pele, coriza ou sintomas de gripe, transpiração excessiva. Isso é uma liberação de toxinas causadoras de doença no corpo, e deve ser encorajada em vez de interrompida. O agente de cura precisa estar ciente de que isso pode acontecer e que não faz mal. Ele deveria dizer aos clientes que não suprimissem com medicamentos esses sintomas, mas deixassem que as toxinas fossem eliminadas do corpo à sua própria maneira.

Uma desintoxicação, em geral, demora poucos dias. O que diferencia a reação purificadora do processo da doença é que, durante a purificação, apesar dos sintomas, a pessoa ainda se sente bem. Recomende-lhe que beba água pura com freqüência, faça refeições leves ou uma dieta de líquidos por alguns dias. Depois do que se chama de "crise da cura" desse tipo, a pessoa sente-se melhor do que vinha se sentindo há muito: a cura está a caminho. A partir disso, a cura da doença realiza-se rapidamente.

De vez em quando, o agente de cura descobre que a pessoa que recebe a cura não crê nessa cura. Se essa pessoa dá permissão ao agente de cura, e se se mostra acessível, a cura ocorre com ou sem a sua crença. Entretanto, uma pessoa que não seja receptiva e que recuse intimamente a cura, pode bloquear o processo. Para algumas pessoas, embora aceitem a sessão, a idéia da cura sem interferência médica vai além do que sua crença pode aceitar. Elas podem dizer sim, mas ainda se recusam a admitir a energia. Se isso acontece, o agente de cura, em geral, pode sentir que está sendo bloqueado e pode delicadamente dizer ao paciente o que percebe, mas, mesmo assim, a escolha depende do paciente.

O Reiki não viola o livre-arbítrio de ninguém. Se a pessoa recusa a energia, o agente de cura não pode fazer nada. Quando isso ocorre com um agente iniciante ou inexperiente, pode abalar-lhe a confiança, especialmente quando o paciente insiste em aceitar a energia mas, de fato, não a aceita. O problema está no paciente e não no agente de cura. Esteja alerta diante disso; isso pode vir a ocorrer mesmo que você esteja se esforçando ao máximo. Isso aconteceu comigo numa das minhas primeiras sessões, e só fui entender anos depois.

O paciente também pode dizer que não sente nada — ou, às vezes, o agente de cura tem a impressão de que nada aconteceu durante a sessão de Reiki. Outras vezes, o agente de cura não sente nada, ao passo que o receptor percebe que muitas coisas estão acontecendo. Nesses casos, tenha fé na energia Reiki. A cura está ocorrendo, quer alguém perceba, quer não. Pode também acontecer que, durante uma sessão, o paciente sinta a dor aumentar. Isso dura poucos minutos e, nesse caso, costumo pedir às pessoas que respirem enquanto a dor persiste. Dessa forma, o Reiki pode condensar vários dias de dor de cabeça ou de outras doenças em alguns instantes, e vale a pena passar por isso. Quando essa dor momentânea e qualquer outro tipo de dor passa, *toda* a dor desaparece. Peço que meus guias para a cura aliviem as dores o mais rápido possível, mas isso nem sempre acontece. Elas nunca duram muito tempo e não fazem mal.

Quando ministramos o Reiki à mulher com nódulos nos seios, várias vezes ela sentiu fortes sensações de "queimação" na região dos tumores. Isso foi muito mais doloroso do que o processo normal, o que a assustou muito e também me preocupou. Repetidamente ela pedia que meus guias espirituais fossem mais gentis. Eles respondiam que não podiam, mas que aquilo não demoraria muito. As dores ocorriam durante aproximadamente dez minutos em cada sessão. O efeito da cura foi a cauterização dos tumores e a cura completa dos nódulos.

O Reiki pode ser usado sozinho ou combinado com o tratamento médico (ou veterinário). Ele não interfere no uso de medicamentos nem em outros procedimentos; ao contrário, ele os torna mais eficazes e o paciente se sente melhor. A energia acelera a cura, apesar de certos métodos sistemáticos de tratamentos médicos. Por exemplo, para uma mulher que está sendo submetida à quimioterapia — um tratamento que os agentes de cura holísticos acham que causa mais mal do que bem — o Reiki intensifica os efeitos positivos ajudando ao mesmo tempo a diminuir os negativos. Ele funciona mais adequada e eficazmente quando combinado com métodos holísticos mais positivos para a cura do corpo. O Reiki e as ervas ou a homeopatia funcionam muito bem juntos. Transmitir a energia do Reiki aos remédios holísticos antes de tomá-los aumenta-lhes também a eficácia. Quando se trata de medicamentos como a insulina ou drogas para diminuir a pressão alta, procure testar freqüentemente os níveis sangüíneos, pois a necessidade das drogas pode diminuir.

O Reiki pode reconstituir mais rapidamente um osso fraturado, mas é melhor esperar até que ele esteja na posição correta antes que se inicie a cura. Às vezes, a energia do Ki cura muito rapidamente e, se o osso não estiver na posição certa, a cura pode não ser positiva. Antes da sutura dos ossos, use o Reiki sobre as outras partes do corpo mas nunca sobre a fratura. Jamais coloque as mãos diretamente sobre um ferimento ou sobre um corte na pele. Coloque-as ao redor do ferimento ou corte, e a energia fluirá para onde for necessária, sem causar dor nem risco de infecção. Uma vez fixado o osso, o Reiki funciona muito bem através do gesso.

Apesar dos avisos recebidos para não se ministrar o Reiki sobre um osso fraturado antes de ele se fixar, eu tenho outra história para contar. Certa amiga tinha caído do terraço, e óbvio que sofrera uma fratura no osso do tornozelo. Eu lhe disse que ela precisava tirar uma radiografia, mas ela se recusou a tirá-la e pediu-me que lhe aplicasse o Reiki. Essa mulher não ia ao médico nem mesmo por causa de um osso fraturado. Senti-me constrangida com isso, mas concordei em tentar a cura. Pus as mãos sobre o tornozelo da amiga e novamente recebi a mensagem de que havia um osso fraturado. Disse, silenciosamente, aos meus guias: "Essa é a única cura que a perna fraturada receberá. Vamos fazer isso direito logo na primeira vez." Eu senti que o osso se moveu para o lugar correto, sob as minhas mãos. A mulher usou botas de cano alto bem apertado por várias semanas para apoiar a perna. Tomou vitamina C e confrei para inflamação e, embora tenha aparecido um hematoma, curou-se bem. Ela teve sorte, mas eu não recomendo isso a ninguém.

Há um outro exemplo sobre quando é melhor esperar para usar o Reiki. Um homem cortou acidentalmente um dedo com uma serra elétrica. Ele colocou a parte amputada num copo com água e correu imediatamente para o pronto-socorro. Durante o percurso, transmitiu energia Reiki para a mão acidentada. Quando chegou ao hospital, perguntaram-lhe por que havia esperado tanto tempo — o dedo apresentava uma cicatrização muito adiantada para que o reimplante fosse possível. O acidente tinha ocorrido havia vinte minutos apenas, mas a energia Reiki fizera com que a cura se acelerasse.[4]

Para carregar os remédios com a energia Reiki, conforme mencionei anteriormente, segure o vidro entre as mãos e deixe a energia fluir. Existem muitas outras maneiras de se fazer isso. Colocar as mãos com as palmas voltadas para a comida que se vai ingerir pode ter sido a forma original de se abençoar uma refeição. Ao carregar um copo de água com a energia Reiki, essa água transforma-se em remédio. Pode-se também aplicar o Reiki em ataduras. Os cristais também podem ser carregados com essa energia, embora isso seja mais eficaz depois de você ter recebido os símbolos do Reiki II e III. Já usei o Reiki até mesmo no meu carro, quando morava numa região com clima frio e precisava que ele funcionasse pela manhã.

É importante saber que é pouco provável que você faça algo errado ao usar esse sistema de cura eficaz. A inteligência da energia Reiki vai muito além do conhecimento humano e, para ativá-la, só é necessário que se coloquem as mãos onde haja dor. A energia se encarregará de curar e fará isso muito bem. O agente de cura não necessita do dom da vidência nem de uma consciência do processo. Entretanto, como conseqüência do treinamento em Reiki, a capacidade da vidência do agente de cura começa a aumentar em todos os sentidos, a partir da primeira iniciação.

Um dos primeiros efeitos que senti depois de receber o Reiki I foi o desenvolvimento da capacidade para diagnosticar por meio da vidência. Quando coloco as mãos numa região com dor, em geral eu sei o que está errado, e essa capacidade pode ser muito precisa. Observe-se, entretanto, que os diagnósticos dados por uma pessoa leiga são considerados ilegais na América; por isso use essa capacidade com muito cuidado. Antes de comunicar a alguém o que vê numa sessão de cura, seja prudente e pense primeiro. Se um problema parece grave, indique um médico. Em geral, é imprudente, por exemplo, diagnosticar o câncer. Creio na honestidade durante a cura, mas só com responsabilidade. Em geral, também não é apropriado dizer a uma pessoa que ela está morrendo. Informações obtidas por meio da vidência podem estar erradas, e a doença pode mudar durante o processo de cura. Lembre-se sempre de ter compaixão.

Todos nós precisamos da cura ao final desta era planetária. Em meio a essa crise, não há tempo para se esperar durante anos o desenvolvimento e o domínio de uma técnica. No Reiki, só a iniciação é necessária e o iniciado se transforma imediatamente em agente de cura. No momento, precisamos do maior número possível de agentes de cura. O Reiki oferece um grande potencial para o fortalecimento de si mesmo, principalmente para mulheres. Lembre-se de que o poder significa legitimidade e habilidade genuínas, não significa ego. Para a pessoa que passa pelo treinamento em Reiki, grandes benefícios podem ser logrados imediatamente, mesmo que se trate de uma única cura. O Reiki possibilita às pessoas assumir maior controle sobre a própria saúde e poupa-lhes os altos custos médicos com métodos agressivos e desumanos. O Reiki não pode substituir a medicina, mas em muitos casos faz coisas que a medicina não pode fazer, e o faz muito mais delicada e positivamente.

Para uma doença aguda e limitante (como o resfriado, a dor de cabeça ou torção do tornozelo), uma única sessão de cura com o Reiki pode ser o suficiente. Entretanto, quando as doenças são graves ou crônicas, são necessárias mais sessões. Comparo o Reiki ao carregamento de uma bateria: se a pessoa tem uma saúde relativamente boa, ela precisa tão-só de uma pequena carga. Se a doença é mais grave, a carga deve ser alta. Na clínica de Reiki de Chujiro Hayashi, as pessoas recebiam energia de cura, diariamente, de grupos de agentes até que estivessem bem. Para alguém com câncer ou AIDS, as sessões de cura diária são mais proveitosas do que as semanais, e pode levar algum tempo até que as mudanças comecem. Quando alguém está com uma doença crônica, sugiro que receba iniciações em Reiki, tanto como um instrumento para a cura de si mesmo quanto para os benefícios da iniciação em si. Se você recebeu a iniciação em Reiki, faça diariamente a cura de si mesmo, estando doente ou não. Conforme o potencial da pessoa, a freqüência das sessões pode diminuir.

Há muitas diferenças entre o Reiki e outros métodos de cura pela imposição das mãos ou pelo toque. A diferença mais importante para mim foi que, com o Reiki I, parei de apresentar em mim os sintomas de pacientes. Antes, por exemplo, quando eu ministrava a cura numa mulher com cólicas menstruais, ela saía se sentindo bem, enquanto eu absorvia os seus sintomas. Aprendi a descarregar e a liberar a energia; em geral, isso durava tanto quanto a cura em si. Às vezes, eu me sentia muito mal após as curas. Depois da minha primeira iniciação em Reiki I, essa situação mudou por completo. Não sinto mais as dores dos meus pacientes, embora, às vezes, eu tenha sensações físicas que me transmitem informações e, tão logo tomo consciência dessas informações, elas desaparecem.

Se eu ainda estivesse absorvendo os sintomas dessa forma, eu jamais poderia ter iniciado o meu trabalho de cura em pacientes com AIDS nos hospitais. Nem mesmo poderia ter feito um trabalho de cura intensivo se eu terminasse as sessões de cura me sentindo tão enfraquecida quanto me sentia antes de receber o Reiki. Com ele, termino as sessões de cura sentindo-me iluminada, equilibrada, aliviada e energizada — sentindo-me bem. Se eu mesma preciso de energia de cura durante uma sessão, recebo o Reiki automaticamente enquanto trabalho. Isso não impede, de nenhuma forma, que o paciente receba o que necessita. (Evite ministrar o Reiki ou qualquer outro trabalho de cura se estiver muito doente ou com raiva.) Com o Reiki, percebi que aumentava em eficácia a capacidade de cura que eu estava procurando. Quanto mais o agente de cura usa a energia Reiki, mais aumenta sua capacidade de curar.

Existe mais uma coisa que pertence unicamente ao Reiki e que, propositadamente, deixei por último: os Princípios do Reiki. Embora o Reiki não seja uma religião, mas ainda assim mais antigo que todas as religiões, ele permanece fiel à Filosofia Oriental. O Reiki vem de uma cultura que deu ao Ocidente, virtualmente, todas as técnicas metafísicas e provavelmente toda a nossa ética. O Budismo Mahayana e seu ramo Vajrayana desenvolveram, em tempos muito remotos, as técnicas de meditação, de visualização, de rituais, a cura espiritual e por meio das ervas, a análise de sonhos, a morte consciente, a cura para problemas sexuais nas mulheres, a regressão a vidas passadas, as técnicas para o desenvolvimento de vidência e muito mais. Ao estudar o Budismo Tântrico (Vajrayana) para este livro, fiquei impressionada ao encontrar as raízes de todas as religiões, incluindo a minhá, Wicca.[5] Como o mundo seria diferente se os *verdadeiros* ensinamentos de Jesus, originários dessa fonte, se tivessem transformado no Cristianismo!

Encontrei muitas variações dos cinco princípios do Reiki. Eles diferem entre si em todos os livros. Diz-se que foram escritos por Mikao Usui. A lista, do modo como foi dada por Hawayo Takata na sua fita de áudio: *The History of Reiki as Told by Mrs. Takata* (Vision Publications, p. 11) é provavelmente a mais próxima do original:

Só por hoje, não se aborreça.
Só por hoje, não se preocupe.
Contemos nossas bênçãos e honremos nosso pai e nossa mãe,
nossos mestres e o próximo; honremos nosso alimento.
Ganhe a vida honestamente.
Seja bondoso para com todos os seres vivos.

Outra versão dos princípios do Reiki, do *The Reiki Handbook*, de Larry Arnold e Sandy Nevius, diz:

Só por hoje, agradecerei pelas minhas várias bênçãos.
Só por hoje, não me preocuparei.
Só por hoje, não me aborrecerei.
Só por hoje, trabalharei honestamente.
Só por hoje, serei bondoso para com o meu próximo e para com todos os seres vivos.[6]

Ainda mais uma versão:

Só por hoje, não se preocupe.
Só por hoje, não se aborreça.

Honre seus pais, mestres e as pessoas mais velhas.
Ganhe a vida honestamente.
Demonstre gratidão para com tudo.[7]

Prefiro esta última versão, mas acrescento ainda um sexto princípio: "Respeite a Unidade de Toda a Vida." Por esse motivo, ela se transforma basicamente na versão da Sra. Takata (que eu não conhecia até recentemente). Esses princípios foram muito bem pensados e usá-los diariamente torna o Reiki uma forma de vida. Eles não violam nenhuma religião ou ética religiosa.

A interpretação desses piedosos princípios varia de acordo com a pessoa. Freqüentemente, alguém fala: "Fui vítima de incesto. Como posso honrar o meu pai?". Então, pergunto a essa pessoa se ela não pode honrar a *mãe*, ou alguma outra pessoa que considera como um *verdadeiro* pai. Outras perguntam sobre a raiva. Aconselho-as a não alimentar a raiva nem o ressentimento, e a não reprimi-las até que essas emoções venham à tona. Expressar os sentimentos honestamente e purificar o ar, sem reprimi-los, parece-me a essência desse princípio.

Receber o Reiki I é um marco na vida da pessoa e, a partir desse momento, a vida muda para sempre. Enquanto essas mudanças são totalmente positivas, o novo agente de cura pode precisar de algo em que possa se apoiar, enquanto sua vida se transforma. Os princípios do Reiki podem ajudar nesse processo de crescimento acelerado e nesse novo começo. Meditar sobre isso fortalece e acalma, sendo uma ótima coisa para se fazer durante as sessões de autocura. Peço que meus alunos meditem sobre esses princípios e os considerem antes de os deixar de lado. "Demonstre Gratidão" — esse pode ser o princípio mais importante de todos.

A maior parte do aprendizado sobre o Reiki acontece durante a prática da cura. Peço que meus iniciados em Reiki I façam sessões diárias de autocura depois de passar pela iniciação, e também, por semana, pelo menos três sessões de cura para o corpo inteiro em outras pessoas durante o primeiro mês. Quanto mais o aluno usa o Reiki, mais aprende, e maior se torna sua capacidade de curar. Quanto mais utili-

OS PRINCÍPIOS DO REIKI[8]

Só por hoje, agradecerei pelas minhas várias bênçãos.
Só por hoje, não me preocuparei.
Só por hoje, não me aborrecerei.
Só por hoje, trabalharei honestamente.
Só por hoje, serei bondoso para com o meu próximo
e para com todos os seres vivos.

zado, mais o Reiki funciona na vida do agente para acelerar seu desenvolvimento pessoal e a autocura.

Meu objetivo nesta vida é ensinar o método de cura a tantas pessoas quantas possam se beneficiar com ele. Aprendo todos os métodos a que tenho acesso, buscando técnicas mais eficazes a quem delas necessite. O Reiki me dá algo que nenhum outro sistema pode dar; numa tarde, posso transformar uma pessoa que não tenha nenhum conhecimento de cura e de energia em uma praticante competente do Reiki. Qualquer outro tipo de cura exige anos de estudo para que se logre a competência. Quando esses iniciados em Reiki I saem de minhas aulas, tenho certeza de sua capacidade e sei que todos os seus trabalhos serão positivos. O Reiki nunca pode fazer mal e com ele ninguém pode cometer enganos. Talvez seja essa a razão mais importante pela qual eu tenha tanto respeito pelo Reiki. Até este momento, nunca tive um aluno que discordasse.

1. Mantak e Maneewan Chia, *Awaken Healing Light of the Tao* (Huntington, NY, Healing Tao Books, 1993), p. 31.
2. Louise L. Hay, *You Can Heal Your Life* (Santa Mônica, CA, Hay House, 1984), Capítulo 14.
3. Louise L. Hay, *Heal Your Body: The Mental Causes for Physical Illness and the Metaphysical Way to Overcome Them* (Santa Mônica, CA, Hay House, 1982), p. 25.
4. Não conheço a fonte dessa história, mas me disseram que poucos mestres Reiki fazem essa advertência. As mesmas pessoas advertem sobre a energia de cura transmitida a ossos fraturados e fora do lugar.
5. Para maiores informações, ler, de John Blofeld, *The Tantric Mysticism of Tibet* (Arkana Books, 1970).
6. Larry Arnold e Sandy Nevius, *The Reiki Handbook* (Harrisburg, PA, PSI Press, 1982), p. 27.
7. Bodo Baginski e Shalila Sharamon, *Reiki: Universal Life Energy* (Mendocino, CA, LifeRhythm Press, 1988), p. 29.
8. Larry Arnold e Sandy Nevius, *The Reiki Handbook* (Harrisburg, PA, PSI Press, 1982), p. 27.

CAPÍTULO 3

A Sessão de Cura com o Reiki

Depois de você ter recebido a iniciação em Reiki I, este capítulo ensina como usar a energia. Inclui informações e posições das mãos para a autocura, para a cura direta em pessoas e animais e para a cura em grupo. Ao dar início às sessões de cura, o milagre do Reiki começa a se manifestar. Conto algumas de minhas histórias de cura com o Reiki, e cada agente de cura me conta as suas. A verdadeira mágica do Reiki está na prática.

A primeira coisa que um agente de cura precisa saber é como posicionar as mãos. No Reiki, sempre se usam as mãos com as palmas voltadas para baixo. Os dedos se mantêm unidos e estendidos (como se estivessem dentro de uma meia e não de uma luva, como diz a minha aluna favorita de Reiki I, de seis anos). As mãos adotam as posições do Reiki e assim permanecem, completamente relaxadas, sem exercer pressão. A energia da força vital, ou Ki, que gera a cura, flui através dos chakras nos centros das palmas e na ponta dos dedos. Se por alguma razão ambas as mãos não puderem ser colocadas em alguma parte do corpo, coloque uma delas nessa parte e a outra numa região diferente. Ambas as mãos devem estar apoiadas no corpo do receptor, ou ligeiramente acima dele, para que a energia seja ativada e flua.

Embora as mãos sejam sempre usadas na cura com o Reiki, elas não são os únicos lugares pelos quais flui a energia Reiki. Depois de ter recebido a iniciação em Reiki I, é surpreendente descobrir que a energia flui através de qualquer parte do corpo. Se você pousa a planta do pé sobre o seu cachorro e tem a intenção de usar o Reiki, a energia flui através dela e o cão se beneficia com isso. Colocar o pé sobre a perna ou sobre as costas do seu companheiro também ativa a energia, quando se tem a intenção de curar. Os terapeutas que usam o Shiatsu percebem que a energia flui através dos cotovelos, quando fazem pressão para massagear.

A energia também pode fluir através das mãos em outros momentos da cura. Artistas iniciados em Reiki dizem que a energia flui quando estão trabalhando com arte. Recém-iniciados em Reiki I contam, com freqüência, que suas mãos se aquecem em horas estranhas, e isso ocorre durante as primeiras semanas. Se você estiver sentado perto de alguém que precise da energia, suas mãos podem se aquecer. Isso pode ser um tanto embaraçoso num cinema, mas, a menos que você o diga, ninguém

Posição das Mãos para Ministrar o Reiki

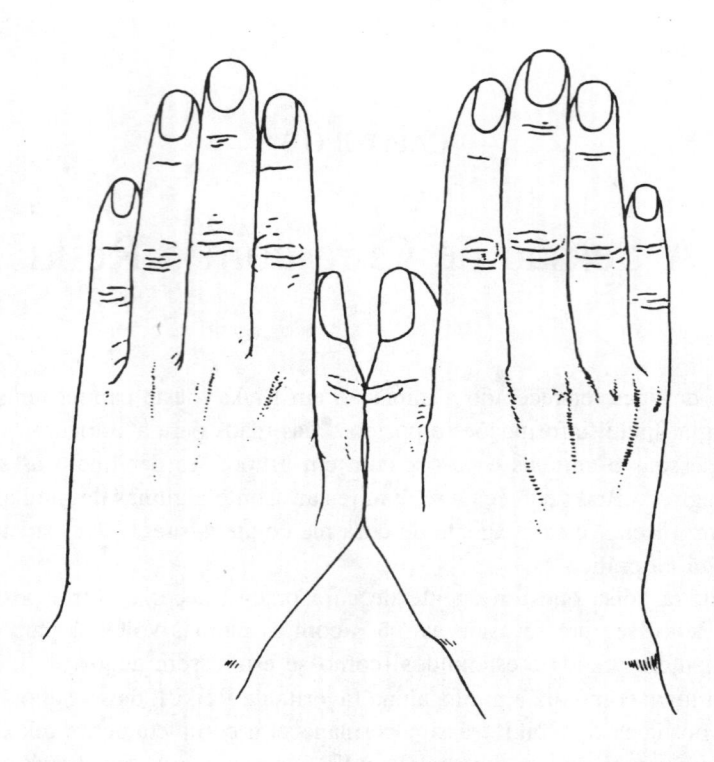

notará. Se isso ocorrer entre amigos, pergunte se eles querem receber a cura; eles jurarão que você é vidente. A energia Reiki pode ser ativada quando você coloca as mãos sobre seu corpo. Aproveite essa sugestão.

Quando ambas as mãos estão pousadas sobre você mesmo ou sobre outra pessoa com a intenção de curar, o Reiki começa a fluir automaticamente. Assim que as mãos são retiradas, ele pára. Não é necessário pedir nem usar outro método para ativar ou desativar o Reiki. Quando a energia começa a fluir, o agente de cura e o receptor, em geral, têm uma sensação de calor, e isso é uma característica do Reiki. Depois de receber a iniciação em Reiki e ativar a energia pela primeira vez na sala de aula, a temperatura da mão aumenta na maioria das sessões de cura. Entretanto, se a pessoa que está recebendo a cura precisa de uma energia menos vibrante, as mãos do agente de cura se esfriam. Às vezes, o agente de cura sente que suas mãos estão quentes, enquanto o receptor as sente frias ou vice-versa. Cada cura ou posição de cura pode ser diferente.

O agente de cura sente um ciclo de sensações quando coloca as mãos nas posições do Reiki. Inicialmente, ele sente a esperada sensação de calor no corpo, mas outras sensações começam enquanto ele mantém as mãos em posição. Pode haver a sensação de calor, de frio, de água fluindo, de vibrações, de "tremedeira", de magnetismo, de eletricidade, de estática, de "formigamento", de cor, de som, ou — o que é extremamente raro — de dor pelas mãos do agente de cura. Este pode sentir as mãos dormentes, com sensações de "alfinetadas". Recebendo a cura, a pessoa pode sentir as mesmas coisas ou não, ou pode não sentir nada. As sensações mudam de uma posição para outra e de uma cura para outra. Elas são imprevisíveis, mas quase sempre são de um mesmo tipo.

Em geral, as sensações continuam pelo que a princípio parece um período muito longo, mas que na verdade não ultrapassa os cinco minutos. Então, as sensações passam, e a pessoa volta a sentir calor. Isso indica o término do trabalho naquela posição, e é um sinal para o agente de cura para que ele adote a posição seguinte. Como diz Callie, minha amiga do Reiki I, de seis anos: "Sobe e depois desce e, então, você pode prosseguir." Não conheço outra forma melhor para explicar o que acontece. Se você *não* muda, o ciclo simplesmente recomeça: sensação de calor, vários minutos de sensações diversas, e sensação de calor novamente. Freqüentemente, uma posição leva menos tempo do que os esperados cinco minutos, e isso é o suficiente; guie-se pelas sensações das mãos. A menos que a pessoa que recebe a energia de cura tenha problemas nas costas, as aplicações nesse local, provavelmente, levarão menos tempo.

Às vezes, as sensações parecem continuar indefinidamente, e as mãos do agente de cura parecem coladas no lugar. Continue por tanto tempo quanto achar necessário. Se você se sente livre para mover as mãos, e as sensações continuam, permaneça, entretanto, um tempo razoável nessa posição e, então, passe para a seguinte. Esse local precisa de cura adicional, mas a dor não se desenvolveu da noite para o dia e uma sessão pode não ser suficiente para curá-la. Essa é uma região ou posição que, provavelmente, necessita freqüentemente de muito mais energia Reiki; mas desde que a sessão de tratamento demora, no máximo, uma hora e meia, despender muito tempo numa região não é bom. Depois de ter completado algumas curas, o curador percebe quando é hora de seguir em frente. Valorize sua intuição e lembre-se de que não há nada certo ou errado. As sensações podem ser menos perceptíveis durante a cura de si mesmo do que ao curar outras pessoas.

Durante a cura com o Reiki, exige-se muito pouca concentração. Coloque as mãos com intenção de curar e a energia fluirá — não importa o que você esteja fazendo ou em que esteja pensando no momento. (Ao fazer qualquer outro trabalho com a imposição das mãos, a energia Reiki também é ativada, no que concerne aos terapeutas que fazem massagem.) Dei seminários várias vezes e, enquanto eu falava, minhas mãos estavam curando. A pessoa que está recebendo a cura não é prejudicada, a energia não precisa ser direcionada. As mãos lhe dirão quando mudar de posição. Entretanto, existem muitas ocasiões em que toda a atenção é necessária. Se a pessoa que recebe a energia está liberando emoções, ou se está tendo a lembrança de uma vida passada, se precisa de orientação por meio de um processo de visualização, ou se quer conversar sobre o que lhe está acontecendo, é preciso que o agente de cura lhe dedique total atenção. A consciência obtida numa sessão de Reiki pode ser importante — e as sessões só podem se dar em silêncio. Também, ao ministrar a cura em si mesmo, atente para os pensamentos que você tem enquanto suas mãos estão sobre o seu corpo; eles podem dar informações importantes.

Quando a energia Reiki é aplicada em cães, em gatos ou em crianças pequenas, a sessão de cura é diferente da sessão com pessoas adultas. A maioria dos animais e crianças não tem paciência para ficarem quietos durante o tempo exigido para uma sessão de Reiki. Em compensação, eles têm a capacidade de absorver a energia muito mais fácil e rapidamente do que os adultos. Uma posição pode demorar apenas trinta segundos. Se o animal se sente bem, pode rejeitar completamente a energia — ele se levanta e vai-se embora. Entretanto, quando um animal está doente, em geral ele a aceita. Os animais que estão prestes a morrer em geral a rejeitam. Os animais também podem rejeitar por outras razões. O Reiki em bebês faz com que eles durmam; geralmente eles sempre gostam dessa energia.

Para usar o Reiki, nesses casos, coloque as mãos sobre o corpo do animal ou da criança, do modo como achar mais cômodo, ou sobre a área que apresenta dor. Mantenha-as no local, que o Reiki irá para onde a energia for necessária. Use várias posições se a pessoa for grande. Um animal muito pequeno, como um lagarto, um porquinho-da-índia ou um pássaro, pode ser segurado na palma da mão. Quando o animal recebeu o suficiente, ele lhe dará um sinal disso — fica agitado ou vai embora. Se precisar mais, ele voltará em poucos minutos, ou mesmo muitas vezes. Repita o processo enquanto o animal der mostras de querer isso. Com crianças, suas mãos lhe dirão se deve adotar outra posição ou quando a cura foi realizada; por outro lado, a criança fica agitada quando isso acontece. Uma criança mais crescida pode pedir que você interrompa a sessão.

Os gatos são particularmente sensíveis à energia Reiki, mas eles têm uma atitude especial quanto a isso. Eles acham que a inventaram, e querem guardá-la para si. Podem não gostar de dividi-la com os humanos. Entretanto, se precisam da cura, a aceitarão e provavelmente criticarão a sua técnica. Uma recém-iniciada em Reiki III tentou fazer a iniciação de seus colegas de classe enquanto sua gata estava na sala. O comentário psíquico da gata, depois de a colega ter saído, foi: "Isso eu já sabia!". Os gatos podem ser agentes de cura excelentes e, em geral, são um triunfo durante uma sessão de Reiki, contanto que a pessoa que recebe a cura goste de gatos.

Os cães são mais acomodados; neles, a energia Reiki faz "cócegas". Dos meus dois *huskies* siberianos, Copper gosta do Reiki e o aceita tanto quanto eu possa ou queira lhe dar. Kali não o recebe de mim, mas o aceita, de bom grado, de qualquer uma de minhas amigas. Como os gatos, os cães aceitam a cura quando precisam. Quando ministro sessões de Reiki em pessoas, Copper irradia arco-íris pelas patas, e é sempre útil, mas Kali fica por demais inquieta. Ela é extremamente sensível à energia psíquica e não gosta dessa energia. Tome cuidado com animais "que se viciam" em Reiki e não saem de perto da mesa de massagem; eles podem perturbar pelo excesso de energia.

Com crianças, a situação é parecida. As mãos do agente de cura podem cobrir várias partes do corpo da criança de uma vez. Como os animais, as crianças absorvem a energia muito rapidamente, e indicam quando a receberam o suficiente. Quando fizerem isso, tire as mãos e interrompa a energia de cura. Os bebês e as crianças que estão aprendendo a andar são atraídos pela energia Reiki. Uma criancinha livre para

Tratamento de Animais com o Reiki[1]

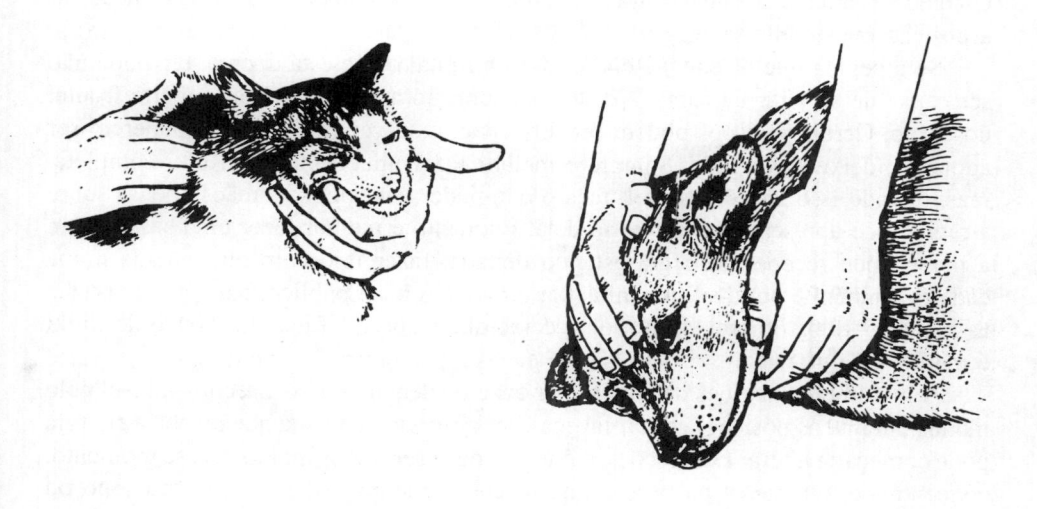

andar num quarto onde a mãe está ministrando ou recebendo a energia de cura pode desviar a atenção das pessoas. A criança pode tentar subir na mesa de massagem e juntar-se à sessão (como fazem os gatos ou mesmo os cachorros de trinta quilos). É melhor mantê-la num outro quarto até que chegue a sua vez. Crianças iniciadas em Reiki I tendem a completar as posições de cura muito rapidamente, em menos de um minuto. Mesmo assim, elas sentem o ciclo de energia padrão e sabem quando devem movimentar-se.

De vez que uma sessão de Reiki completa pode demorar bastante tempo, pelo menos uma hora, e às vezes mais, é importante considerar onde e quando realizá-la para si ou para outras pessoas. Quando você coloca as mãos apenas na área que apresenta dor durante uma única posição, isso não é tão problemático como quando você está fazendo um tratamento completo. É possível realizar sessões de autocura com êxito à noite, como a última coisa a fazer depois de se ir para a cama, ou de manhã, como a primeira coisa a se fazer ao se acordar. Se não for possível fazer todas as posições, faça as que puder. A cura de si mesmo também funciona muito bem quando você está sentado e relaxado numa cadeira, talvez assistindo à televisão.

Quando estiver ministrando o Reiki em outra pessoa, é importante que ela e o curador se sintam bem. A pessoa deve deitar-se imóvel; primeiro, de costas, e, depois, de bruços, pelo menos por uma hora. Ponha um travesseiro sob os joelhos da pessoa se ela tiver problemas nas costas e debaixo dos quadris ou da cabeça, se ela precisar. Se estiver trabalhando no chão, ponha um colchonete ou um cobertor para ambos; o agente de cura pode ajeitar-se mais facilmente sobre um travesseiro. O curador passa muito tempo em cada posição, e pode adotar várias posições. É desagradável ter de parar ou mexer o corpo por causa do pé que dormiu ou por cãibras. O procedimento mais fácil é a mesa de massagem; eu uso a minha com uma cadeira de escritório, com rodinhas, para ministrar o Reiki. Ao transmitir energia de cura no chão ou na cama, o agente de cura deve aprender a relaxar o próprio corpo e encontrar a posição mais confortável.

Se a pessoa que recebe o Reiki está no hospital ou se está doente, ela pode não ser capaz de se virar na cama. Nesse caso adote só as posições para a parte frontal do corpo. Certas posições podem ser difíceis e, uma vez mais, se não puderem ser adotadas, deixe-as de lado. Sempre é melhor fazer uma sessão de Reiki completa, mas, quando isso não é possível, faça o que puder, ou ponha as mãos apenas sobre a região que apresenta dor ou perto dela. Enquanto é melhor fazer uma sessão com a pessoa que recebe a energia estando deitada, fazer isso com ela sentada numa cadeira também é possível. Ao ministrar a cura em local público, em geral só ponha as mãos sobre os ombros da pessoa e deixe que a energia flua. Um pouco de Reiki é melhor do que nada.

A maioria das sessões de cura são feitas em silêncio, e isso é recomendável pelo menos durante as posições com a cabeça. Depois disso, a pessoa que recebe a energia pode começar a liberar as emoções, o que não deve ser interrompido. Nesse momento, concentre-se totalmente na pessoa que recebe a energia. Alguns caem no sono ou saem do corpo durante a cura, e não devem ser perturbados. Em algumas sessões mais leves, o agente de cura e a pessoa que recebe a energia podem conversar durante as posições das mãos. Sessões feitas com outras pessoas presentes em geral inibem o processo de liberação das emoções. Use a intuição para saber se a conversa é ou não pertinente. Se informações psíquicas ocorrem, comunique-as a quem recebe a energia com cuidado e compaixão.

Alguns agentes de cura apreciam música suave no ambiente enquanto ministram o Reiki. Use música instrumental, clássica ou *new age* em baixo volume, nunca *rock*, por exemplo. Mantenha a luz suave; desligue o telefone e feche a porta para não se distrair. Também ministre a cura de si mesmo quando estiver certo de não ser interrompido. Você merece o tempo e o espaço para a cura tanto quanto qualquer outra pessoa. Se a primeira posição do Reiki for sobre os olhos, lave as mãos antes de começar a cura. Concentre-se, fique tranqüilo e comece.

Usar roupas folgadas é mais confortável tanto para a pessoa que recebe a energia quanto para o agente de cura durante a sessão de Reiki; ambos se mantêm vestidos. Alguns agentes gostam de tirar os sapatos se o chão for acarpetado ou se a sala estiver quente. O receptor tira os sapatos e os óculos, se os estiver usando, mas pode deixar as lentes de contato na maioria dos casos. Tire o cinto se ele for pesado. Com o Reiki, não tenho necessidade de tirar jóias, mas alguns agentes de cura e algumas pessoas que recebem a energia podem preferir tirá-las. Tenha um cobertor disponível, para o caso de o receptor sentir frio. Se colocar cristais sobre a mesa de massagem, tenha certeza de que eles estão limpos.

O Reiki pode ser usado, e é altamente eficaz, quando combinado com pedras preciosas e cristais dispostos na posição certa para a cura. Em primeiro lugar, é de suma importância que as pedras tenham sido limpas antes de começar e após o término da cura. Cristais limpos ou pedras preciosas podem receber das mãos uma carga de energia Reiki. Se a pessoa que recebe energia estiver deitada de costas, coloque as pedras sobre os chakras e, então, comece a sessão de Reiki. Informações sobre a disposição das pedras podem ser encontradas em muitos livros, incluindo o meu: *All Women Are Healers* (The Crossing Press, 1990). Basicamente, as cores das pedras coincidem com as cores dos chakras (pedras cor de laranja são colocadas sobre o chakra do umbigo), mas use a sua intuição. Quando se usam as pedras preciosas numa cura com o Reiki, as chances de o receptor liberar as emoções são muito maiores, e essas curas são muito intensas.

A colocação das mãos no Reiki é, primariamente, sobre os chakras. Depois das três posições na cabeça, isso é fácil de lembrar. Os chakras estão localizados no duplo etérico de energia do corpo físico, uma camada que envolve o corpo físico. Eles são "transformadores" de energia que trazem o Ki da Terra e do Céu para o corpo humano ou animal. Nos seres humanos, os chakras estão localizados ao longo de uma linha vertical abaixo do centro do corpo, na frente e atrás dele. Uma sessão de Reiki completa cobre todos os chakras e todos os órgãos do corpo. Nos animais, existe um tipo de energia mais triangular, e só alguns chakras se localizam ao longo da linha central da coluna vertebral. Para mais informações sobre os chakras em animais, indico os livros *Natural Healing for Dogs and Cats* e *The Natural Remedy Book for Dogs and Cats* (The Crossing Press, 1993 e 1994), ambos de minha autoria.

Embora não seja importante conhecer as posições dos chakras para se ministrar o Reiki, a descrição dos locais torna-os mais fáceis de serem entendidos. O sistema de chakras utilizado no Ocidente foi desenvolvido na Índia, o que aumenta ainda mais sua ligação com o Reiki. Entretanto, é importante notar que muitas culturas desenvolveram sistemas parecidos. Também é interessante saber, do ponto de vista energético, por que suas mãos são colocadas em determinadas partes do corpo. Cada chakra regula um órgão nessa área. Descreverei apenas brevemente esses centros, pois existem muitos livros excelentes sobre o sistema de chakras. A cura Reiki começa na cabeça, descendo para os pés; portanto, descreverei os chakras de cima para baixo.

As três posições de aplicação do Reiki na cabeça cobrem o chakra da coroa e o do terceiro olho. O chakra da coroa localiza-se no alto da cabeça, logo atrás do ponto mais alto do crânio. Fisicamente, está associado à glândula pineal. Ele é o ponto de ligação das pessoas com a espiritualidade e a Deusa/Fonte e, em geral, é representado pelas cores violeta e branco. O chakra da coroa é o local de percepção dos guias espirituais; é o local da capacidade de canalização. O chakra da testa, ou terceiro olho, é o que vem a seguir, e está localizado acima dos olhos físicos e entre eles; está associado à glândula pituitária. Ele é o chakra do conhecimento psíquico e da compreensão da Unidade do Universo. A cor do chakra da testa é o índigo, o azul-escuro do céu noturno. É o centro do poder feminino e representa a criação das realidades pessoais. Na cura física, o chakra da coroa e o da testa são o cérebro, os olhos e o sistema nervoso central.

O chakra da garganta está localizado na base do pescoço e se liga às glândulas tireóide e paratireóide. Sua cor é o azul-claro e sua função é a comunicação física e psíquica. No mundo atual, em que é perigoso falar, o chakra da garganta, na maioria das pessoas, precisa de cura. As emoções são expressas nesse nível e a criatividade

Os Sete Chakras mais Importantes[2]

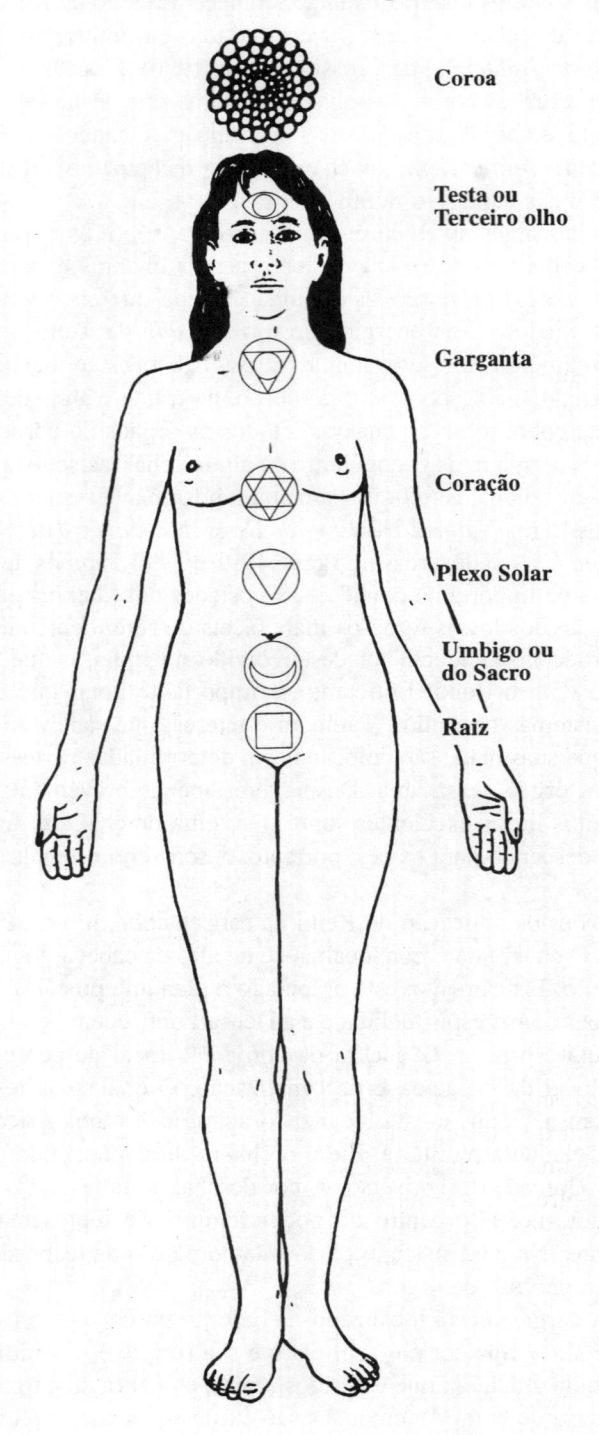

- Coroa
- Testa ou Terceiro olho
- Garganta
- Coração
- Plexo Solar
- Umbigo ou do Sacro
- Raiz

Como Desenvolver os Chakras: A Linha do Hara[3]

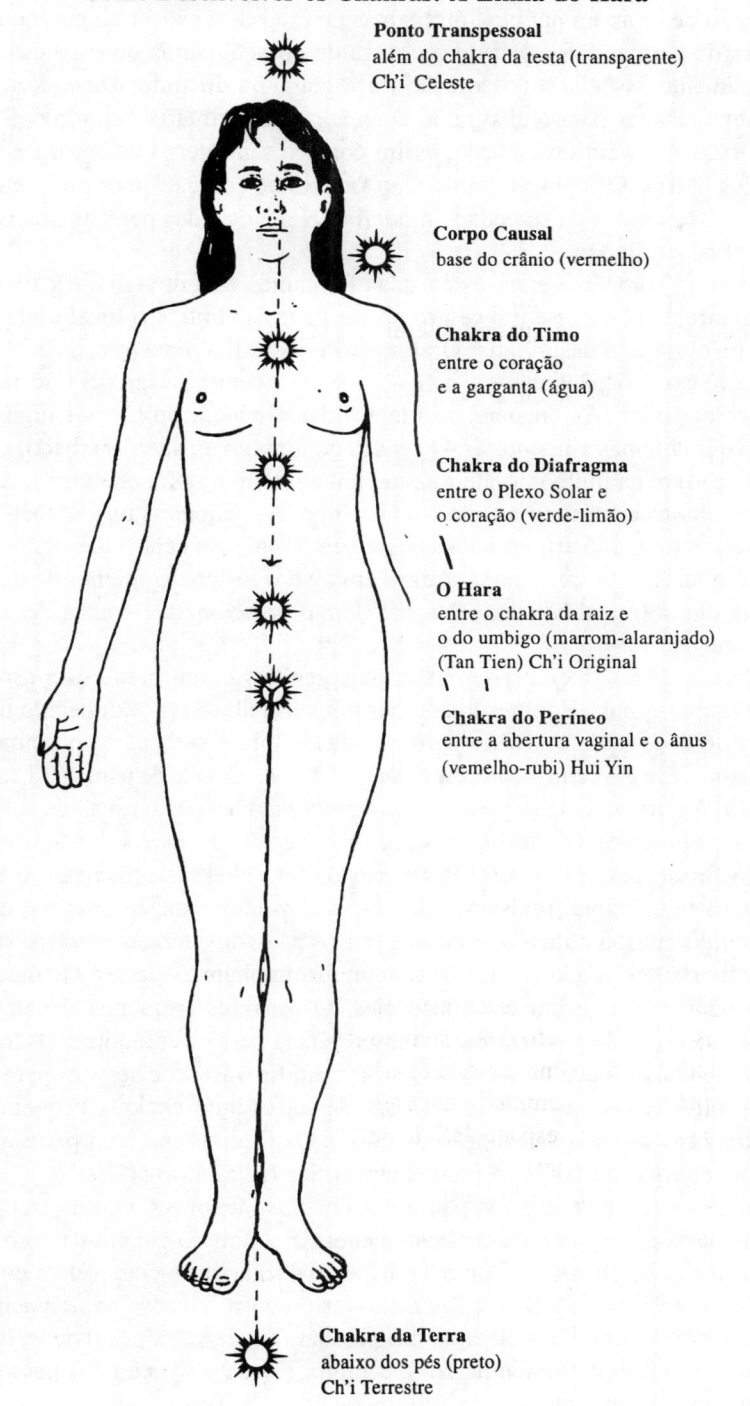

Ponto Transpessoal
além do chakra da testa (transparente)
Ch'i Celeste

Corpo Causal
base do crânio (vermelho)

Chakra do Timo
entre o coração
e a garganta (água)

Chakra do Diafragma
entre o Plexo Solar e
o coração (verde-limão)

O Hara
entre o chakra da raiz e
o do umbigo (marrom-alaranjado)
(Tan Tien) Ch'i Original

Chakra do Períneo
entre a abertura vaginal e o ânus
(vemelho-rubi) Hui Yin

Chakra da Terra
abaixo dos pés (preto)
Ch'i Terrestre

se localiza aí. Os problemas associados a esse chakra comumente são: dor de garganta, medo de falar em público, problemas de tireóide e câncer na garganta. Abaixo do chakra da garganta, localiza-se o chakra do coração, atrás do osso esterno, e ele está fisicamente associado ao coração ou à glândula do timo. Duas cores são freqüentemente usadas para o chakra do coração: a cor primária é o verde, a outra é o rosa. As emoções vêm do coração, assim como o sentimento de amor universal e o amor pelos outros. O "coração partido", o "aperto no coração" e os problemas físicos no coração são típicos da sociedade moderna. A maioria das pessoas precisa da cura emocional nesse chakra.

Abaixo do coração e entre as costelas flutuantes encontra-se o Plexo Solar; sua cor é o amarelo solar. Esse é o centro do poder masculino, e o local onde a energia que flui pelo corpo é assimilada. O alimento é assimilado nesse centro. Seu correspondente físico é o pâncreas ou o fígado, e esse centro se associa ao poder e ao equilíbrio do poder. As doenças do Plexo Solar incluem problemas digestivos, alcoolismo e problemas alimentares. O chakra do umbigo ou sacro é o baço, no homem (a purificação) e, na mulher, o útero, que também tem uma função purificadora. Está localizado alguns centímetros abaixo do umbigo. As primeiras impressões e quadros emocionais antigos são armazenados nesse centro, que é o centro das opções sexuais. Sua cor é o laranja. A cura nesse chakra envolve o restabelecimento de uma pessoa depois de ela sofrer abuso sexual e problemas relacionados com a fertilidade ou sexualidade.

O chakra da raiz localiza-se nos órgãos genitais e, em geral, está associado às glândulas supra-renais. É representado por um vermelho-vivo. Conhecido no Oriente como o Portal da Vida e da Morte, o chakra da raiz é o local do nascimento e do renascimento. Ele é o centro da sobrevivência, da capacidade de usufruir a abundância do planeta. A cura associada a esse chakra envolve questões básicas de subsistência, como casa, alimento, vestuário, vontade de viver ou de morrer, visão realista das coisas e vida no plano terrestre. Esses são os sete chakras principais, e eles estão presentes na região ântero-posterior do corpo. Diz-se que existe um total de 49 chakras no duplo etérico humano, e que os outros são considerados centros de energia menos importantes. Cada ponto da acupuntura também pode ser chamado de um pequeno chakra, e existem centenas deles. Os chakras pequenos, localizados nas mãos e nos dedos, não são centros sem importância para os curadores. Os localizados na planta dos pés — que também podem transmitir o Reiki e servem para ligar-nos ao plano terrestre — não podem ser considerados como chakras pequenos. Existe um chakra atrás de cada articulação do corpo. Os chakras são uma parte importante do sistema elétrico do corpo, a ponte entre o Ser físico e o não-físico.

Além dos sete chakras principais e dos chakras menores do duplo etérico, existe uma outra série importante de centros de energia. Além do chakra da coroa e acima do corpo físico, localiza-se o Ponto Transpessoal. Sua cor é clara (ele é de qualquer cor), e sua função é a de Deusa Interior. Nesta época, outros chakras acima do da coroa podem estar se desenvolvendo nas pessoas. Abaixo dos pés físicos, localiza-se o chakra da terra ou da base cuja cor é o preto. Essa é a ligação das pessoas com o planeta e com os nutrientes e a energia magnética da Terra.

Uma linha de energia liga o Ponto Transpessoal ao chakra da Terra. Essa linha provavelmente vai além do duplo etérico até as camadas áuricas emocional/astral. Barbara Brennan, no seu livro a *Light Emerging** (Bantam Books, 1993), dá-lhe o nome de Linha do Hara.[4] Mantak e Maneewan Chia a descrevem em *Awaken Healing Light of the Tao*.[5] Ela também é a base da série de gravações feitas por Duane Packer e Sanaya Roman com o nome de *Awakening Your Light Body*.[6] Ao longo dessa linha, existem vários outros chakras, que fazem parte do antigo sistema Ch'i Kung, e que parecem estar se abrindo espontaneamente pela primeira vez em muitas pessoas. Percebo cada vez mais a presença desses chakras durante as sessões de cura. A Linha do Hara é a mais importante do Reiki II e III; contudo descreverei agora os "novos" chakras, embora o uso deles não seja muito claro para mim no momento.

Entre esses inclui-se um chakra vermelho e dourado, localizado na base do crânio, chamado de Corpo Causal, que parece relacionado com certas manifestações. Entre o chakra da garganta e o da coroa, existe um outro chakra cuja cor é água-marinha, e eu o chamo de chakra do timo. Tem função de imunização e proteção contra poluentes e produtos químicos. No diafragma, um novo chakra apresenta a cor verde-limão; sua finalidade é eliminar emoções antigas ou toxinas em todos os níveis. O último é o próprio Hara, localizado entre os chakras da raiz e o do umbigo e, às vezes, conhecido como chakra do sacro. No Ch'i Kung é chamado de Tan Tien, e no Japão e na China é conhecido como o centro da energia humana e do poder — do Ch'i Original. Seu equivalente ocidental é o Plexo Solar, embora sua cor seja dourado em vez de amarelo, mas o Hara ou Tan Tien é muito mais.

Para Mantak Chia, o Tan Tien é o ponto do corpo onde se localiza o Ch'i Original, a energia vital do nascimento. Ele se alia ao Ch'i Celestial (do Universo) e ao Ch'i da Terra (do planeta) — o Ponto Transpessoal e o chakra da Terra — para criar as três forças que conservam e alimentam a vida.[7] Barbara Brennan define o Tan Tien, ou Hara, como o local do "desejo de viver no corpo físico".[8] Ela descreve a Linha do Hara como a linha da intenção e do propósito nesta encarnação; no entanto, no Reiki II, costuma-se tratar também de outros aspectos da Linha do Hara. O sistema humano Ki (Ch'i) é muito complexo e, à medida que as pessoas o desenvolvem, ele se torna ainda mais complicado. Entretanto, tudo o que você precisa conhecer para entender as posições das mãos no Reiki I são os sete chakras principais.

A CURA DE SI MESMO

Aqui, finalmente, começamos uma sessão de Reiki, e o Reiki I traz muitos benefícios na cura de si mesmo. Tive alunos que estudaram vários métodos de cura sem encontrar informações sobre auto-ajuda, mas é aí que o Reiki começa. As posições das mãos na autocura são a base para as outras posições do Reiki. Embora eu as descreva a seguir de forma organizada, é preciso que a intuição da pessoa funcione

---

* *Luz Emergente*, publicado pela Editora Pensamento, São Paulo, 1995.

livremente. Se durante uma sessão de cura você é levado a pôr as mãos num local não designado como posição do Reiki, bem como a ignorar alguma posição ou fazê-la fora da ordem correta, não há problema. Peço aos meus alunos que aprendam bem as posições ensinadas e as usem até que as conheçam perfeitamente, e só então deixem sua intuição ou guias fazerem as variações necessárias.

Não existe forma errada de se ministrar o Reiki. Instrutores variam nessas posições, mas todos estão certos. Faça a imposição das mãos e a energia fluirá para onde é necessária. Mantenha as mãos em posição até que o fluxo de energia mude e você seja levado a passar para a próxima posição. Se você for incapaz de adotar com as mãos uma posição ou se não se sentir à vontade quanto a passar para a seguinte, adote aquela em que não tem dificuldade. Se não puder dobrar os braços e o corpo para transmitir a energia às costas, cuide apenas da parte da frente do corpo. Não cruze os braços nem as pernas durante as posições. A instrução básica para o Reiki é colocar as mãos sobre a região que apresenta dor. Quando possível, faça uma sessão completa de cura. Quando não for possível, faça o que estiver ao seu alcance.

As ilustrações mostram as posições das mãos para a cura de si mesmo, e estão numeradas para serem facilmente identificadas. A cura sempre começa na cabeça e prossegue rumo aos pés, pela frente, e depois continua na direção contrária, pelas costas. As três primeiras posições são na cabeça. Na primeira, coloque as mãos em forma de concha sobre os olhos, sem pressionar. Permaneça nessa posição até que a sensação de energia cesse, o que em geral leva cinco minutos. A primeira posição equilibra os hemisférios esquerdo e direito do cérebro, e é ótima para curar dores de cabeça ou nos olhos. Também cobre o chakra da testa ou do terceiro olho.

Depois (posição 2), coloque as mãos sobre as faces. Seu polegar se posiciona ligeiramente abaixo da orelha, enquanto as palmas cobrem as maçãs do rosto. Novamente espere o ciclo energético completar-se. Esse é um modo quase que instintivo de colocar as mãos, e é extremamente confortável. Na terceira posição na cabeça (3-3a), ponha a mão na parte de trás da cabeça, cobrindo o chakra da coroa e a parte posterior do terceiro olho, atingindo, assim, o Corpo Causal. Novamente, cada posição dura em torno de cinco minutos.

Em seguida, passe ao chakra da garganta (4-4a). Se ao colocar a mão sobre a garganta você se sentir apreensivo — é menos provável que isso ocorra na autocura —, coloque as mãos sobre a clavícula. Ao ministrar o Reiki em outras pessoas, quase sempre ponha as mãos abaixo da garganta, em vez de diretamente sobre ela. (Na verdade, o chakra se localiza na área da clavícula.) A quinta posição (5-5a) sobre o chakra do coração é realizada exatamente nesse ponto. Ponha as mãos sobre o esterno, ou mesmo sobre o peito, se essa região precisar da cura.

O Plexo Solar é a posição seguinte (6). Coloque as mãos em ambos os lados, os dedos sobre as costelas inferiores, abaixo do peito. Anatomicamente, sua mão direita se posiciona sobre o fígado e a vesícula biliar, e a esquerda sobre o pâncreas, o baço e o estômago. Você talvez ouça o "estômago roncando" durante essa posição. Novamente, cada posição demora cerca de cinco minutos para completar o ciclo de energia; portanto, relaxe durante a aplicação. Em seguida, as mãos se deslocam para

Posições de Mãos do Reiki I
Autocura — Frente

1. Sobre os olhos.

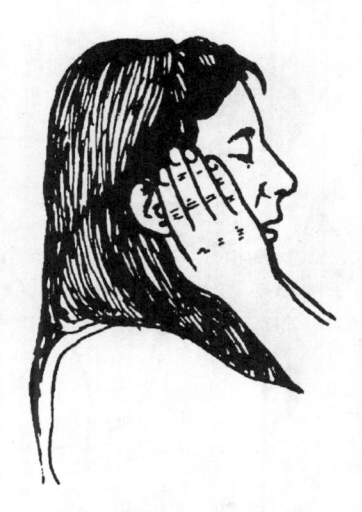

2. Sobre as maçãs do rosto, polegar sob as orelhas.

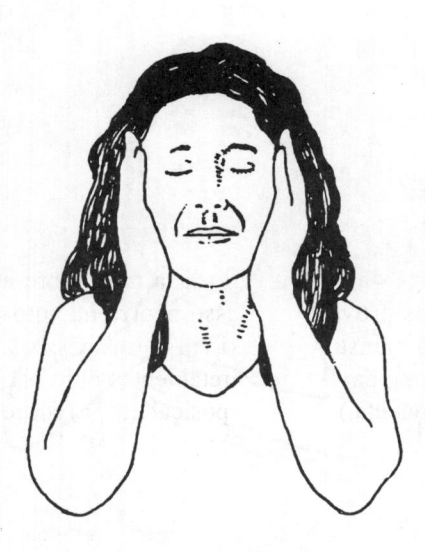

2a. Segunda posição alternativa.

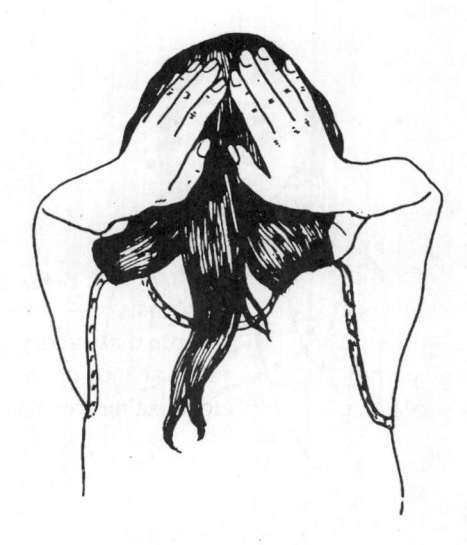

3. Parte posterior da cabeça, sobressaliência occipital.

Posições de Mãos do Reiki I (continuação)
Autocura — Frente

3a. Terceira posição alternativa.

4. Sobre a garganta.

4a. Posição alternativa da garganta.

5. Sobre o coração — esterno (somente em si mesmo).

Posições de Mãos do Reiki I (continuação)
Autocura — Frente

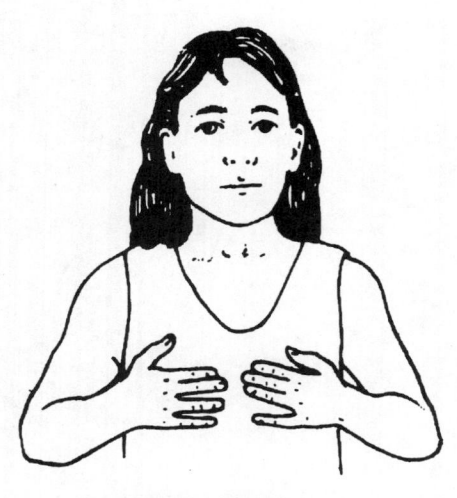

5a. Quinta posição alternativa (somente em si mesmo).

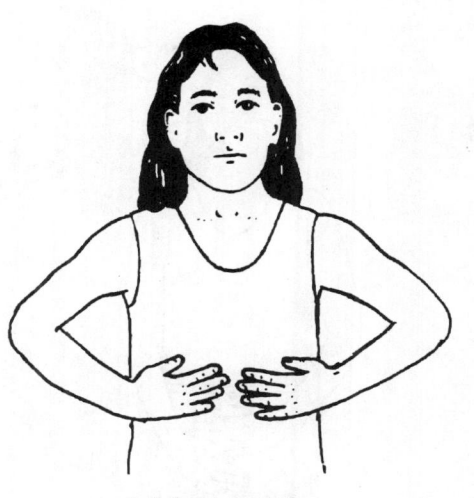

6. Sobre as costelas inferiores.

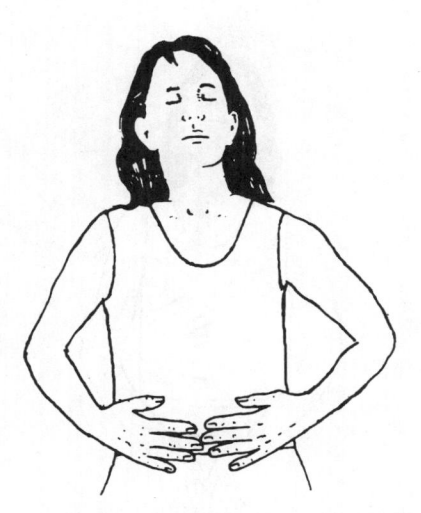

7. Sobre a região média abdominal.

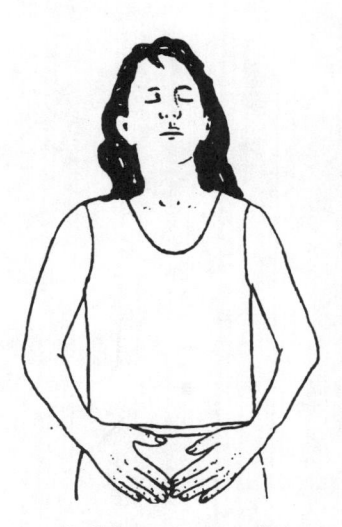

8. Sobre os ossos pélvicos — abdômen inferior.

Posições de Mãos do Reiki I (continuação)
Autocura — Frente

9. Mãos no centro, sobre o osso púbico (sem tocar a área genital).

9a. Nona posição alternativa sobre a região púbica (somente em si mesmo).

Posições de Mãos do Reiki I (continuação)
Autocura — Frente

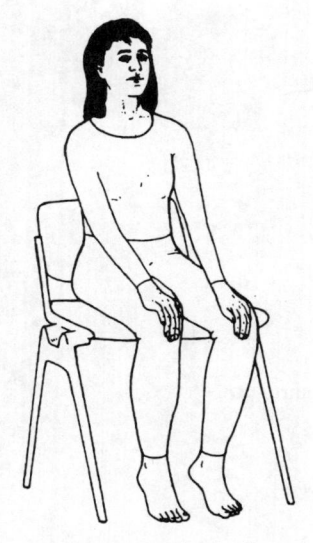

10. Frente dos joelhos.

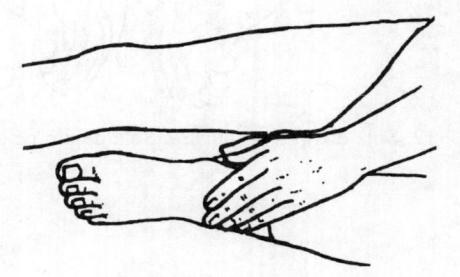

11. Frente dos calcanhares.

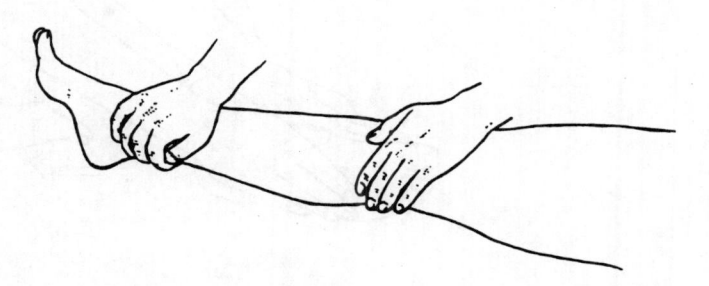

10a. - 11a. Joelho e calcanhar simultaneamente.
Faça em ambas as pernas.

Posições de Mãos do Reiki I (continuação)
Autocura — Frente

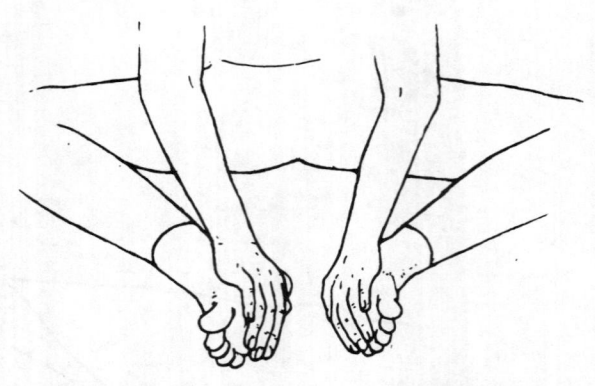

12. Sola dos pés — ou 12a. Sola de um pé e depois do outro.

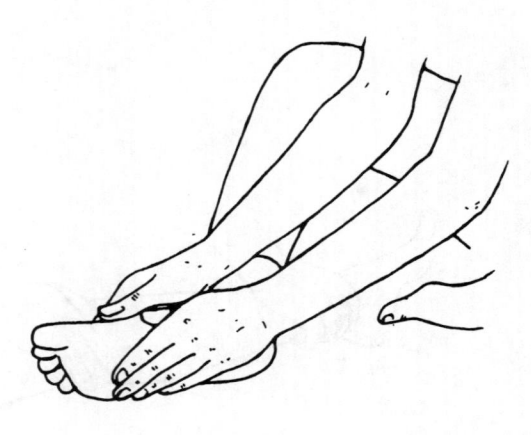

12a.

Posições de Mãos do Reiki I (continuação)
Autocura — Costas

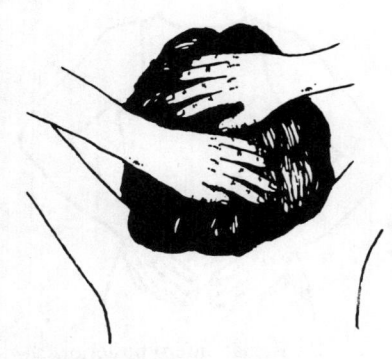

13. Parte posterior da cabeça — uma mão na sobressaliência occipital e a outra sobre a coroa.

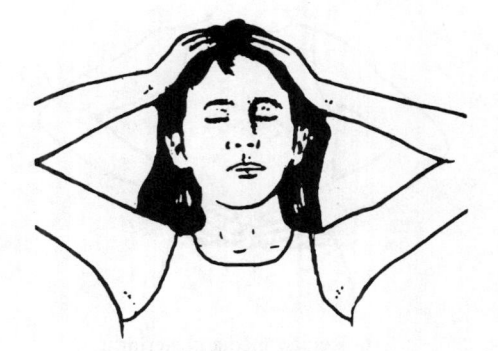

13a. Posição alternativa da cabeça na parte posterior.

14. Parte posterior do pescoço acima dos músculos dos ombros.

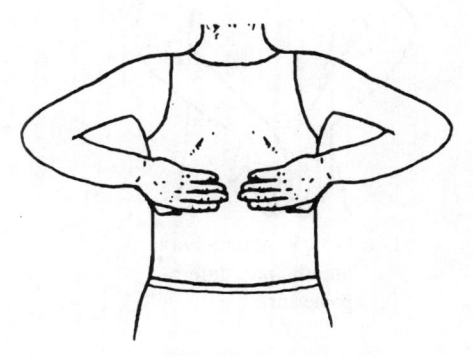

15. Sobre as costelas, abaixo da vesícula biliar, atrás do coração.

Posições de Mãos do Reiki I (continuação)
Autocura — Costas

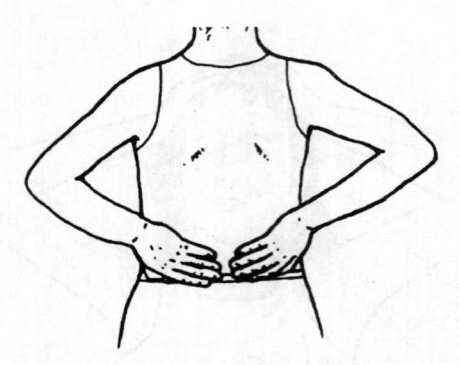

16. Região média posterior.

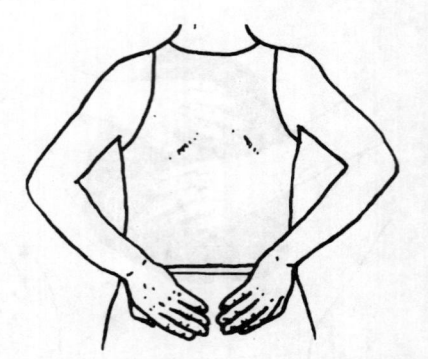

17. Região ínfero-posterior sobre o sacro.

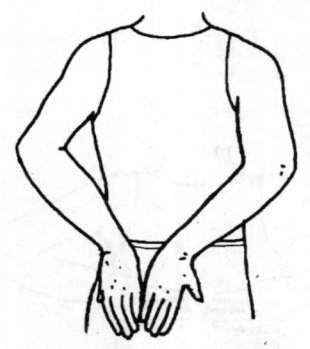

17a. Posição alternativa ou adicional ínfero-posterior.

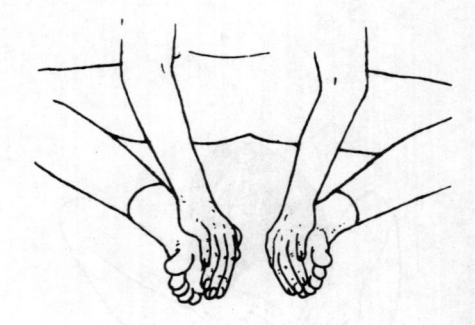

20. Sola dos pés.

18. Atrás dos joelhos (como na figura 10, mas na parte posterior).

19. Atrás dos joelhos (como na figura 11, mas na parte posterior).

19a. Segure a parte posterior do joelho e o calcanhar simultaneamente da mesma perna. Repita em ambas as pernas.

Localização dos Órgãos mais Importantes do Corpo — Vista Frontal

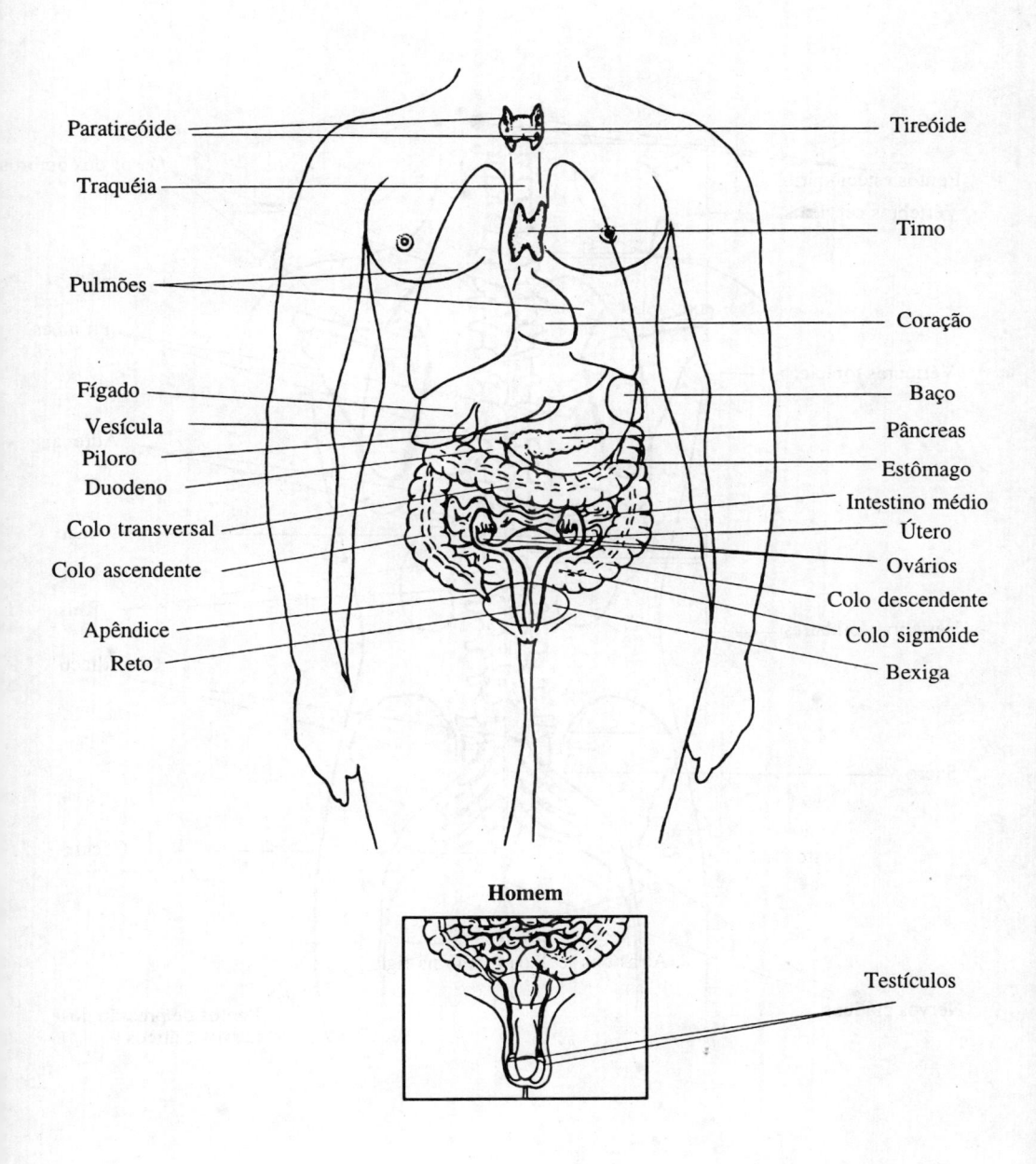

- Paratireóide
- Traquéia
- Pulmões
- Fígado
- Vesícula
- Piloro
- Duodeno
- Colo transversal
- Colo ascendente
- Apêndice
- Reto
- Tireóide
- Timo
- Coração
- Baço
- Pâncreas
- Estômago
- Intestino médio
- Útero
- Ovários
- Colo descendente
- Colo sigmóide
- Bexiga

Homem

- Testículos

Localização dos Órgãos mais Importantes do Corpo — Vista Posterior

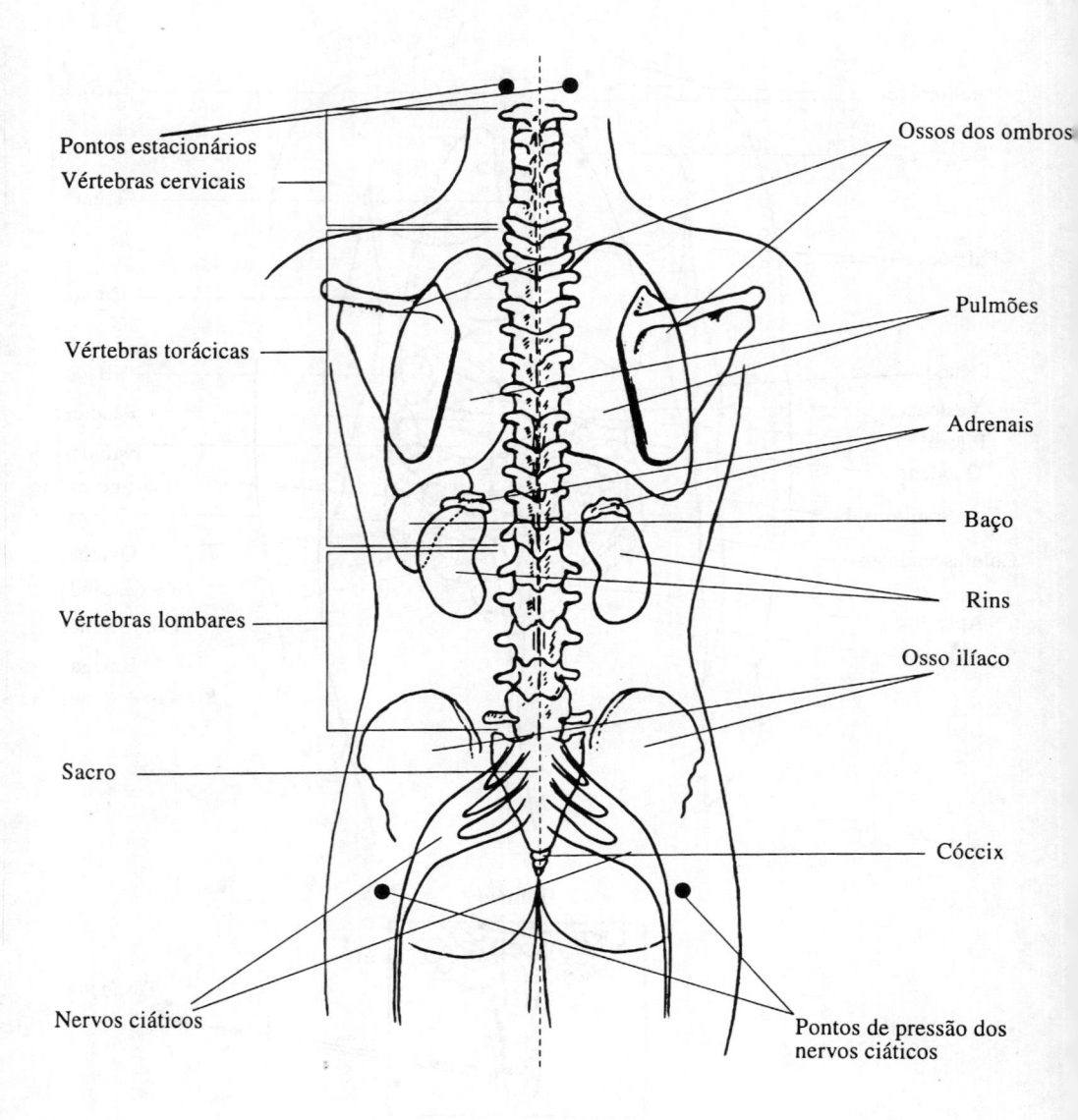

- Pontos estacionários
- Vértebras cervicais
- Vértebras torácicas
- Vértebras lombares
- Sacro
- Nervos ciáticos
- Ossos dos ombros
- Pulmões
- Adrenais
- Baço
- Rins
- Osso ilíaco
- Cóccix
- Pontos de pressão dos nervos ciáticos

a cintura ou ligeiramente para baixo dela (7), e depois, uma vez mais, se deslocam para cobrir a região pélvica (8). A partir dessa posição, a energia chega aos intestinos e ao chakra do umbigo.

A última das posições do tronco é com as mãos unidas no centro da parte inferior do abdômen, uma sobre a outra, ligeiramente acima da região púbica (9). Você pode cobrir a região dos órgãos genitais, se quiser. Essa posição é sobre o chakra da raiz, cobrindo o útero, os ovários, a bexiga e a vagina, na mulher, e a bexiga e os testículos, no homem.

Em seguida, coloque as mãos sobre os joelhos, os tornozelos e os pés. Essas não são posições Tradicionais do Reiki, mas acho que são extremamente importantes, particularmente para os pés. Elas servem para aumentar o equilíbrio em você depois de as energias dos centros superiores terem sido ativadas, unindo-o à Mãe Terra, e também para integrar e assimilar a energia da cura. Para os joelhos e calcanhares (10, 10a, 11, 11a), primeiro, ponha as mãos sobre os joelhos e, em seguida, sobre os calcanhares. Você pode ter de inclinar o corpo para encontrar uma posição confortável a fim de tocar os calcanhares. Uma forma alternativa é colocar ao mesmo tempo uma das mãos sobre o joelho e a outra sobre o calcanhar direito (ou esquerdo) de uma perna e depois da outra. Em seguida, passe aos pés, colocando as mãos na planta dos pés, na região dos chakras. Ponha uma das mãos em cada pé (12), ou ambas num pé apenas, e, então, passe para o outro (12a). Novamente, mantenha as mãos no local enquanto a sensação de energia durar.

Então, passe às costas. Há apenas uma posição para a cabeça (13); mas, desde que você já tenha feito as três posições na cabeça, essa é opcional. Coloque uma das mãos no chakra da coroa e a outra na base do crânio (Corpo Causal). Alternativamente, pode-se fazer essa posição com as mãos no chakra da coroa (13a). Em seguida, coloque as mãos na parte posterior do pescoço ou sobre os músculos entre o pescoço e os ombros (14). Esses músculos são lugares onde a tensão se concentra em algumas pessoas. Eles constituem a parte posterior do chakra da garganta, e não são tão sensíveis quanto o chakra da garganta propriamente dito.

Agora, coloque as mãos sobre a região abaixo das escápulas [omoplatas] (15), cobrindo a parte de trás do coração e voltando-as uma para a outra como quando na parte da frente do tronco. Em seguida, desloque-as até a parte central das costas, mantendo-as da mesma forma (16), e realize uma posição ainda mais abaixo (17). Essas posições cobrem os chakras do Plexo Solar e o do umbigo. Uma posição alternativa é sobre a região inferior das costas (17a) com as mãos direcionadas para o chakra da raiz.

Repita as posições do joelho e do calcanhar (18-19 ou 19a), mas dessa vez coloque as mãos atrás em vez de na frente. Para terminar, coloque-as sobre os pés novamente (20). Essa é a sessão completa de autocura com o Reiki. Logo você conhecerá todas as posições. Depois de completá-la, beba um copo grande de água e descanse um pouco. Você pode sentir-se dispersivo por alguns minutos, ou mesmo durante a hora seguinte. Preste atenção às emoções e às idéias que lhe ocorrem durante a sessão de cura.

A CURA DE OUTRAS PESSOAS

A sessão do Reiki de cura para outras pessoas, na verdade, é igual à autocura, com duas exceções. Primeiro, as mãos obviamente são colocadas sobre a pessoa, resultando disso algumas mudanças na sua posição. O agente de cura precisa dirigir a sessão de forma tal que o corpo esteja totalmente acomodado, do contrário isso poderá causar uma tensão desagradável. Não cruze os braços nem as pernas, e não deixe que a pessoa que recebe a energia faça isso. Em segundo lugar, ao curar outra pessoa, esteja ciente da privacidade alheia. Tocar os seios ou a região dos órgãos genitais é um abuso, a menos que você ministre a cura em você mesmo ou em seu parceiro. Isso é válido também para crianças. Uma em cada três mulheres na América já foi estuprada e provavelmente de 50% a 75% já sofreram incesto ou outros tipos de violência sexual. As sessões de Reiki devem transmitir às pessoas a sensação de segurança e bem-estar.

Para começar a cura, realize as posições da cabeça, em pé ou sentado, atrás da pessoa que recebe a energia. Você permanece assim durante as três posições da cabeça, no chakra da garganta e, provavelmente, no chakra do coração. (Ver ilustrações das posições das mãos.) Comece com as mãos colocadas, em forma de concha, delicadamente sobre os olhos da pessoa (1). Sinta o ciclo de energia e, quando as sensações cessarem, passe para a posição seguinte. Essa primeira posição equilibra os hemisférios direito e esquerdo do cérebro. A pessoa, recebendo a cura, pode sentir-se agitada, mas se acalmará quando você se deslocar para a posição seguinte. Não encoraje a conversa pelo menos enquanto estiver realizando as posições da cabeça, e se a pessoa continuar a falar, peça-lhe que fique em silêncio.

A segunda posição (2) é sobre as bochechas, colocando-se o dedo mínimo ao lado da orelha. Enquanto a primeira posição cobriu o terceiro olho, a segunda posição cobre a região dos chakras da coroa e da testa. A pessoa que recebe a cura freqüentemente se acalma, começa a dormir ou sai do corpo. Na posição seguinte (3), o agente de cura levanta a cabeça do receptor (em geral com a sua ajuda) e desliza as mãos sobre ela. Coloque as mãos em forma de concha na parte de trás da cabeça, na região occipital. Pela sensação agradável nas mãos, sabe-se que o local sobre o qual elas estão é o certo. Os chakras da coroa, do terceiro olho e o Corpo Causal recebem energia. As posições da cabeça tratam do crânio, do cérebro, dos olhos, dos ouvidos e do sistema nervoso central.

Passe em direção ao chakra da garganta (4). Pelo fato de muitas pessoas sentirem medo quando as mãos são colocadas sobre a garganta, eu nunca as ponho diretamente sobre ela. Em vez disso, ponha as mãos abaixo da garganta, em ambos os lados, sobre a clavícula. É possível também pôr as mãos prudentemente sobre a garganta sem tocá-la, mas isso gera um mal-estar desnecessário para o curador. Em vidas passadas, muitas pessoas que hoje são curadoras foram mortas na fogueira e geralmente eram estranguladas antes de serem queimadas: daí a fobia.

Estenda os braços para a frente o máximo que puder e volte as mãos para o lado do coração (5-5a). Jamais coloque as mãos sobre os seios de uma mulher com quem não tenha intimidade, a menos que ambos tenham concordado sobre o assunto. (Se a mulher tiver nódulos nos seios ou displasia mamária, recomendamos que você faça isso.) Entretanto, coloque as mãos acima dos seios ou entre eles, se achar oportuno, ou então deixe de lado essa posição. Novamente, espere o ciclo de energia se completar, durante cinco minutos; então, desloque as mãos para a próxima posição. Agora, você terá de posicionar-se ao lado da pessoa e não atrás dela. O Plexo Solar (6) localiza-se embaixo dos seios. Cubra os órgãos digestivos superiores (fígado, vesícula biliar, pâncreas).

Nas posições do tronco, você pode escolher como posicionar as mãos. Elas podem ser colocadas como na cura de si mesmo, mas voltadas para fora em vez de para dentro. Para fazer isso, passe-as horizontalmente ao longo do corpo, os dedos de uma das mãos quase tocando a outra no pulso. Alternativamente, pode ser mais cômodo colocar as mãos lado a lado (os polegares quase se tocando). Para encontrar essas posições, imagine o tronco do receptor dividido em quatro partes e coloque as mãos uma ao lado da outra sobre cada parte. Posicione as mãos à direita, no alto, à esquerda, também no alto, à direita, embaixo, e na parte inferior do lado esquerdo. Finalmente, volte as mãos para o centro do baixo-ventre. (Inicie de qualquer lado; no que tange ao Reiki, isso não importa.) Se quiser, também faça isso nas costas. As ilustrações e descrições indicam a primeira maneira. A segunda é ilustrada na página 88. Ambas são corretas — é simplesmente uma questão do que seja mais cômodo para o agente de cura.

Continuando no tronco, a sétima posição (7) é logo abaixo da cintura e cobre o chakra do umbigo, com a posição seguinte das mãos logo abaixo dele (8), acima da região púbica e sobre a área pélvica. Coloque as mãos horizontalmente ou lado a lado. Em seguida, coloque as mãos no centro do baixo-ventre (9), logo acima da região púbica (chakra da raiz). As mãos são colocadas uma sobre a outra em cima do corpo. Essas posições cobrem todos os órgãos abdominais, os sistemas digestivo, reprodutor e excretor. Veja os desenhos dos órgãos do corpo; conhecer um pouco a anatomia é algo útil e necessário para a cura com o Reiki, embora a terminologia médica não o seja.

As posições do joelho, do tornozelo e dos pés são ainda mais importantes quando você trabalha com outra pessoa. Durante aproximadamente uma hora, a pessoa que recebe a energia de cura fica deitada em silêncio (a menos que ela tenha liberado as emoções). Pode parecer que ela esteja dormindo ou em "algum outro lugar" fora do corpo. As posições das mãos nas pernas e nos pés começam então a trazê-la de volta à Terra.

Para executar essas posições, o agente de cura deve mudar novamente de posição. Para executar as posições do tronco, deve ficar em pé ou sentado ao lado da pessoa que recebe a energia de cura. Não há necessidade de se mover de um lado para o outro; só estenda o braço para alcançar o outro lado. Agora, desloque-se mais para baixo, de modo que possa atingir as pernas. Realize, primeiramente, as posições na parte superior dos joelhos e depois sobre os tornozelos (11). Alternativamente, coloque uma das mãos sobre o joelho e a outra no tornozelo da mesma perna (11a) — essa é a forma mais indicada. Complete essas posições, esperando que a sensação habitual de energia desapareça.

Posições de Mãos do Reiki I
A Cura de Outros

Frente — O curador se situa atrás da pessoa que está recebendo a cura.

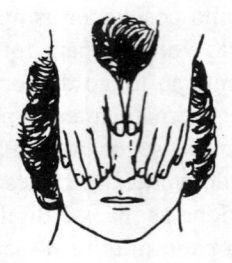

1. Mãos suavemente sobre os olhos.

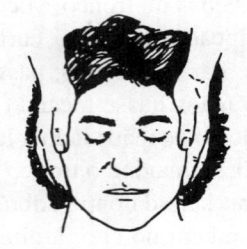

2. Sobre as maçãs do rosto, dedos mínimos ligeiramente sobre as orelhas.

3. Mãos sob a cabeça — o curador levanta a cabeça.

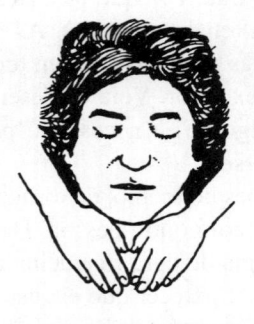

4. Mãos descansam ligeiramente sobre a clavícula — ligeiramente abaixo da garganta.

Frente — O curador se coloca ao lado da pessoa que está recebendo a cura.

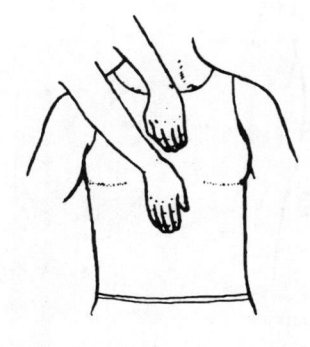

5. Entre os seios — posição opcional. Use com respeito, sem violar a privacidade do corpo feminino.

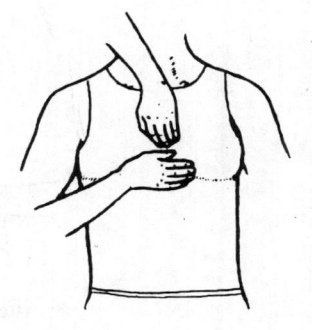

5a. Quinta posição alternativa.

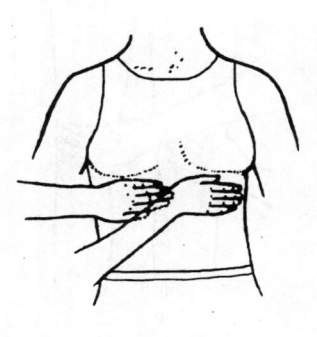

6. Abaixo dos seios sobre as costelas inferiores.

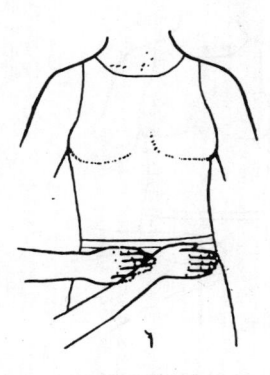

7. Abaixo da cintura.

Frente — O curador se coloca ao lado da pessoa que está recebendo a cura (continuação).

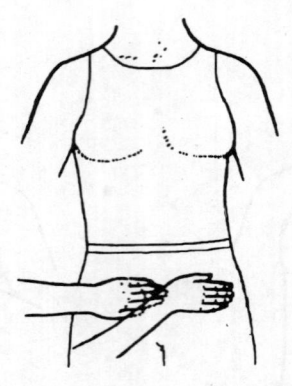

8. Através da região pélvica acima do osso púbico.

Frente — O curador se desloca ao longo da lateral.

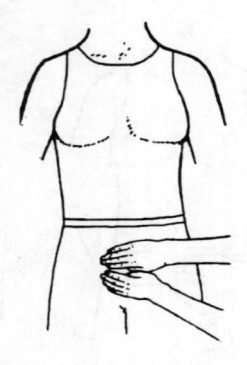

9. Ambas as mãos sobre o baixo-ventre acima do osso púbico.

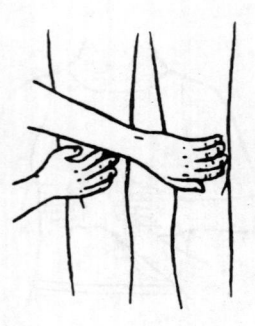

10. Na frente de ambos os joelhos.

Frente — O curador se desloca ao longo da lateral (continuação).

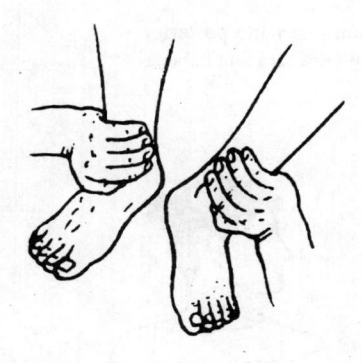

11. Na frente de ambos os tornozelos.

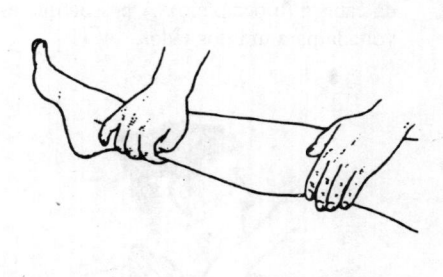

11a. Tornozelo e joelho ao mesmo tempo. Fazer o mesmo em ambas as pernas. Posição preferida — combinar a 10ª e a 11ª.

Frente — O curador se desloca para a parte inferior, de frente para os pés da pessoa que está recebendo a cura.

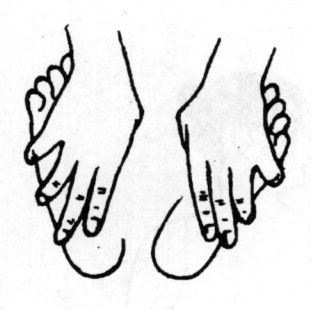

12. Sola dos pés.

12a.-12b. Décima segunda posição alternativa. Solas de ambos os pés simultaneamente.

Frente — O curador volta para a cabeça da pessoa que está recebendo a cura.

13. Posição de cabeça opcional. Uma mão no coração e outra na parte posterior da cabeça (o occipício). A pessoa que está recebendo a cura terá sua cabeça voltada para um dos lados.

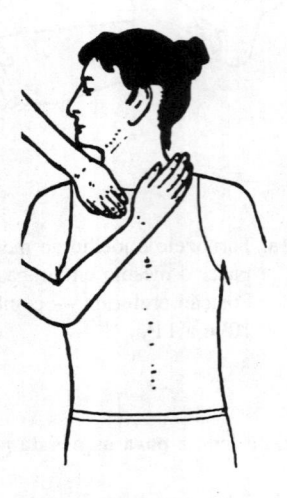

14. Região posterior do pescoço. (O curador se desloca para a lateral da pessoa.)

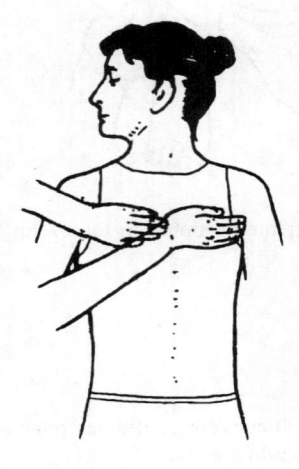

15. Sobre as omoplatas.

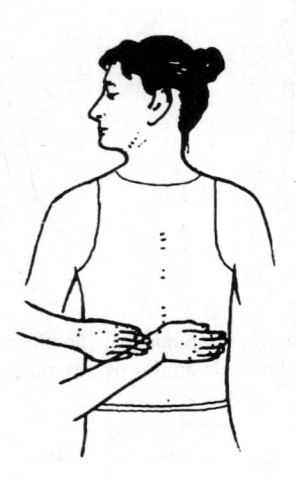

16. Região média das costas.

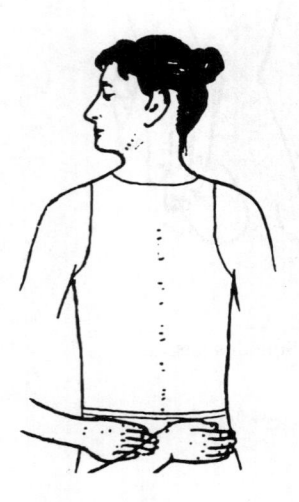

17. Região inferior abaixo da cintura — sobre o sacro.

Posições de Mãos do Reiki I
A Cura de Outros-Costas

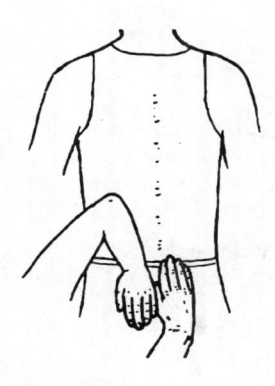

18. Sobre o cóccix — posição opcional.

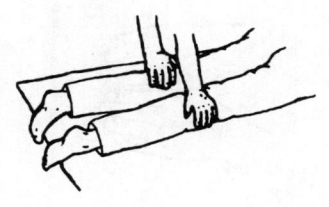

19. Parte posterior dos joelhos.

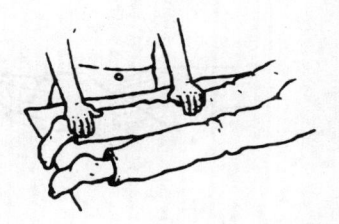

20. Parte posterior dos tornozelos.

Posições de Mãos do Reiki I (continuação)
A Cura de Outros-Costas

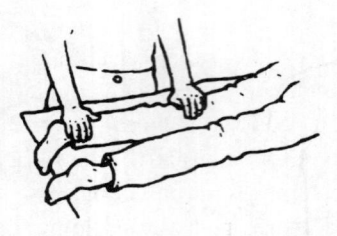

20a. Segure a parte posterior do joelho e do tornozelo simultaneamente.
Faça em ambas as pernas.

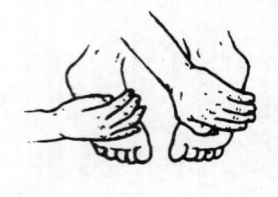

21. Sola dos pés.

Colocação Opcional das Mãos

Colocação opcional das mãos para o torso e as costas. Coloque as mãos lado a lado em vez de em fila. Substitua as posições 6, 7, 8 e 9 de torso e 15, 16, 17 e 18 das costas.

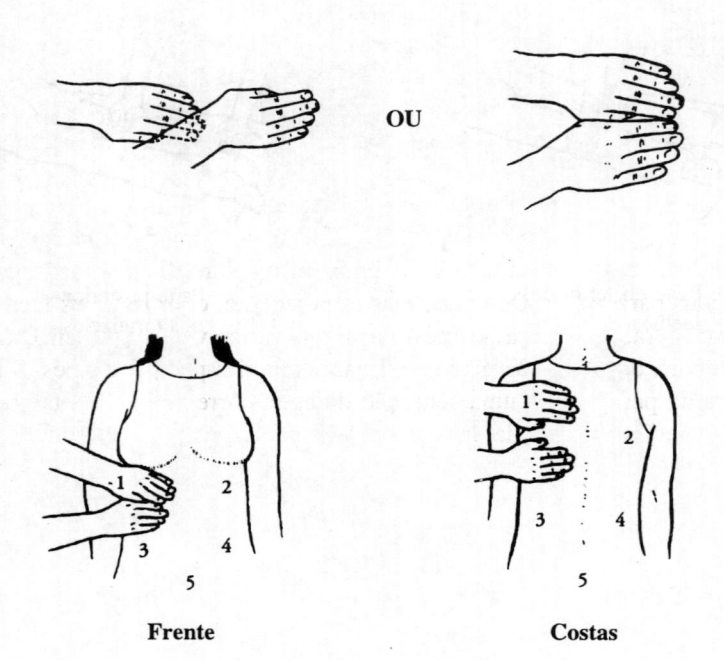

OU

Frente

Costas

Termine a cura na planta dos pés (12), um pé de cada vez (12a-12b), ou em ambos de uma só vez, se preferir. Se continuar a cura cobrindo a região das costas, poderá optar por deixar a posição dos pés para o final da sessão. Peça à pessoa que se vire; depois você volta a se ocupar da cabeça novamente.

Com a cabeça do receptor virada para o lado, realize as posições na região posterior dessa parte (13). Uma das mãos está colocada sobre o chakra da coroa e a outra atrás da cabeça, sobre a região occipital. Quando as sensações mudarem, passe para a posição seguinte, na parte de trás do pescoço (14). Nunca encontrei ninguém sensível à posição na parte de trás da garganta. Uma alternativa é colocar as mãos sobre o trapézio, o grande músculo que liga os ombros ao pescoço.

Desloque-se para o lado novamente e faça as três posições ao longo das costas (15, 16, 17); as mãos podem ser colocadas horizontalmente ou lado a lado, como na frente do tronco. As três posições cobrem os chakras do coração, do Plexo Solar e do umbigo. Elas também chegam aos rins e são excelentes para aliviar a tensão ou problemas nas costas. Se a pessoa tiver costas largas e dores na base da coluna, realize a posição ainda mais abaixo, perto das nádegas. A maneira opcional para fazer isso é com uma das mãos voltada para a mesma direção (18).

Em seguida, passe para as pernas e para os pés; dessa vez, é muito importante realizar todas essas posições. Elas ajudam a pessoa a se integrar na realidade, já que esteve "fora" por um longo tempo. Ocupe-se da parte inferior das pernas e realize as posições do Reiki na parte interna dos joelhos (19) e na parte interna dos tornozelos (20). A melhor maneira de fazer isso é colocar uma das mãos atrás do joelho e a outra atrás do tornozelo, na mesma perna (20a). Espere a energia fluir, e então repita a posição no lado oposto. Não deixe de trabalhar as duas pernas.

A última posição de cura é na planta dos pés (21). Quer se trabalhe na parte da frente ou na parte de trás do corpo, segure os pés pela planta, onde os chakras se localizam. Você sentirá ondas de energia deslocando-se através dos pés, e elas podem durar alguns minutos. Essa posição integra a cura e a completa. A pessoa que recebe a energia de cura ainda não estará integrada na realidade ao se levantar depois da sessão, mas estará lúcida; sem fazer as posições dos pés, ela ficará dispersiva por um bom tempo.

Outra forma de completar a cura é "varrer" com as mãos a energia. Coloque uma ou ambas as mãos cerca de vinte centímetros acima do corpo da pessoa, as palmas voltadas para baixo. Delicada, mas rapidamente, com as mãos faça o movimento de varredura, da cabeça aos pés. Faça isso várias vezes; primeiro, da cabeça ao tronco, depois, do tronco às pernas e, finalmente, das pernas aos pés. Suas mãos estão na aura da pessoa e há uma sensação de água corrente que ela também pode perceber. "Varrer" a energia da aura, especialmente com rapidez, ajuda a pessoa a se integrar na realidade e a despertar. Ela vai gostar dessa sensação.

Diga à pessoa que a sessão terminou e aconselhe-a a ficar quieta até que esteja pronta para se mover. Não a apresse para se levantar. Quando estiver pronta, mostre-lhe primeiro como se virar de lado e como se levantar apoiando-se nos braços, pois levantar-se incorretamente prejudica o pescoço e a coluna. Uma vez que esteja sentada, diga-lhe que não se mova rapidamente, mas fique nessa posição por alguns instantes, e traga-lhe um copo com água pura. Ela pode se sentir dispersiva e distraída

Reiki I
Localização do Ponto Estacionário[9]

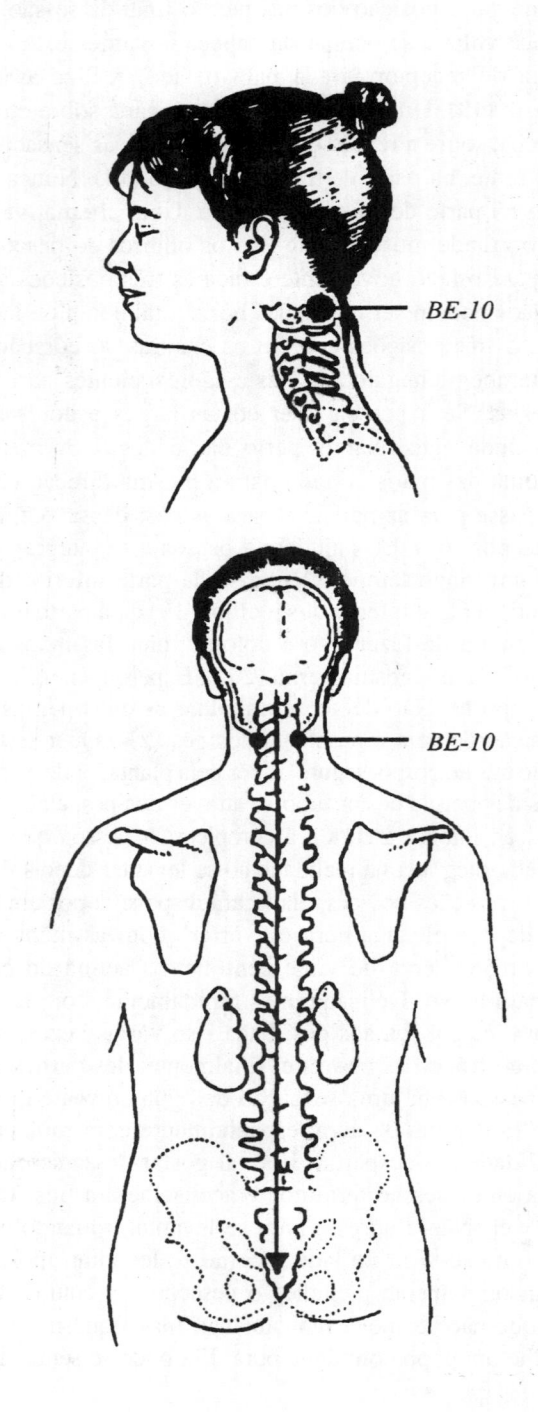

BE-10

BE-10

por meia hora, bem como relaxada e num estado alterado por três dias. A sensação é agradável.

Depois de uma sessão de cura, algumas pessoas dão início ao processo de desintoxicação física. Isso é seguro, mas a pessoa inexperiente em Reiki pode precisar de esclarecimentos. Isso não ocorre depois de todas as curas; talvez depois de uma entre seis, quando se trata da primeira sessão de cura na vida do paciente. Ela também pode ter de passar por um processo emocional por alguns dias, ou até mesmo por uma semana. Diga-lhe para deixar que as imagens aconteçam, para vê-las e deixá-las ir embora, sem resistência. A maioria das pessoas se sente muito bem depois de uma sessão de Reiki, e continua a se sentir cada vez melhor. Muitas mudanças positivas, que ocorrem durante a cura com o Reiki, são permanentes, embora dificuldades de longo prazo dificilmente se resolvam em uma sessão. Depois de ministrar o Reiki, o agente de cura também se sente bem.

Existe um movimento na massagem do sacro e do crânio que pode ser usado com a terceira posição da cabeça no Reiki, quando a pessoa está deitada de costas. É chamado de Ponto Estacionário, e o uso dessa energia tem um efeito de alinhamento de toda a coluna. Nenhuma manipulação da coluna está envolvida aqui e o procedimento é completamente seguro. Se feita incorretamente, nada acontece. Se feita corretamente, pode aliviar uma enxaqueca, acabar com a dor de cabeça, aliviar dores no pescoço e na base da coluna, alinhar o maxilar, e muitas vezes tem o efeito de um tratamento quiroprático completo.

Certa vez, usei esse movimento numa mulher que havia sofrido um acidente de carro e que batera a cabeça contra o vidro. Ela estava literalmente vendo estrelas e muito desorientada. Trabalhando o Ponto Estacionário, desapareceram as sensações e ela não teve mais dificuldade. Tenho usado essa técnica para tratar enxaquecas e, freqüentemente, tenho obtido ótimos resultados; também é excelente contra a tensão emocional. Use-a seguramente mesmo com pessoas que tenham problemas nas costas. Existem várias maneiras de trabalhar o Ponto Estacionário em diferentes partes do corpo. A maioria dos massoterapeutas aprende essa técnica, mas não parecem usá-la com freqüência, pois não compreendem a sua importância.

Para começar, localize em você os dois pontos de acupuntura da Bexiga-10. O par se localiza atrás, na parte superior do pescoço, de ambos os lados da coluna vertebral, na base do crânio. Os pontos são duas pequenas depressões no músculo do pescoço, sob a pele. Você sabe que os encontrou pela sensação estranha semelhante à de uma tachinha pressionando o cérebro. Em geral, isso não é dolorido, a menos que seu pescoço esteja fora de alinhamento ou que haja tensão muscular. Na maioria das vezes, você sentirá apenas uma sensação estranha. Quando encontrar um ponto, procure pelo outro exatamente do outro lado da coluna. Depois de aprender a encontrar esses pontos em você, tente encontrá-los em outra pessoa até se familiarizar com eles.

Quando estiver realizando a cura com as mãos sob a cabeça da pessoa, será o momento de usar essa técnica. A cabeça da pessoa descansa na palma de suas mãos. Primeiramente, encontre os pontos, utilizando os indicadores de ambas as mãos, um de cada lado do pescoço. Se você pedir a ajuda da pessoa, ela pode lhe dizer quando encontrou esses pontos. É importante localizá-los exatamente, ou nada acontecerá. Existem muitos pares de pontos ao longo da coluna, perto da base do crânio, e a maioria deles funciona. Os pontos da Bexiga-10 são os mais próximos da coluna, mas não se acham diretamente sobre ela.

Quando tiver encontrado esses pontos, mantenha os dedos sobre eles e pressione-os levemente. A pessoa que recebe a energia de cura sente os dedos nesses pontos particularmente sensíveis. Então observe a respiração da pessoa. Pressionar os pontos de acupuntura da Bexiga-10 equilibra o fluxo do líquido raquidiano, que pulsa dezessete vezes por minuto. Quando se chega ao equilíbrio, as batidas cardíacas, o pulso e a respiração estão sincronizados por algum tempo. Você percebe isso pela respiração: no começo, a pessoa respira normalmente, com um movimento rítmico perceptível no tórax.

Quando se atinge a sincronização do Ponto Estacionário — pode levar de um a vários minutos — a pessoa pode, primeiro, suspirar profundamente, e depois o ritmo da respiração diminui. Em vez do movimento rítmico, seu tórax se mantém quase imóvel. Nesse momento, aumente ligeiramente a pressão dos dedos para a frente, sobre os pontos de acupuntura, e exerça uma suave pressão, para trás, numa área de mais ou menos um centímetro e meio. Você pode sentir o pescoço mover-se ligeiramente. Essa é uma tração muito suave, que não exige pressão. Mantenha essa posição.

Depois de um ou dois minutos de pressão sobre os pontos, o agente de cura começa a sentir uma leve pulsação na ponta dos dedos. Provavelmente, você sentirá isso primeiro num ponto e depois no outro, antes que ambos os pontos pulsem ao mesmo tempo. Quando sentir a pulsação em ambos os lados, tire as mãos de baixo da cabeça da pessoa. O Ponto Estacionário foi completado; continue a sessão de Reiki. Equilibrar a energia e a pulsação da coluna faz com que as vértebras se alinhem. Os ossos se posicionam corretamente através do Ponto Estacionário e do Reiki, sem que o curador interfira.

Ao final da sessão, a pessoa que recebe a energia, e que teve o Ponto Estacionário energizado, sente-se mais dispersiva do que depois de uma sessão de Reiki normal. A sensação continua por cerca de meia hora. É agradável, e a pessoa se sente muito relaxada, mas não deve, por exemplo, dirigir enquanto a sensação não passar. A maioria das pessoas não consegue fazer a massagem do Ponto Estacionário em si mesmas, mas isso é possível. Experimente colocar duas bolas de tênis dentro de uma meia, em cuja ponta você dá um nó. Deite-se numa superfície dura e plana (no chão, por exemplo), colocando a meia com as bolas sob o pescoço. Incline-se para trás sobre as bolas para sentir a pressão necessária. Isso faz com que a pressão trabalhe por si mesma o Ponto Estacionário.

Dois problemas podem ocorrer com esse procedimento. Se os dedos não estão exatamente sobre os pontos de pressão, a pessoa que recebe a energia não entrará em sincronia com a respiração e nada ocorrerá; outras vezes, se você exerce a pressão antes que a sincronização ocorra, a coluna não se endireita. Se você perder a sincronia e a pessoa entrar nela sem que a você seja possível reverter o processo, espere até que essa sincronia ocorra novamente em poucos minutos, mantendo os dedos no local. Se já faz muito tempo que a pessoa está fora de sincronia, peça-lhe que respire fundo. Isso pode colocá-la em sincronia e você pode aplicar a pressão. Nada acontece se você cometer um erro ao realizar o movimento do Ponto Estacionário. A cura não ocorre, mas nada acontece de ruim.

Esse procedimento é tão benéfico às pessoas em geral e às pessoas que sofrem de enxaqueca ou problemas de coluna, que eu o ensino com o Reiki I. Na verdade, ele não faz parte do Reiki, embora seja definitivamente uma parte importante da cura. Como se adapta tão bem à terceira posição da cabeça, acho que quadra bem a um livro sobre Reiki. Um dos meus alunos me escreveu:

> A cura do Ponto Estacionário que você realizou para a minha Síndrome de Mau Alinhamento do Maxilar foi milagrosa. Não só deixei de deslocar o maxilar como também não ouço mais aquele "estalo" que ouvia quando abria e fechava a boca. Muito obrigado!

O processo é simples, mas é preciso praticar para aprender. O esforço sem dúvida será compensado.

A CURA EM GRUPO

Os agentes de cura da clínica Reiki de Shujiro Hayashi, no Japão, trabalhavam em equipes, e isso ainda é uma opção hoje em dia. Trabalhando-se com um grupo de curadores, várias posições das mãos podem ser feitas simultaneamente e a sessão é muito mais rápida. A pessoa, recebendo a cura, sente um forte fluxo de energia e obtém o benefício completo muito rapidamente. Um grupo de curadores que aprendeu a trabalhar conjuntamente pode conseguir muito mais curas do que o agente de cura que trabalha sozinho e, como uma equipe, eles ministram as curas quase sem esforço. Trabalhar em conjunto com outros agentes de cura Reiki é muito satisfatório. Cada pessoa do grupo é necessária e tem a sua função específica em cada sessão.

Numa equipe de cura Reiki, todos os membros devem ter pelo menos o Reiki I, mas pode incluir curadores com o Reiki I, II e III. Uma equipe pode ter de dois a nove agentes de cura. Se existem mais agentes de cura, mas não existe espaço para trabalhar, estes podem ficar atrás dos outros. Cada um oferece a energia, colocando as mãos nos ombros dos que estão na frente; estes, por sua vez, colocam as mãos na pessoa que recebe a energia de cura. É muito proveitoso que vários curadores trabalhem para uma pessoa — é disso que o mundo precisa, de muitas pessoas que possam oferecer o Reiki.

Para começar a cura em grupo, uma pessoa fica de pé ou se senta junto à cabeça da pessoa que recebe a energia. Ela realiza as três posições da cabeça — o espaço é muito pequeno para outras mãos — e também dirige a sessão. Pode até mesmo haver tantos curadores quantas posições, sempre duas mãos em cada posição. Com menos, divide-se o trabalho. Com dois curadores, um executa as posições da cabeça ao coração, enquanto o outro começa no Plexo Solar e vai até os pés. Caso haja três agentes de cura, um trabalha nas posições da cabeça, o outro no tronco e o terceiro cobre as posições das pernas e dos pés. Com quatro, um se posiciona na cabeça, dois no tronco e um nas pernas e pés. Podem participar da sessão todos os agentes de cura que couberem ao redor da mesa de massagem.

Às vezes, numa equipe de três ou mais pessoas, uma delas permanece nas posições finais dos pés durante a cura. Ela coloca uma mão na planta de cada um dos pés da pessoa e fica ali durante a sessão. Essa pode ser uma posição muito interessante. O curador sente nas mãos todas as mudanças energéticas durante a sessão, enquanto os outros cobrem as outras regiões do corpo da pessoa. Ele pode saber onde a energia está fluindo e onde está bloqueada. Essas sensações não prejudicam o agente de cura, entretanto, se ocorrem emoções muito fortes, é melhor afastar-se. Mantenha as mãos nos pés da pessoa, mas posicione-se fora do alcance da energia que está sendo liberada. Muita informação psíquica é captada pelo agente de cura nessa posição. Ela pode incluir dados sobre vidas passadas, sobre situações desta vida, bem como instruções sobre coisas que a pessoa que recebe a energia precisa saber ou fazer, e, por vezes, diagnósticos.

Tive muita sorte em começar a ministrar curas com o Reiki em 1988 numa equipe com dois homossexuais. Fomos à ala destinada ao tratamento de AIDS num hospital para ministrar curas em quem as desejasse. As curas envolviam muito o nível emocional. Trabalhamos principalmente com homens que estavam prestes a morrer. Os funcionários do hospital olhavam-nos com suspeita. Aprendi muito sobre o Reiki e a cura em grupo durante esse período. Em determinado caso, ministramos uma sessão de cura num homem que tinha sido operado dias antes. Os médicos estavam procurando um tumor e o rapaz não despertara da anestesia. Estava com bom peso e em boa forma física; ainda não estava debilitado pela doença. Fiquei intrigada quanto a saber por que ele teria sido operado — e por que agora estava em coma.

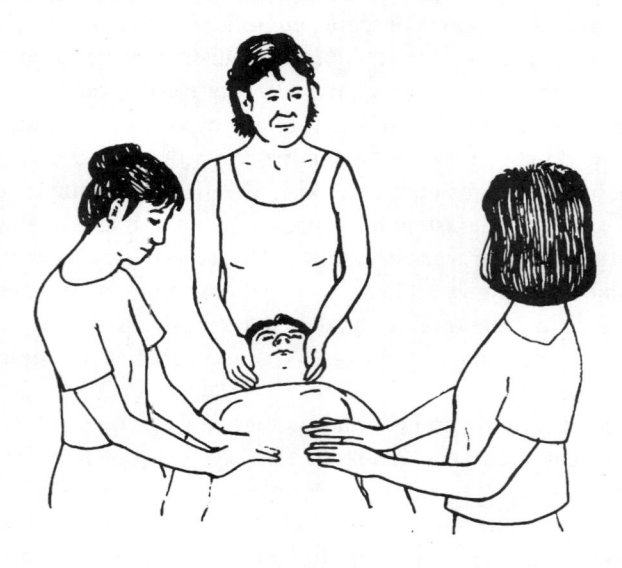

Cura em Grupo[10]

Quando ministramos a cura, eu punha minhas mãos nas posições dos pés, enquanto um dos meus amigos cobria as posições da cabeça ao coração, e o outro, o tronco, os joelhos e os tornozelos. Como eu era a agente de cura menos experiente, senti que estavam me ignorando. De repente, entendi o que estava errado e disse: "Esse rapaz não está morrendo de AIDS, ele está morrendo em decorrência de problemas no fígado. Ele recebeu uma dose excessiva de anestesia." A assistente social que nos havia convidado para ministrar a cura ficou aborrecida, e literalmente nos arrastou para fora do quarto. "Quem lhe disse isso?", ela queria saber. "Está na ficha médica, mas acho que ninguém sabia." Eu não tinha visto a ficha médica. O rapaz recobrou a consciência durante a sessão. Nós o havíamos encontrado antes de ele ser internado no hospital, e ele me conhecia pelo nome. Morreu nessa noite algumas horas depois da cura.

Em outra cura em grupo, na casa de certa pessoa, eu era uma entre sete agentes realizando uma sessão de cura numa mulher que havia machucado o cotovelo numa queda. Ela sentia muitas dores e tinha programado fazer radiografias no dia seguinte. Quando a cura começou, eu não sabia por que ela havia pedido a sessão. Pediram-me que segurasse o braço da mulher, pois eu era apenas uma Reiki I extra. Assim procedi e, em alguns minutos, senti uma dor muito forte na minha mão e no braço. Essa foi a única ocasião em que senti dor forte durante uma sessão de cura Reiki. Cerrei os dentes e não desisti, embora fosse muito difícil, e a sensação finalmente desapareceu.

Mais tarde, perguntei-lhe se sentia dor no braço, e então ela me contou sobre a queda. Seu cotovelo não doía mais, embora tivesse certeza de que o osso estava fraturado. Depois de receber o Reiki, ela podia movê-lo. No dia seguinte, a radiografia não mostrou nada errado. Meu pescoço, que estava doendo antes de ministrar essa cura, de repente parou de doer também. A sessão inteira durou, provavelmente, menos de dez minutos, mas muita coisa pode acontecer numa sessão em grupo. Quando há muitos agentes de cura, as sessões em grupo são mais benéficas à cura física do que à emocional, pois é muito rápida para que ocorra uma liberação de emoções.

O agente de cura que fica junto à cabeça da pessoa é também o coordenador da equipe e o líder da sessão. Numa cura em grupo com o Reiki, as pessoas começam mantendo as mãos acima do corpo da pessoa, acima da posição de cada um ou da posição de início. Todos combinam de antemão qual posição cada um vai assumir. Com todos a postos, o líder acena e os curadores colocam as mãos no corpo da pessoa, simultaneamente. Os membros da equipe observam o líder à medida que ele realiza suas posições, enquanto cumprem seu papel na cura.

Quando o líder completa a primeira posição, olha para os outros a fim de saber se eles também terminaram. Depois que todos fizeram um gesto de assentimento com a cabeça, o líder passa para a segunda posição, e os outros agentes de cura que tenham posições a realizar fazem o mesmo, simultaneamente. Isso continua até o final. Se o curador não tiver mais posições a fazer, ele se mantém no mesmo lugar quando o líder trocar de posição. Quando o líder completa as posições da cabeça e da garganta, ele olha para os outros. Quando todos terminam, fazendo um gesto de assentimento com a cabeça, o líder também dá um sinal e todos retiram as mãos do corpo da pessoa, simultaneamente. Com um pouco de prática, as sessões se desenvolvem rápida e suavemente.

A pessoa que recebe a cura, vira-se, então, de bruços e a sessão continua da mesma forma. Há uma outra posição, que pode servir de alternativa às posições padrão das costas, e que funciona bem durante a cura em grupo; ela é particularmente útil se a pessoa tem problemas nas costas. Eu agradeço a Diana Acuna por compartilhar comigo esse processo que ela chama de "o Grande C"; e este C é da palavra Cura. Para realizar o "Grande C", o líder se mantém junto à cabeça da pessoa, pondo as mãos nos ombros dela. Os agentes de cura, nos lados, alternam as mãos, colocando-as alinhadas ao longo da coluna da pessoa. Todos os que estão presentes usam as mãos. Um outro curador pode se fixar nos pés. Se há poucos curadores presentes, o que está junto à cabeça pode completar sua posição e deslocar-se para a lateral.

O resultado de muitas mãos alinhadas ao longo do maior canal energético do corpo é um enorme fluxo de Reiki que flui pela coluna e pelo canal da Kundalini. Os curadores podem sentir a energia aflorando sob suas mãos. Às vezes, tem-se a impressão de que a energia flui para cima e para baixo por vários minutos. É possível também colocar curadores na cabeça e nos pés para transmitir energia para cima e para baixo. A última transmissão de energia deve ser dirigida aos pés.

Ao final dessa cura, a pessoa pode levar mais tempo que o habitual para se integrar no presente — ela ficará aérea por mais tempo. Esse "Grande C", quando combinado com o Ponto Estacionário, tem um efeito excelente para tratar pessoas com dores na parte inferior e superior das costas, com problemas de hérnia de disco, ciática, artrite espinal, ferimentos no pescoço ou dores nas pernas.

Existe mais um aspecto da cura em grupo que precisa ser mencionado: o aspecto social. Curas em grupo podem ser muito divertidas. Elas podem ser feitas regularmente com os agentes de cura da vizinhança, promovendo-se a Partilha do Reiki. Para isso, marca-se uma data e um horário, e alguém, com uma casa suficientemente espaçosa, convida os agentes de cura Reiki que conhece. Quando as pessoas se encontram, levam um prato de comida caseira e providenciam mesas de massagem. Então, dividem-se em grupos. Cada grupo ministra a cura nas pessoas que o integram, de modo que cada um recebe a cura e participa de várias sessões. Depois de todos os membros terem recebido a cura, os grupos se juntam e começam a confraternização.

Aqui estão algumas dicas para a Partilha do Reiki. Primeiro, faça uma lista dos agentes interessados e escolha alguns para fazerem as ligações telefônicas, sem sobrecarregar ninguém com essa tarefa. No primeiro encontro, combine em que dia da semana e em que horário todos vão se encontrar sempre — por exemplo, o segundo domingo de cada mês às duas horas da tarde. Se várias pessoas têm espaço suficiente, alterne o local das sessões de mês a mês, em vez de realizá-las sempre na mesma casa. Decida no início, ou no final de cada Partilha do Reiki, onde será o próximo encontro. Inicie a cura suficientemente cedo para que o jantar não termine muito tarde. Muitas pessoas não se sentem bem quando se alimentam tarde ou podem sentir-se mal por esperar muito tempo. Comece a cura o mais próximo possível do horário previsto.

Todos os agentes de cura do grupo devem ter-se iniciado pelo menos em Reiki I. Pessoas que não receberam iniciações só podem participar com vista a

**Cura em Grupo
"O Grande C"**

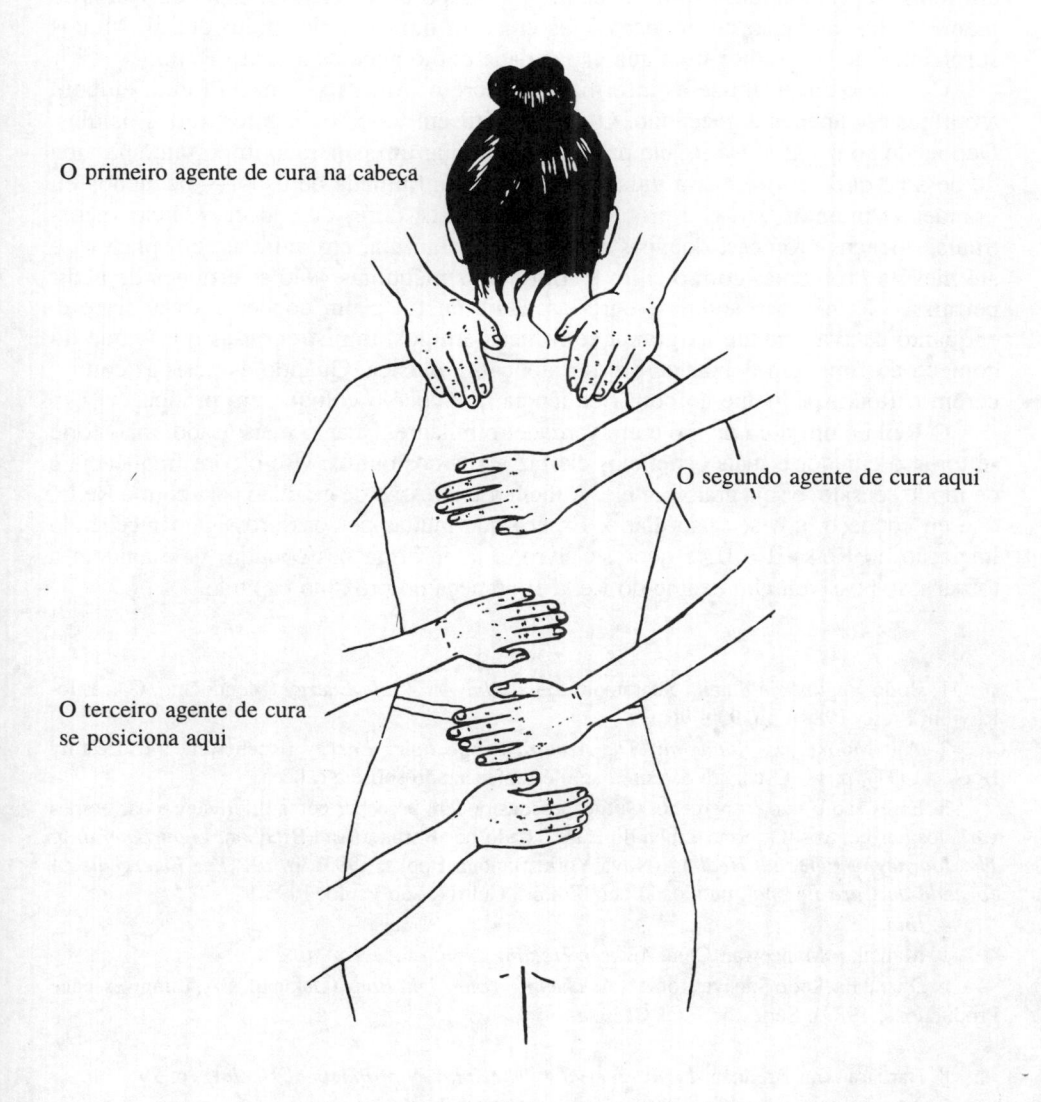

O primeiro agente de cura na cabeça

O segundo agente de cura aqui

O terceiro agente de cura se posiciona aqui

receber a cura. Quando houver um instrutor em Reiki III presente, recomendo que ele faça iniciações em Reiki I a quem quiser recebê-las, sem cobrar nada. Isso é particularmente útil para alguém que tenha uma doença crônica ou grave, como câncer, seja HIV positivo ou tenha AIDS. Os curadores já iniciados podem receber a iniciação novamente se quiserem. Se o anfitrião quiser juntar-se aos agentes de cura, a iniciação tornará isso possível, e toda comunidade precisa do máximo possível de curadores. Isso pode ser contrário aos ensinamentos do Reiki Tradicional, mas, em nome da humanidade e do planeta, já é tempo de fazer isso. Também acredito piamente na iniciação de crianças: elas crescem num mundo muito difícil. Muitas surpreenderão os adultos com sua capacidade como agentes de cura Reiki.

Com isso encerram-se as informações sobre o Primeiro Grau do Reiki, embora a cura esteja apenas começando. O Reiki é útil em todos os lugares, todos os dias. Depois de começar a usá-lo, ele passa a representar um papel tão importante na vida da pessoa, que *se torna* essa vida. Ele tem uma infinidade de usos — pequenos ou grandes ferimentos, *stress* e problemas emocionais, dores de cabeça, cólicas menstruais, doenças crônicas, doenças repentinas na família, em animais, em plantas, e até mesmo problemas com o carro e com outras máquinas. Não se esqueça de pedir permissão às pessoas antes de curá-las. Hoje eu fui a um concerto ao ar livre e, enquanto estava sentada na grama com meus amigos, ministrei curas quase que do começo ao fim, sem deixar de prestar atenção à música. Quando as pessoas conhecerem o Reiki, pedir-lhe-ão com freqüência que você o coloque em prática.

O Reiki é um dom divino e um verdadeiro milagre. Quanto mais usado, mais forte se torna o curador e mais benefícios ele faz a si e aos outros. Use-o com freqüência e de modo sensato, e seja grato por ele. A melhor expressão de gratidão para com o Reiki, que eu conheço, é o seu uso diário. Espero que muitas pessoas prossigam recebendo iniciação no Reiki II e III e que este livro e as informações contidas nele ajudem a tornar isso possível. Um exame do Reiki II começa no próximo capítulo.

1. Bodo Baginski e Shalila Sharamon, *Reiki: Universal Life Energy* (Mendocino, CA, LifeRhythm Press, 1988), pp. 93 e 96.

2. Ajit Mookerjee, *Kundalini: The Arousal of the Inner Energy* (Rochester, VT, Destiny Books, 1991), p. 11. O chakra da coroa aqui é representado sobre a cabeça.

3. Esses são o que eu percebo. Outras pessoas podem perceber cores diferentes e dar nomes variados aos centros. O termo Linha do Hara é dado por Barbara Ann Brennan, *Light Emerging: The Journey of Personal Healing* (Nova York, Bantam Books, 1993), p. 29. [*Luz Emergente: A Jornada da Cura Pessoal*, publicado pela Editora Cultrix, São Paulo, 1995.]

4. *Ibid.*

5. Mantak e Maneewan Chia, *Awaken Healing Light of the Tao*, p. 22.

6. Duane Packer e Sanaya Roman, *Awakening Your Light Body* (Oakland, CA, LuminEssence Productions, 1989), Séries de Fitas Cassete.

7. *Ibid.*

8. Barbara Ann Brennan, *Light Emerging: The Journey of Personal Healing*, p. 29.

9. Agradeço ao veterinário Robin Cannizzaro por identificar os nomes dos pontos, e à massoterapeuta Diana Grove por explicar o processo.

10. Bodo Baginski e Shalila Sharamon, *Reiki: Universal Life Energy* (Mendocino, CA, LifeRhythm Press, 1988), p. 84.

REIKI II
O Segundo Grau

CAPÍTULO 4

Os Símbolos do Reiki

Várias pessoas me pedem o Reiki III sem muita compreensão do Segundo Grau, que o precede. Elas viram os símbolos do Reiki II, souberam que deveriam memorizá-los e receberam a iniciação, mas não receberam nenhum outro treinamento. Uma mulher me disse que sua iniciação em Reiki II levou trinta minutos, e a minha foi semelhante. Alguns alunos do Reiki Tradicional praticaram o desenho dos três símbolos por vários dias, mas ainda assim aprenderam pouco sobre a sua utilidade. No momento em que me procuram para aprender o Reiki III, já esqueceram como desenhar os símbolos e, às vezes, até mesmo o nome deles. Preciso ensinar-lhes o Reiki II antes que prossigam com o Reiki III.

Tradicionalmente, os iniciados em Reiki II não têm permissão para guardar cópias dos símbolos, e só devem aprendê-los nas aulas. Pede-se que prometam não levar cópias para casa e que, ao final do curso, queimem esses rascunhos. Invariavelmente, quando chegam em casa, esquecem. A memória humana é imperfeita, e mesmo aqueles que os usam regularmente com o tempo podem acabar por deturpá-los. Já vi pelo menos quatro versões do Hon-Sha-Ze-Sho-Nen, o mais complexo dos símbolos do Reiki II. Se você já brincou de telefone-sem-fio, sabe que a mensagem que chega no final da roda é bem diferente do que era no começo. Se depender só da memória humana, que é falível, você corre o risco de os símbolos se perderem totalmente.

Por essa razão, optei pelo ato controvertido de imprimir os símbolos do Reiki e analisá-los minuciosamente neste livro. Se isso não for feito, em breve eles se perderão para sempre ou serão modificados e não serão mais reconhecidos. Embora as informações neste livro não estejam "gravadas na pedra", pelo menos estão vazadas numa linguagem simples que pode ser usada como modelo. Sinto também que a maioria dos iniciados em Reiki II só teve metade do treinamento que deveria ter para o uso dos símbolos. Grande parte desse material já se perdeu.

Aprendi, em sessões de canalização com Suzanne Wagner, que em épocas passadas havia trezentos símbolos do Reiki, sendo que 22 eram comumente utilizados. Hoje, restam cinco em Reiki II e III, embora esses cinco completem um sistema perfeitamente unificado. Os outros símbolos ainda existem no Tibet, em poucas bibliotecas de mosteiros distantes. Entretanto, o Tibet foi tomado pela China Comunista e sua espiritualidade e sabedoria têm sido sistematicamente destruídas. O pouco que hoje resta foi contrabandeado para a Índia por monges fugitivos, mas muitos mosteiros e textos antigos foram destruídos para sempre. Publicar as informações disponíveis é uma forma de preservar o conhecimento que resta.

John Blofeld, no seu livro *The Tantric Mysticism of Tibet*, expõe o pensamento tibetano atual sobre os seus mistérios:

> Por mais de mil anos, essas técnicas... foram transmitidas de mestre a discípulo e cuidadosamente preservadas de estranhos. Alguns anos atrás, a tragédia se abateu sobre o Tibet, fazendo com que seu povo fugisse aos milhares para além das fronteiras. Desde então, os Lamas reconheceram que, se o seu país não for libertado no prazo de uma geração, o conhecimento sagrado poderá entrar em declínio ou desaparecer. Portanto, estão ansiosos para ensinar todos os que sinceramente querem aprender. Nesse aspecto, o destino trágico do Tibet tornou-se uma dádiva para o mundo.[1]

O Reiki é um desses mistérios ameaçados, tanto por causa da ocupação chinesa no Tibet como pela diluição das técnicas de ensino no Ocidente.

O argumento usado pelos praticantes do Reiki Tradicional para manter secreto até mesmo os nomes dos símbolos é que eles são sagrados. De fato, eles são, mas sagrado e secreto já não são mais sinônimos. Para que as pessoas aprendam o sagrado, este deve ser acessível. Não podemos mais nos dar ao luxo de estudar anos a fio na companhia de alguém versado no Reiki ou de algum guru mentor. Hoje, há poucos lugares no mundo para treinamento de Mestres, e poucas pessoas podem dedicar sua vida exclusivamente ao caminho sagrado. A tradição do ensinamento oral já não existe.

Nos dias de hoje, as pessoas, em geral, vivem sós. Aprendem através de livros ou dos meios de comunicação de massa, e é aí que a informação precisa estar para ser encontrada. Nestes tempos, o planeta e as pessoas se encontram num estado de extrema crise física e moral. Mudar essa situação ou superá-la requer o desenvolvimento da espiritualidade e uma chave para o sagrado. As pessoas devem encontrar esse sentido do sagrado onde puderem e em suas próprias culturas.

Portanto, estou publicando tudo o que conheço e ensino sobre o sistema Reiki. Meus métodos de ensino são modernos — são sistemas energéticos integrados que funcionam muito bem. Estou revelando esse segredo para levar o sagrado a quantos dele necessitam. Daqui para a frente, este livro e as informações nele contidas são um ato radical. Os símbolos do Reiki II e III, as informações e os métodos aqui expostos nunca foram publicados — pelo menos desde a antiga época sanscrítica. Haverá quem discorde dessa atitude e tente me difamar; dirão que meus métodos não são Reiki, quando de fato são. Peço apenas que compreendam por que fiz isso; pessoas preocupadas com ser honestas reconhecerão como é necessário o conteúdo deste livro. Meus guias espirituais têm-me estimulado a escrever este livro há alguns anos, e sua escrita tem sido mais veloz do que qualquer outro livro que eu tenha escrito. As palavras fluem no ritmo da datilografia e, quando paro à noite, o fluxo continua. É tempo de dar a público os segredos e de tornar o Reiki acessível a todos, como deveria ser.

Recebi o treinamento em Reiki tanto pelo método Tradicional como pelos métodos modernos, e explicarei as divergências entre esses métodos à medida que forem aparecendo. Quando divirjo no meu ensinamento, é sempre porque o método não-Tradicional é superior em tempo de eficácia e simplicidade aos modos mais antigos. Algumas das mudanças também ocorreram por meio de informações mais completas — entender por que algo foi feito de uma forma particular ou como foi feito no princípio —, material derivado de estudo e orientação espiritual. Muitas vezes, meus guias espirituais disseram: "Faça desta forma" durante minhas aulas ou ao escrever este livro. Nunca percebi nenhum erro nessas formas. Vivemos num mundo em mudança, e o Reiki está mudando também.

Uma das alegações para se ocultar os símbolos do Reiki e os ensinamentos do Reiki II e III é que eles podem ser usados para fazer o mal quando caem em mãos erradas. A julgar pela orientação que recebi e pela minha experiência, tanto quanto pela de outras pessoas, parece muito claro que o conhecimento não pode ser usado de modo incorreto. Como eu disse no começo deste livro e como Mikao Usui também aprendera, as informações não estimulam por si mesmas. Elas requerem a iniciação em Reiki para se ativar o método de cura e as informações. As iniciações só podem ser transmitidas por um Mestre que também tenha sido iniciado.

O Reiki também foi cuidadosamente planejado, e os guias e líderes do nosso planeta no passado que o trouxeram para cá sabiam o que estavam fazendo. O Reiki foi concebido como um sistema de cura à prova de erro. Se usado para fins que não sejam positivos, nenhum mal ocorre e nada acontece. Lembre-se também de que a energia é uma força neutra — o fogo pode cozinhar o alimento ou destruir uma cidade — e a intensidade da energia volta a quem a envia. O que você transmite volta a você, por bem ou por mal. A intenção de prejudicar alguém com um sistema projetado para curar, tenha sucesso ou não, torna-se parte do karma de quem faz isso. Da mesma forma como um sistema destinado a ajudar e curar, a intenção de fazer o bem supera qualquer falta de informação. Ao usar o Reiki da melhor forma para fazer o bem, os guias do Reiki preenchem qualquer lacuna existente.

Os guias do Reiki estão presentes já no Reiki I, mas a maioria das pessoas só se conscientiza disso no Reiki II. Os guias formam um grupo de agentes de cura desencarnados que participam de todas as curas Reiki. O praticante do Reiki I não está ciente disso, mas com o Reiki II os guias começam a ficar conhecidos. No Reiki III, eles dirigem todo o espetáculo! Só alguns de meus alunos em Reiki I estão cientes dos guias espirituais; entretanto, depois de usarem o Reiki II por alguns meses, trabalham com os guias conscientemente em todas as curas. Essa foi a maior mudança no meu trabalho de cura com o Reiki II, e ela o ampliou consideravelmente.

Trabalhar conscientemente com orientação espiritual faz da cura um prazer e quase um milagre. Enquanto a orientação dos guias não se torna consciente, ela pode parecer ao agente de cura como intuição elevada. O agente de cura não sabe "como pensou nisso", sendo que "isso" é uma chave das informações para a cura. "Isso" também pode dar-lhe um novo instrumento para as sessões futuras ou para a autocura. Se você não sabe o que fazer durante uma sessão de cura, peça ajuda e a resposta virá ou simplesmente acontecerá. Como resultado, surgirão situações mais complexas com o Reiki II do que no Reiki I. Devido à sua intenção positiva de fazer o melhor que puder com o Reiki, ser-lhe-ão dados todos os instrumentos e informações de que precisa. Se uma técnica está errada — por exemplo, se um símbolo é mal desenhado —, os guias do Reiki a corrigirão. Freqüentemente, você pode observar o fenômeno acontecendo.

Não tenho receio de que o Reiki possa ser degradado ou usado para o mal, tanto pelo uso indevido quanto pela má intenção. Os guias simplesmente não permitirão isso. Tenho perguntado constantemente aos guias do Reiki sobre dar essas informações num livro e tenho recebido a aprovação total e toda a ajuda para encontrar o material necessário. Alguns dos símbolos, de fato, já foram publicados[2] e estão disponíveis aos estudiosos budistas (ver Reiki III). Um dia, o Reiki pertenceu a todos. Os guias do Reiki querem que volte a ser assim novamente. O fato de você estar lendo este livro indica que eles querem que você tenha esta informação.

O Segundo Grau do Reiki, da maneira que eu ensino, consiste em informações sobre os três símbolos e sobre como usá-los na cura kármica, na cura a distância, no uso dos símbolos não relacionados com a cura e no contato com guias espirituais. Também incluo no Reiki II os exercícios e técnicas da Kundalini/Hara que fazem parte do meu método não-Tradicional de fazer iniciações. Na verdade, eles são uma ponte entre o Reiki II e III. Junto com essas informações, o Reiki II inclui uma iniciação. Quando dou uma aula de Reiki II, os símbolos são desenhados em apostilas distribuídas individualmente.

Os símbolos são a essência e a fórmula do Reiki. Eles são a chave para usar e transmitir esse sistema de cura. Todas as coisas profundas, que afirmam a vida, são simples, e o Reiki é um método extremamente simples, composto essencialmente de símbolos. Eles são a fórmula que Mikao Usui encontrou nos *Sutras*. Três são ensinados no Reiki II e mais dois no Terceiro Grau do Reiki. Os símbolos são prontamente reconhecidos no Budismo, no qual não são informações secretas. Uma análise completa dos símbolos e do Caminho para a Iluminação é feita no final deste livro. O uso desses símbolos tem início no Reiki II e se completa, mais tarde, com o processo de ensino do Reiki III.

Freqüentemente, depois das iniciações em Reiki I, alguns dos meus alunos dizem: "Eu vi uma escrita estranha." Quando peço que desenhem o que viram, em geral desenham um ou mais símbolos. Apesar da complexidade de certos símbolos, alguns alunos os desenham corretamente. Esses símbolos são impressos na aura dos alunos durante a iniciação em Reiki I, e já são parte de todos os agentes de cura Reiki. Em geral, o aluno que os desenha antes de vê-los em forma escrita me diz que o que tinha visto lhe parecia familiar. Quando os alunos vêem os símbolos escritos pela primeira vez, no Reiki II, muitos se lembram de ter visto um ou mais deles antes. Alguns alunos começaram a usá-los. Antes de conhecer de fato os símbolos no Reiki II, você já os estava canalizando através das mãos.

Quando vistos, os símbolos tornam-se parte das sessões de cura direta e da autocura como complemento e base para a cura a distância. Na cura direta, coloque as mãos sobre você mesmo ou sobre a pessoa que vai receber o Reiki. Na cura a distância, a pessoa ou animal não precisa estar fisicamente presente. Para acrescentar os símbolos às sessões de Reiki, simplesmente visualize-os (imagine que eles estão ali). Tenha-os em mente e eles entrarão em atividade. Você pode desenhá-los no ar com a mão antes de começar a sessão ou uma posição; pode desenhá-los no corpo da pessoa ou a poucos centímetros dela, ou mesmo fazer isso no céu da boca com a língua. Use-os dessa forma para a cura direta. Informações sobre cura a distância estão incluídas no próximo capítulo.

O primeiro símbolo é o Cho-Ku-Rei, que serve para aumentar o poder. No Reiki, esse símbolo é conhecido como "o interruptor de luz". Já me referi ao Reiki anteriormente como eletricidade.[3] A luz é ligada quando você baixa as mãos para curar. Quando você acrescenta o Cho-Ku-Rei, a intensidade da luz aumenta na proporção de uma lâmpada de cinquenta watts para uma de quinhentos watts. O Reiki II, como um todo, aumenta a capacidade de cura de uma voltagem de 110 V para 220 V, e o Reiki III transforma a corrente de alternada em contínua.

Visualizando o símbolo Cho-Ku-Rei, sua capacidade de ter acesso à energia Reiki é aumentada muitas vezes. Você provavelmente o usará em todas as curas. O Cho-Ku-Rei concentra o Reiki em um ponto determinado, atraindo toda a energia do Universo de Deus para a cura. A forma de espiral e de passagem desse símbolo envolve a idéia de Labirinto, o espaço de iniciação no templo do Deus do Palácio de Knossos, em Creta. Na arqueologia deste planeta, espirais sempre representam a energia de Deus.

As setas desenhadas em linhas mais suaves nos símbolos mostram como as figuras devem ser traçadas. *Os símbolos devem ser memorizados e você tem de ser capaz de desenhá-los perfeitamente.* Ensinaram-me a desenhar o Cho-Ku-Rei no sentido horário, da esquerda para a direita, enquanto o Cho-Ku-Rei Tradicional é desenhado no sentido anti-horário. Tentei de ambas as formas, e muitos de meus alunos também tentaram e concordam comigo que o sentido horário aumenta a energia, como era esperado.

Em qualquer trabalho metafísico ou de energia, incluindo o Wicca, o movimento no sentido horário no Hemisfério Norte é o sentido da evocação e do aumento, e o movimento no sentido anti-horário é o sentido do decréscimo e da dispersão. No Hemisfério Sul, ocorre o contrário. A intenção é evidente nesse ponto. Tente de ambas as formas e, então, escolha. Se você determinar que um ou outro sentido aumenta a potência, continue usando-o porque essa é a intenção do símbolo. Escolha um sentido e use-o coerentemente.

Fui induzida a usar o Cho-Ku-Rei no sentido anti-horário, só uma vez. Nessa ocasião, eu estava ministrando a cura numa mulher com tumor no abdômen. Embora durante a cura eu usasse o Cho-Ku-Rei no sentido horário como de costume, fui levada a usá-lo no sentido anti-horário quando minhas mãos estavam sobre a região do tumor. Se o sentido anti-horário significa dispersão, para mim isso tem sentido; só em situações muito raras é que eu tenho usado esse símbolo "ao contrário". Ao

Símbolos do Segundo Grau

Cho-Ku-Rei
Aumento de poder.

Sei-He-Ki
Emocional.

Hon-Sha-Ze-Sho-Nen
Para cura a distância.

O Desenho dos Símbolos

As linhas mais leves mostram como desenhar os símbolos. Elas devem ser memorizadas e desenhadas exatamente.

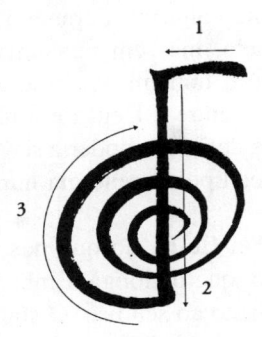

Cho-Ku-Rei
Aumento de Poder — "O interruptor de luz" (sentido horário).

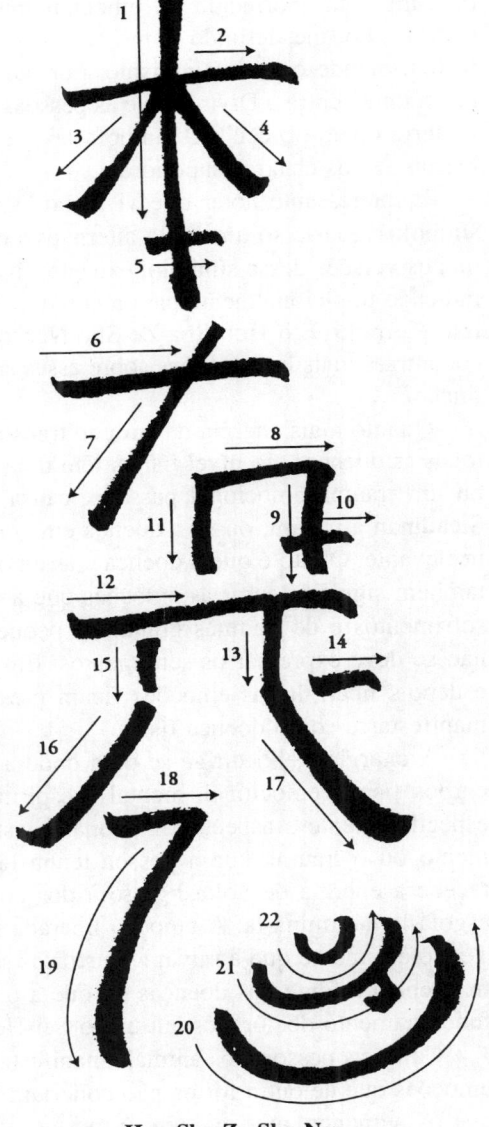

Sei-He-Ki
Cura emocional, purificação, proteção e clareamento.

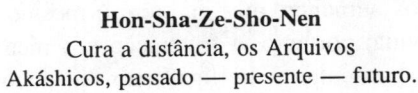

Hon-Sha-Ze-Sho-Nen
Cura a distância, os Arquivos Akáshicos, passado — presente — futuro.

107

usar um símbolo, a intenção é extremamente importante; se você quer o aumento, o símbolo lhe proporcionará isso, independentemente do sentido em que for desenhado. Cho-Ku-Reis duplos, cada qual desenhado num sentido, são usados para a materialização. (Você encontrará mais informações sobre esse assunto no próximo capítulo.)

O próximo símbolo é o Sei-He-Ki, destinado tradicionalmente para a cura das emoções. Ensinaram-me a usá-lo especificamente quando alguém, durante a sessão de cura, está aborrecido ou emocionalmente perturbado, mas em nenhuma outra ocasião. Foi-me definido como "a união entre Deus e o homem" que, de alguma forma, ofende o meu feminismo. Por que não "a união entre a Deusa e a mulher" ou "a união entre a Divindade e as pessoas"? Uma outra definição poderia ser "assim na terra como no céu". O símbolo leva a divindade aos tipos de energia humana e harmoniza os chakras superiores.

É interessante notar que vi menos variações no Sei-He-Ki do que nos outros símbolos. Existe só um estilo alternativo de desenhá-lo, que o alonga. Embora haja menos versões desse símbolo, existem divergências quanto ao seu uso. O símbolo é indicado tradicionalmente para a cura nos níveis mental e emocional, mas sinto que isso é errado. É o Hon-Sha-Ze-Sho-Nen que visa o corpo mental. Adiante, o leitor encontrará mais informações sobre esses símbolos, que tornarão mais clara essa distinção.

Quanto mais energia de cura eu transmito, mais certo se torna que virtualmente todas as doenças, no nível físico, têm uma causa emocional. Se o estado emocional, ou um trauma emocional passado, causa uma doença, como Louise Hay e Alice Steadman afirmam, ou se a doença em si causa a emoção e o estado mental, isso é irrelevante. O fato é que a doença e as emoções negativas se unem, e curar a doença também significa curar as emoções que a acompanham. A vida humana é cheia de sofrimentos e de traumas grandes e pequenos; a maioria das pessoas aprende que não se deve expressar os sentimentos. Em vez de deixarem que a dor se manifeste e depois liberá-la, as emoções ficam presas dentro delas. Quando a dor é retida, manifesta-se como doença física.

A energia Reiki dirige-se para onde a cura é necessária, a todos os níveis dos corpos físico, emocional, mental e espiritual. Usando-se o Sei-He-Ki, trabalha-se especificamente o aspecto emocional, e este, em geral, é a chave da cura. O sofrimento ou o trauma que a pessoa tenha levado consigo vem à luz. A pessoa que recebe a energia de volta liga-se à dor por um tempo suficientemente longo para esgotá-la e eliminá-la. A emoção liberada faz com que a doença física desapareça. Tendo em mente que a raiva, a frustração, o medo, o luto e a solidão são com mais freqüência a fonte das doenças do que a própria bactéria, do que o vírus ou o mau funcionamento dos órgãos, eu uso o Sei-He-Ki na maioria das sessões de cura.

Como as pessoas, os animais manifestam doenças como um modo de lidar com emoções que de outra forma não poderiam liberar. Eles sentem as mesmas emoções que os humanos, mas não têm o mesmo nível de compreensão e de controle sobre sua vida; portanto, a frustração e o medo se concentram nos animais. Um cão ou gato, particularmente ligado ao seu dono, também pode manifestar a doença ou as emoções dele, sacrificando a si próprio nesse processo. Os animais de estimação

Símbolos Duplos

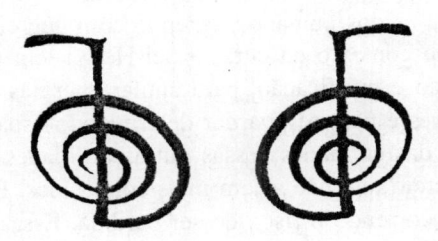

Cho-Ku-Rei
Horário.

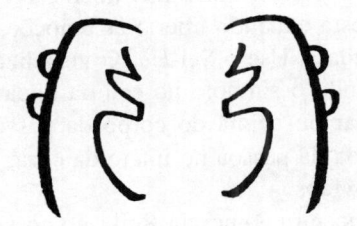

Sei-He-Ki[5]

Hon-Sha-Ze-Sho-Nen
Desenhados lado a lado, um ligeiramente atrás do outro.

assumem o trabalho de purificar os donos e a casa quando existe energia negativa. Se a família está em crise, o animal absorve essa energia e pode não ser suficientemente forte para transformá-la. O Sei-He-Ki é tão útil para as doenças emocionais dos animais como para as dos humanos, fazendo com que elas desapareçam.

Estando ou não no contexto da cura, o Sei-He-Ki tem outras utilidades. Pode ser usado para proteção e purificação, para anular energias negativas, para acabar com espíritos obsessores e para resguardar determinado espaço das emoções negativas, das doenças ou das entidades. Essas outras utilidades do Sei-He-Ki não me foram transmitidas e creio que não sejam mais conhecidas. Essa é mais uma informação que pode estar correndo o risco de ser perdida. Essas e outras utilidades do Sei-He-Ki serão discutidas no próximo capítulo. Esta introdução trata do uso básico dos símbolos durante a cura pela imposição das mãos, técnica tornada familiar no Reiki I. Nesse contexto, uso o Sei-He-Ki na maioria das sessões de cura para liberar as fontes emocionais das doenças.

Quando, durante a cura, a pessoa inicia uma liberação de emoções, o Sei-He-Ki é muito importante. Se ela está tentando liberar as emoções, não conseguindo falar nem chorar, o símbolo a ajudará. Use o Sei-He-Ki visualizando-o, dizendo mentalmente o seu nome, desenhando o símbolo no céu da boca com a língua, ou desenhando-o com as mãos no ar ou acima do corpo da pessoa. O símbolo pode ser desenhado no chakra da coroa da pessoa no início da cura, se você souber quais os problemas emocionais envolvidos.

Invocar o Sei-He-Ki concentra a energia Reiki no corpo emocional e intensifica-lhe o efeito. Ele ajuda a pessoa a identificar as emoções especificamente envolvidas na cura, e a liberá-las tão fácil e rapidamente quanto possível. Use o símbolo uma vez no começo da cura e no momento que parecer necessário. Se a sua intuição não o fizer lembrar do Sei-He-Ki, admita que este não é necessário para a cura.

A. J. Mackenzie Clay, no seu livro *The Challenge to Teach Reiki* (New Dimensions, 1992), publicou o Sei-He-Ki, provavelmente, pela primeira vez. Seu desenho está de acordo com a representação visual que aprendi. Clay descreve o Sei-He-Ki como "a ativação da Fonte interior".[4] Também o define como o despertar e a purificação da Kundalini, reestruturando o cérebro e curando a ligação mente—corpo através do subconsciente. Em seu outro livro sobre Reiki, *One Step Forward for Reiki*, Clay mostra os símbolos em pares: dois símbolos Sei-He-Ki de frente um para o outro e desenhados de cabeça para baixo. Clay acha que esse uso do símbolo integra os hemisférios esquerdo e direito do cérebro.[6]

Uma versão do Hon-Sha-Ze-Sho-Nen também já foi publicada por A. J. Mackenzie Clay em *The Challenge to Teach Reiki* (p. 9). Esse é o símbolo que sofre maior variação, talvez devido à sua complexidade quanto a lembrá-lo ou desenhá-lo. Como os outros símbolos do Reiki, esse é escrito em japonês com a intenção de transmitir uma imagem. O Hon-Sha-Ze-Sho-Nen aparece na forma de uma pirâmide alta e assemelha-se ao corpo humano; também é conhecido em inglês como "o pagode", mas provavelmente o mais correto é o "Stupa", mais antigo — uma representação budista tântrica dos chakras ou dos cinco elementos em forma de estátua ou de construção.[7] Aprendi que o símbolo sugere uma sentença que significa: "Sem passado, presente ou futuro."

A maioria dos agentes de cura aprende somente que esse símbolo é destinado à cura a distância. Isso é verdade, mas é apenas a primeira utilidade desse poderoso símbolo. O Hon-Sha-Ze-Sho-Nen é a energia que transmite a cura Reiki através do espaço e do tempo. Ele sempre é usado na cura a distância ou ausente, e também na direta — tanto na cura de si mesmo quanto na cura de outros. O símbolo é usado com maior freqüência nas sessões de cura direta. Em geral, essa é a chave energética mais complexa e poderosa do Reiki II e, talvez, do Reiki III.

O Hon-Sha-Ze-Sho-Nen também é uma entrada para os Registros Akáshicos, os registros da vida de cada espírito e, portanto, o seu uso mais importante é na cura kármica. Os Registros Akáshicos expressam os objetivos kármicos, os débitos, os contratos e os propósitos de vida das encarnações de um espírito, incluindo a vida atual. Usando-se esse símbolo na cura, os traumas da vida atual podem ser eliminados, mudando-se literalmente o futuro. Padrões de vidas passadas podem ser descobertos e eliminados, e dívidas kármicas resolvidas. Tudo isso acontece durante a sessão de cura direta, em geral, durante uma série de sessões. O método também pode ser usado na cura de si mesmo.

Aqui estão alguns exemplos do uso desse símbolo na liberação kármica, começando com a vida atual. Uma mulher, vítima de incesto quando criança, pode submeter-se à cura Reiki para se recuperar do trauma. Esse trabalho deve ser feito por um tempo suficientemente longo para que ela tenha a visão completa do que ocorreu; isso é um pré-requisito fundamental para a eliminação do passado. O Hon-Sha-Ze-Sho-Nen trabalha com a mente consciente, com o corpo mental, e não com o subconsciente, que é a meta do Sei-He-Ki, sendo, portanto, o próximo passo no processo. Depois de sentir as emoções, o Hon-Sha-Ze-Sho-Nen oferece às pessoas novas opções de ação. Ao ministrar a cura em alguém que não compreende o quadro completo e que pode ainda não ter identificado suas emoções, continue a cura com o Reiki com o Sei-He-Ki até chegar a esse ponto.

Durante a sessão, a pessoa que recebe a energia pode conversar sobre o ocorrido e expressar sua idéia de como o incesto lhe afetou a vida. A primeira forma de usar o Hon-Sha-Ze-Sho-Nen, nessa situação, é desenhá-lo ou visualizá-lo, enquanto se pede à pessoa que fale sobre a sua infância. Continuando com a cura, pede-se a ela que visualize a criança e que transmita a cura a essa criança. Peça que leve a energia Reiki à garotinha magoada e diga-lhe que ela não está mais sozinha. Continue visualizando o Hon-Sha-Ze-Sho-Nen enquanto isso ocorre, e provavelmente também o Sei-He-Ki. A criança pode pedir algo ao seu eu adulto, e fazer com que a mulher lhe dê o que ela precisa. Isso parece simples, mas pode ser tocante e uma cura muito poderosa. Depois disso, a pessoa pode precisar de alguns dias tranqüilos para se recuperar.

Em outra cura, faça a pessoa novamente visualizar a criança; dessa vez, no dia ou na noite anterior à primeira vez que foi vítima de incesto. Peça que conte seu dia, e o que estava fazendo, sentindo ou pensando. Em seguida, peça que imagine e descreva como teria sido aquele dia e aquela noite, caso o criminoso não tivesse vindo ao seu quarto. Use o Hon-Sha-Ze-Sho-Nen nesse momento. Se ela não tivesse sofrido incesto naquela noite, como essa noite teria sido? Peça que a descreva.

Leve a pessoa além, a uma vida nova. Como teria sido o dia seguinte, se não tivesse sofrido o incesto na noite anterior? Como teria sido sua vida seis meses depois, se isso não tivesse ocorrido? Como teria sido sua vida um ou cinco anos mais tarde? Dez? Ela teria sido diferente hoje? Como teria sido sua vida cinco anos no futuro se o incesto nunca tivesse ocorrido? Aos poucos, encoraje a pessoa a imaginar sua vida como se ela não tivesse sofrido o incesto. Esse processo pode ser usado com qualquer trauma capaz de mudar a vida.

Depois de fazer com que volte ao presente, peça que essa pessoa faça mudanças no presente e no futuro, tornando-as parte de sua vida. Transmita muitos Hon-Sha-Ze-Sho-Nens nesse momento. Ela pode interromper e dizer: "Mas aconteceu! Como posso fingir que não houve nada?". Não existe aqui nenhuma tentativa de negar a realidade, mas apenas de tentar reparar o dano mental que hoje permanece. Diga-lhe: "É claro que isso aconteceu, mas você acabou de criar uma outra realidade. Qual delas você gostaria de ter como sua?". A pessoa provavelmente escolherá a que foi visualizada e imaginada. Encoraje-a a tomar posse dessa realidade e, então, a entrever o seu futuro. Repita o símbolo.

Ao final da cura, deixe que ela descanse mais tempo do que o habitual. Seu corpo mental, como um todo, está se reorganizando, e continuará assim, provavelmente por uma semana. No decorrer desse período, ela precisa do máximo de espaço e solidão. Pode precisar dormir mais que o normal. Pode também começar a ver as cenas de incesto como num filme, durante os momentos de quietude. A maneira de lidar com isso é simplesmente observá-las e deixar que passem, sem lutar nem resistir. Se as imagens são acompanhadas de emoções, é porque estão se esvaindo. Observe-as passivamente, elas se vão rapidamente.

Os efeitos dessa cura mudam a vida. Com as velhas emoções liberadas (corpo emocional, Sei-He-Ki) e imagens recriadas (corpo mental, Hon-Sha-Ze-Sho-Nen), a pessoa fará progressos na vida. Eliminou dos Registros Akáshicos a lembrança do incesto e resolveu o karma. Embora nada possa mudar o fato do incesto, a cura mudou o padrão mental e, portanto, eliminou o dano. Novas imagens reprogramam o cérebro. O processo de recuperação de incesto típico é longo e difícil, e essa forma de cura pode diminuir em anos o processo. O mais importante é a cura impedir que o trauma se transforme num padrão kármico e se repita em outras vidas.

Às vezes, são padrões de vidas passadas que precisam ser liberados e curados. Uma mulher veio a mim com uma depressão crônica profunda, dizendo que sempre fora deprimida sem nenhuma razão. Tinha sido medicada por psiquiatras, o que não ajudou, mas acarretou efeitos colaterais. No momento, estava tentando tratamentos holísticos. Durante uma sessão de cura, pedi que voltasse à primeira vez em que estivera deprimida, tentando achar algum trauma da infância. Em vez disso, ela descreveu a si mesma como um homem na Grécia, no terceiro século a.C., humilhado e falido. Deprimido, esse homem atirou-se de um penhasco ao mar e se afogou.

Comecei a usar o Hon-Sha-Ze-Sho-Nen. Pedi que ela voltasse para o dia anterior ao suicídio e que imaginasse outra forma de resolver seu problema. Disse que havia precisado de muito dinheiro, mas não pedira ajuda a ninguém. Sugeri a ela: "Imagine que seu pai rico lhe tivesse dado o dinheiro acompanhado de um grande abraço."

Ela fez isso, e se descreveu pagando suas dívidas, passando uma noite tranqüila e salvando sua reputação. Continuando a usar os símbolos, pedi que imaginasse como seria sua vida um ano depois — ele tinha-se tornado pai de um garoto. Pedi, então, que descrevesse a vida cinco anos mais tarde — ele tinha sido eleito governador da cidade.

"Como foi a sua morte naquela vida?", perguntei. "Visualize sem emoções como se fosse um filme." Ela descreveu a própria morte por velhice, na cama, rodeada de filhos e netos. A essa altura, era o homem mais respeitado da comunidade. Pedi que trouxesse para o presente a cura que havia acabado de visualizar naquela vida. Completei a sessão de Reiki e, em seguida, ela precisou de vários dias para concluir a cura. Depois disso, nunca mais se sentiu deprimida.

Numa outra sessão, pedi-lhe que voltasse uma vez mais àquela vida e a descrevesse. Ela descreveu uma cena inteiramente diferente da primeira: não houve suicídio, humilhação, falência nem depressão. Perguntei se havia outras vidas em que ela tivesse estado deprimida ou tivesse cometido suicídio. Narrou-me quatro outras vidas na mesma sessão e muito rapidamente mudamos os cenários em todas. Devido à cura realizada na primeira situação, na Grécia, as vidas seguintes, em que a depressão se repetiu, foram curadas ainda mais rapidamente. Uma vez mais, ela passou por um processo de integração de uma semana, no qual imagens e emoções afloraram e foram liberadas. Ela dormiu mais do que o comum e disse encontrar-se "como se suas moléculas tivessem sido reprogramadas".

Na sessão seguinte, eu a fiz voltar a cada uma das vidas da última sessão, e novamente as imagens foram muito diferentes. Perguntei se havia outras vidas em que tinha sido deprimida ou suicida; nenhuma outra surgiu. O padrão kármico tinha sido curado. Uma situação se repete até que, de alguma forma, seja liberada dos Registros Akáshicos. Os budistas descrevem toda a realidade como uma "ação da Mente" e essa também é a definição do karma dada por eles. Mudando conscientemente os padrões (no corpo mental), uma vez que as emoções tenham sido processadas (a mulher sentiu a depressão e descobriu que se tratava de um padrão), o karma da situação foi resolvido e liberado. Sua vida é muito diferente desde esse processo.

Essa é uma grande oportunidade para o uso do Hon-Sha-Ze-Sho-Nen. Mais informações sobre os fundamentos disso e o porquê de isso poder ser feito serão dadas no Reiki III. As sessões descritas foram muito intensas, típicas daquilo para o qual o curador Reiki II deve estar preparado. A situação não se apresentará até que ele esteja preparado para orientar alguém através desse processo. Lembre-se de que o método também pode ser usado na cura de si mesmo. Você pode realizar a cura sozinho, se necessário, mas fazer isso com outra pessoa como guia é mais eficaz. O momento para essa cura se dá apenas quando você está pronto. É importante adquirir tanta informação quanto possível sobre a situação, antes de começar. As emoções têm de ser processadas, ou pelo menos reconhecidas antes que ocorra a cura no nível mental. A pessoa que acaba de reconhecer que sofrera incesto quando criança ainda não está pronta para ser curada.

Mudando o passado e trazendo essas mudanças para o presente, muda-se também o futuro. Cada momento presente era o futuro até se chegar ao agora, e então se torna passado. Mudando o acontecimento passado, o presente e o futuro também se alteram. Isso cria um efeito dominó, que pode ser usado com grande benefício. Ao visualizar as mudanças dos traumas desta ou de uma vida passada, tenha a certeza absoluta de que as mudanças são aquelas que você quer que se tornem parte do seu presente e do seu futuro. Crie apenas soluções positivas e visualize unicamente alternativas benéficas. Os que trabalham com a cura mental diretamente, ou a distância, logo aprendem que "o tempo todo é agora".

O Hon-Sha-Ze-Sho-Nen também é um mecanismo para transmitir a cura através do espaço na cura a distância (ver mais a respeito no capítulo seguinte). A tradução do nome Hon-Sha-Ze-Sho-Nen como "Sem passado, nem presente ou futuro" dá a chave para os seus variados usos. Quando me ensinaram o Reiki II, também disseram que o significado era "Abra o livro da vida e leia". O outro significado que aprendi foi o cumprimento budista Namaste — "O Deus que existe em mim saúda o Deus que existe em você". Entretanto, está definido, o símbolo cura o passado, o presente e o futuro desta e de outras vidas. Usar os símbolos em pares, duas imagens desenhadas lado a lado, possibilita o acesso ao futuro e à resolução dos problemas nele. Uma imagem vem depois da outra durante a visualização.

Esses são os três símbolos do Reiki II, com mais dois no Terceiro Grau. O Cho-Ku-Rei se concentra na cura do corpo físico, o Sei-He-Ki, na cura do corpo emocional e do subconsciente, e o Hon-Sha-Ze-Sho-Nen dirige a energia Reiki para o corpo mental ou mente consciente. Na cura direta, é comum usar os três símbolos, embora isso não ocorra sempre. Use os símbolos quando achar pertinente; se não for inspirado a usá-los numa determinada cura, é porque não são necessários. Se usar apenas um símbolo, não há problema — é correto também usar mais de um. Deixe-se guiar pela sua intuição, que com o Reiki II se torna forte e clara. Eles também podem ser desenhados sobre ou sob a mesa de massagem em que trabalha.

Os símbolos devem ser memorizados, e isso leva algum tempo. Eles devem ser memorizados de tal forma que você seja capaz de desenhá-los, seguindo as instruções dos diagramas. Cada linha deve ser feita precisamente na ordem correta, e os símbolos desenhados exatamente como aparecem nas ilustrações. Uma vez familiarizado com esses símbolos, ainda que não tenham sido completamente memorizados, eles podem ser "enviados como um todo" durante a cura. Repita-lhes o nome mentalmente e visualize-os tão claramente quanto possível, e eles aparecerão na forma correta. Isso aconteceu comigo algumas horas depois de ter recebido o treinamento e a iniciação em Reiki II. Levou várias semanas para que eu memorizasse os símbolos completamente e fosse capaz de desenhá-los.

Ensinaram-me a visualizá-los só na cor violeta, mas durante a cura observo que as cores tendem a mudar. Qualquer uma das cores puras e brilhantes que eles manifestam é correta. Pratique, desenhando-os no ar com a mão inteira em vez de usar apenas um dedo. Os chakras, a partir dos quais a energia flui, estão principalmente nas palmas das mãos. Se você aprendeu o Reiki II comigo, ou com qualquer um de meus alunos, teve os símbolos do Reiki colocados em ambas as mãos. Se você o obteve tradicionalmente, devem ter-lhe perguntado qual é a sua "mão de cura", e só na palma dessa mão lhe foram colocados os símbolos.

Ao visualizar os símbolos durante o trabalho de cura, ou simplesmente ao praticá-los, tente tocar o céu da boca com a língua, por trás dos dentes. Isso liga os dois canais energéticos mais importantes do corpo — Kundalini/Hara — e aumenta a potência com que os símbolos são transmitidos. Mais informações sobre esse assunto e como usá-las estão no Capítulo VI, "Como Ativar a Kundalini". O Reiki trabalha com o sistema elétrico humano, e isso faz parte dele.

Mostraram-me uma variedade interessante de desenhos dos símbolos do Reiki, especialmente do Hon-Sha-Ze-Sho-Nen. Quando um aluno me procura para aulas sobre Reiki III, digo-lhe que use qualquer versão dos símbolos que ele já esteja usando. Todas as versões funcionam — ou, mais provavelmente, nenhum dos símbolos que temos está correto, e os guias Reiki alteram todos eles para que funcionem. A intenção é muito importante ao usar os símbolos. Os guias do Reiki querem que a cura se manifeste de todas as formas possíveis no plano terrestre, neste momento. Eles ajudam de todas as formas que podem para que isso ocorra. Se você desenhou um símbolo erradamente, não o repita — acabará por memorizá-lo assim. Entretanto, não use isso como uma desculpa para não memorizá-los corretamente. Os guias não toleram a preguiça, mas apóiam o esforço honesto. Como nas posições de mão no Reiki I, a melhor forma de aprender os símbolos é usá-los.

Sempre trate os símbolos do Reiki com respeito; eles são representações sagradas de energias muito antigas e incorporam a energia em si próprios. Tradicionalmente, pede-se que os alunos prometam não mostrar os símbolos aos não-iniciados em Reiki II. Acho que eles não podem ser usados para o mal e não serão ativados sem as iniciações. Entretanto, ainda devem ser usados com discrição. Às vezes, mostro os símbolos aos estudantes de Reiki I que os viram durante a iniciação. Como iniciada em Reiki I, comecei a ver partes dos símbolos e quis saber o que estava vendo; o instrutor me deu informações erradas. Mentir sobre esses símbolos não condiz com a ética da cura e é desnecessário. Minha sugestão é mostrá-los no momento apropriado e só a pessoas íntegras, mas o segredo não é fundamental.

O capítulo seguinte vai além no uso dos símbolos do Reiki II. Discorre sobre a cura a distância e outras utilidades para três símbolos-chave, e o trabalho com os guias espirituais. O curador de Reiki I principiante transformou-se agora num praticante experiente, pronto para trabalhos mais avançados.

1. John Blofeld, *The Tantric Mysticism of Tibet*, p. 9.
2. A. J. Mackenzie Clay, *The Challenge to Teach Reiki* (Byron Bay, NSW, Austrália, New Dimensions, 1992), pp. 9-11, e *One Step Forward for Reiki* (Byron Bay, NSW, Austrália, New Dimensions, 1992), pp. 38-45.
3. Devo essa metáfora a Sherwood H. K. Finley II, "Segredos do Reiki: Cura Energética numa Tradição Antiga", in *Body Mind and Spirit*, março-abril, 1992, pp. 41-43.
4. A. J. Mackenzie Clay, *The Challenge to Teach Reiki*, pp. 11-12.
5. A. J. Mackenzie Clay, *One Step Forward for Reiki*, p. 45.
6. *Ibid.*
7. Para uma série de fotos de *stupas*, ver Pierre Rambach, *The Secret Message of Tantric Buddhism* (Nova York, NY, Rizzoli, International Publications, 1979), pp. 56-61.
8. Versão dos Símbolos de Cura a Distância, publicados por A. J. Mackenzie Clay, in *The Challenge to Teach Reiki*, p. 8.

Símbolos Alternativos do Reiki II e como Desenhá-los
Reiki Tradicional de Usui

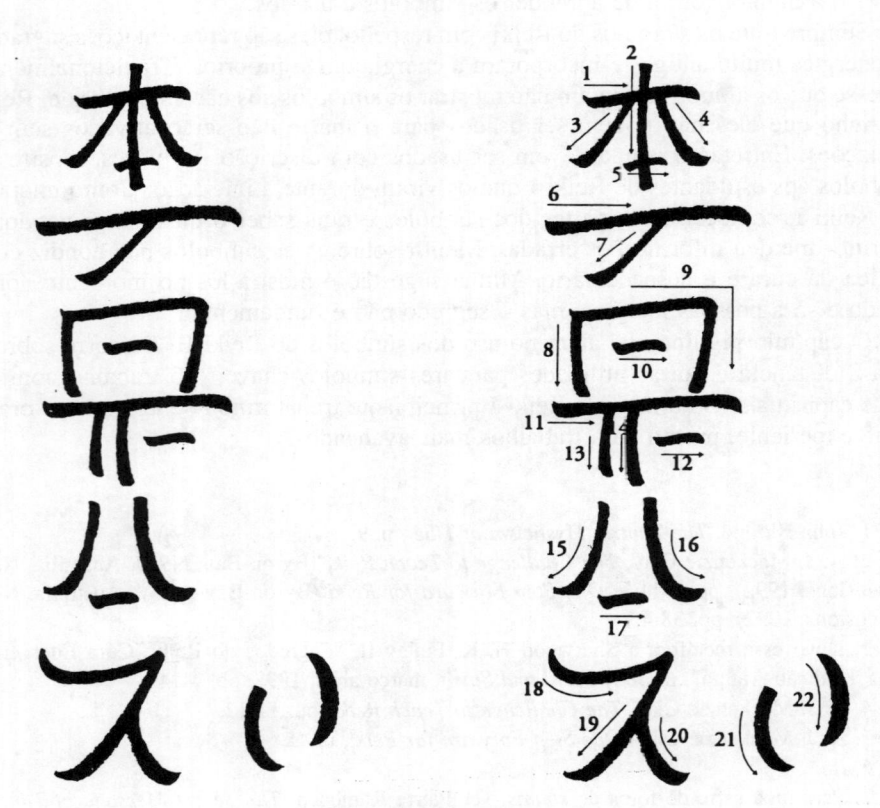

Cho-Ku-Rei
"Coloque o poder aqui" ou "Deus está aqui" (anti-horário).

Sei-He-Ki
"Chave do universo" ou "O Homem e Deus se tornam um".

Hon-Sha-Ze-Sho-Nen
"O Buda em mim busca o Buda em você para promover iluminação e paz."

Hon-Sha-Ze-Sho-Nen Alternativo[8]

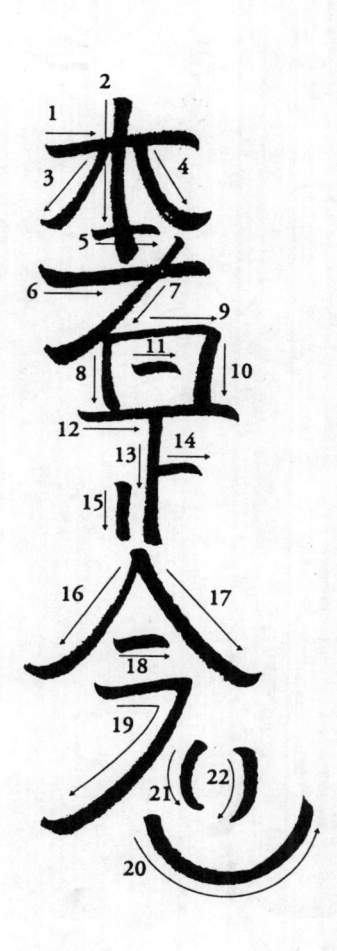

CAPÍTULO 5

A Cura a Distância e Mais

Além de aumentar a intensidade e a precisão da cura pela imposição das mãos, os símbolos do Reiki possibilitam a cura a distância. Isso quer dizer: ministrar a cura em alguém que não esteja presente fisicamente, alguém sobre quem você não pode fazer a imposição das mãos. Esse tipo de cura, embora simples, desenvolve capacidades mediúnicas — e o crescimento mediúnico é uma das conseqüências de se tornar um agente de cura do Reiki II. O Segundo Grau do Reiki trabalha essencialmente nos níveis emocional e mental, enquanto o Primeiro Grau cura o corpo físico. A cura a distância ocorre no nível do corpo mental, na mente consciente, como no trabalho de liberação kármica citado no último capítulo. Se, como diz o provérbio de Dion Fortune, "Mágica é o ato de se alterar a consciência pela vontade", então, certamente, o Reiki II é mágico. E apresenta resultados reais no mundo.

O agente de cura que costuma trabalhar nesse nível se conscientiza de realidades que vão além do plano físico. Isso é condizente com o conceito budista de que toda realidade é criada pela Mente a partir do Nada. O treinamento mental dentro do Budismo Tântrico inclui o desenvolvimento de visualizações complexas, verdadeiros mundos criados em meditação e habitados por Deuses e Demônios. Estes se tornam os instrutores dos adeptos num mundo que vai além do seu próprio mundo. Ao iniciar-se em Reiki II, o curador faz contato com outros mundos para obter informações e ajuda durante a cura, além de ter acesso a outras realidades. Os guias do Reiki manifestam-se nesse nível como guias espirituais. No Reiki, o agente de cura do nível II vai além dos limites do seu próprio corpo.

Essa expansão e conscientização podem ser algo muito diferente para o curador. Depois da iniciação em Reiki II, ele passa por um processo profundo de mudança. Se o Reiki I mudou sua vida — o que, de fato, ocorreu —, o Reiki II muda o agente de cura interiormente e sua relação com o mundo. As mudanças são bastante positivas, mas podem ser desconcertantes. Mais ou menos seis meses depois da iniciação, seus posicionamentos e emoções são testados. O que não era positivo se esvai dos corpos mental e emocional; a pessoa começa a se sentir e a pensar de modo diferente. O significado dessas mudanças é muito pessoal. Cura-se o que for preciso nos níveis mental e emocional, e isso ocorre de forma a expandir a consciência para novas realidades.

O processo de purificação mental e emocional nem sempre é fácil. Uma mulher, por exemplo, pode concluir que o seu relacionamento amoroso não é mais satisfatório e, assim, resolve deixar o parceiro. Outra pode, finalmente, aprender a lidar com a lembrança de ter sido vítima de abuso e incesto, lembrança que foi reprimida por vários anos. Uma outra, ainda, pode resolver parar de trabalhar para os outros e abrir seu próprio negócio. Sonhos que pareciam fantasia tornam-se realidade na vida diária, e os riscos, até então inaceitáveis, tornam-se então opções rotineiras. Todas as pessoas crescem com o Reiki II. Ao final de um ano, o agente de cura examina a pessoa que era antes e a pessoa em quem se transformou. Ele se espanta ao ver como se tornou mais forte e íntegro, embora o caminho talvez tenha sido caótico. Ele se sente satisfeito ao constatar a transformação.

É melhor que haja certa pausa entre os treinamentos em Reiki I e Reiki II; três meses é o tempo ideal. Aprenda bem o Primeiro Grau, faça sessões de cura e autocura, e dê tempo para que o seu corpo se adapte à nova energia antes de prosseguir. Entretanto, se você foi iniciado de forma não-Tradicional, pode não haver tempo para isso. Quando viajo para ensinar, em geral eu ofereço os três graus num fim de semana. A maioria dos meus alunos não tem outro acesso ao treinamento, e muitos deles obtêm dois ou três graus de uma só vez. O Reiki I e II funcionam muito bem juntos se o curador entende e quer aceitar a velocidade das mudanças que ocorrerão na sua vida.

Para o agente de cura principiante, que não teve nenhum treinamento em técnicas metafísicas nem em trabalho energético, é melhor prosseguir lentamente com o treinamento. Três meses — mais ou menos — é o tempo necessário para que o curador se torne competente e familiarizado com o Reiki I. Cada pessoa é um indivíduo com necessidades distintas. No Primeiro Grau, inicia-se um processo profundo de purificação e cura; o curador deve, primeiramente, completar esse processo, antes de tentar o Reiki II. Tradicionalmente, só curadores bastante competentes vão além do Reiki I.

Para alguém que há anos se dedica a outras formas de trabalho energético, que já tem capacidade mediúnica desenvolvida e se considera um curador intermediário ou avançado, obter dois ou três graus num fim de semana pode ser adequado. Só a pessoa pode concluir se isso é apropriado, e deixo que meus alunos decidam. Ninguém se prejudicou com a energia Reiki, embora algumas pessoas se sintam sobrecarregadas.

O ensinamento mais importante em Reiki II é a cura a distância. Se sua mãe, que está em Nova York, está com dor de ouvido, e se você quer ajudá-la, estando na Flórida, a forma correta é usar a cura a distância com os símbolos do Reiki. Existem tantas formas de cura a distância quantos curadores, e isso não é invenção do Reiki. O que torna a cura Reiki a distância excepcional são os símbolos, e algumas técnicas específicas do Reiki. Quando ensino o Reiki II, pergunto às pessoas em círculo sobre quem já ministrou cura a distância, pedindo que descrevam a técnica. Em geral, cada uma se vale de técnicas diferentes, e todas são úteis. Já que nem todas sabem como isso é feito, darei agora alguns detalhes.

A cura a distância é, basicamente, um processo de visualização em estado de meditação. Visualização também quer dizer imaginação. A visualização cria, na sua mente, uma representação da pessoa que precisa da cura. Em outras palavras, imagine essa pessoa. No Ocidente, em geral, essas representações são feitas através de fotos, mas essa não é a única forma. Visualização quer dizer o uso de qualquer um dos cinco sentidos — visão, audição, olfato e tato (o paladar raramente é usado na cura). Uma forma de visualização na cura que aprendi foi criar uma rosa.[1] Imagine uma rosa, usando qualquer um dos sentidos, e dê a ela o nome da pessoa a ser curada. Transmita energia Reiki à rosa e observe-a florescer, e, então, dissolva-a. Essa é a essência de uma cura psíquica a distância.

Às vezes, aprender como outras pessoas ministram a cura a distância revela a quem já a pratica sem o saber que o que está fazendo é cura. "Envio energia a elas", alguém diz, "isso é cura a distância?" Sim. Transmitir energia, amor, luz e cores, orações, pensamentos positivos e visualizar bem uma pessoa são técnicas de cura a distância. Acender uma vela em cima da foto de alguém que necessita de cura é outro método; também colocar entre as mãos a foto de uma representação de Maria ou Kwan Yin é outro método.

A maioria das técnicas de cura a distância começa com uma representação da pessoa a ser curada. Se você não tem uma foto, use um objeto que o faça lembrar dessa pessoa. Você também pode representá-la mentalmente através da visualização, e esse é o método mais comum de cura a distância. Não é preciso dispor de muito tempo, mas convém se instalar em um lugar silencioso onde você não será perturbado. Esse local tranqüilo chama-se meditação — essa é a outra metade da cura a distância. Meditação, nesse contexto, não significa transe profundo, somente um ligeiro estado de concentração. Quando você se acostuma a visualizar, pode fazer isso em qualquer lugar, mas, no início, reserve certo tempo e escolha um lugar para a meditação.

Pode ser numa sala tranqüila onde ninguém o perturbe. Feche a porta, tire o telefone do gancho, diminua a luz. O costume de acender uma vela é bom. É agradável e se consegue um brilho suave; ao acendê-la, você estimula o estado de meditação. Sente-se tranqüilamente em uma cadeira, as pernas e os braços estendidos, ou sente-se no chão, na posição de lótus (ou meio-lótus) se se sentir bem. Respire fundo algumas vezes e acalme-se, olhe para a chama da vela e imagine a pessoa que deseja curar.

A pessoa não será visualizada claramente. Você poderá ver uma silhueta, uma figura embaçada da pessoa, ou luzes e cores. Qualquer representação é suficiente. A imagem, em geral, não é nítida. Se a sua faculdade predominante não é a visão, a pessoa pode aparecer na forma do som de um violoncelo, ou como essência de rosas. Ela pode manifestar-se como a sensação de um abraço familiar, ou como a mão de alguém tocando o seu braço. Você a reconhecerá de qualquer forma, e isso é suficiente.

Em seguida, você deve obter sua permissão, sendo de suma importância. A ética do Reiki I é que a cura só pode ser feita com permissão, e isso também é verdade para a cura a distância no Reiki II. Por exemplo, se a sua mãe, que está com dor de ouvido, já lhe pediu a cura pelo telefone, então a permissão é desnecessária; se ela não pediu, e você acha que ela pode recusar, pergunte agora "no plano astral" da sua visualização. Você receberá alguma resposta. Pode ser que ouça "sim" ou "não", ou ela pode voltar-se para você (indicação de sim) ou ir-se embora (indicação de não). Você deverá respeitar sua vontade. Em geral, alguém que recusa a cura no plano físico (ou que você pensa que recusa), aceita a cura quando questionada dessa forma. Também use esse método com alguém em coma. Se receber permissão durante o estado de meditação, então proceda; caso contrário, desista calmamente, com amor, e termine a sessão.

Se não estiver certo da resposta, transmita energia de cura com a intenção de que esta atue somente se for aceita com boa vontade. Concentre-se com a intenção de redirecionar a energia de cura para o planeta ou para outra pessoa que dela necessite, caso a pessoa a recuse. Dessa forma, a energia Reiki pode ser reciclada positivamente sem violar o livre-arbítrio de ninguém. Forçar alguém é totalmente antiético na cura. Pessoas e animais têm o direito de se apegar às próprias doenças, se assim o quiserem.

Depois de receber permissão, envio luz à pessoa. Eu não determino a cor, mas confio que a escolhida seja a necessária. Todas as cores são positivas se forem brilhantes e vivas. O preto também é positivo na cura; o preto-aveludado do céu noturno estrelado ou do chão fértil da Mãe-Terra. Existem muitas razões pelas quais as pessoas podem precisar do preto, e essa cor, quando enviada com amor e intenção de cura, nunca é negativa. É estabilizante, protetora e confortante. A cor (ou não-cor) que menos se usa é o branco. É muito mais eficaz transmitir uma cor que se concentre nas necessidades da pessoa do que enviar o branco sem objetivo específico.

Algumas cores que aparecem na cura psíquica a distância não são cores terrenas. Elas são difíceis de ser descritas, e, pelo que sei, não têm nome. São belíssimas; são as cores astrais complementares de cada uma das cores básicas (chakras) do plano terreno. Em geral, aparecem quando se usa o Reiki II na cura a distância, e essa é a principal razão pela qual não escolho a cor para a luz a ser enviada. Escolher cores terrenas limita o que poderia ser visualizado, não permitindo o surgimento das cores astrais complementares. Também prefiro que a pessoa que recebe a cura — ou o seu Eu Superior, ou ainda os seus guias — escolha a cor mais eficiente para suas necessidades.

Deixe a cor preencher a aura da pessoa e, então, envie os símbolos do Reiki, visualizando-os. Para isso, basta que você esteja disposto a transmiti-los integralmente. Eles parecem pairar pelo espaço até serem impressos ao longo do corpo do receptor. Lembre-se de que o Hon-Sha-Ze-Sho-Nen é o símbolo que guia o Reiki através do espaço e do tempo. Use-o em todas as sessões de cura a distância. O Cho-Ku-Rei aumenta a intensidade da energia de cura e o Sei-He-Ki trata o aspecto mental/emocional da doença. Em geral, envio todos os símbolos na maioria das curas a distância. Os símbolos também adquirem cor, e eu não imponho limites a isso — a cor se transforma de acordo com a necessidade do receptor.

Depois de enviar os símbolos, faça uma pausa. Você pode receber uma mensagem de seus próprios guias ou dos guias do receptor, com instruções para que faça algo mais. "Preencha a aura da pessoa com luz dourada", pode ser uma mensagem.

As mensagens dos guias são sempre positivas e cheias de vida; recuse qualquer outro tipo de mensagem. Quando isso terminar, visualize a pessoa com aspecto de quem está bem e recuperada. No caso de sua mãe com dor de ouvido, você pode imaginar que a ouve dizendo que a dor passou. No caso de alguém com a perna quebrada, visualize-o correndo alegremente, sem a muleta e com um grande sorriso estampado no rosto. Então, termine a meditação (dissolva a rosa) e se concentre no ambiente à volta. Esse processo demora poucos segundos.

Qualquer pessoa que ministre a cura psíquica tem seus próprios métodos, e eu tenho os meus. Cada uma das visualizações é diferente, e todas são corretas. No começo, a concentração necessária para a meditação e a visualização demora a ocorrer, mas se desenvolve regularmente com a prática. É como exercitar um músculo — quanto mais você o usa, mais forte ele se torna. Eu digo aos novos iniciados no Reiki II para que ministrem essas curas todas as noites. Com o tempo, você será capaz de entrar no estado de meditação e ministrar curas mesmo dentro de um ônibus. Quanto mais você pratica, mais profundo se torna o estado de meditação; contudo é melhor não tentar fazer isso enquanto estiver dirigindo.

Esse processo simples, que envolve visualizar uma pessoa e se concentrar nela, transmitindo-lhe a luz e os símbolos do Reiki e imaginando-a em seu bem-estar, tem efeitos profundos. As sessões de cura realizadas dessa forma podem ser tão efetivas quanto uma sessão com imposição das mãos, mas levam segundos em vez de uma hora ou mais. Note, entretanto, que a cura ministrada nesse nível mental afeta mais os corpos mental e emocional do receptor do que o corpo físico. A energia desses níveis é filtrada em direção ao físico, mas não se concentra ali. Pode levar tempo (em geral alguns minutos ou algumas horas) para que a dor no nível físico diminua quando a cura é ministrada dessa forma. Durante esse período, embora a cura chegue à fonte da doença, o trabalho com a imposição das mãos ainda pode ser necessário.

Quem recebe a cura a distância, tenha consciência disso ou não, provavelmente sentirá a ocorrência. Se for bem receptivo à energia e psiquicamente consciente, poderá saber exatamente quando e o que você fez. A pessoa pode não ter consciência total, mas pode vir a pensar no curador enquanto a cura se processa. Pode, de repente, sentir paz, visualizar uma cor ou sentir-se melhor. Sua dor de ouvido pode cessar durante a cura e não voltar mais. Quando você começa a fazer a cura a distância, pode achar que está "simplesmente imaginando". Certos sinais que lhe parecerão confirmações farão você mudar de idéia rapidamente e respeitar esse processo.

Os símbolos do Reiki aumentam a efetividade da pessoa e tornam a cura psíquica muito mais eficaz. Qualquer método de cura a distância que você use é positivo. Continue a usá-lo. Apenas acrescente os símbolos do Reiki, e a cura se transforma em cura Reiki. Métodos de cura psíquica podem ser tão simples quanto visualizar uma rosa, ou bem mais complexos. Visualize os chakras e, ao fazer isso, a cura já poderá estar ocorrendo, eles estarão sendo purificados e reequilibrados. Se um chakra apresentar desequilíbrio, estabilize-o. Se apresentar impurezas, purifique-o, visualizando, por exemplo, um limpador de janela. Se apresentar fissuras, preencha-o. Se nele houver bloqueios, elimine-os. Irradie os símbolos do Reiki — particularmente o Sei-He-Ki — para cada um dos centros e observe como os símbolos purificam os chakras, um a um.

Da mesma forma, alguns agentes de cura "vêem" anatomicamente e corrigem o que possa estar errado, usando metáforas como as mencionadas acima. Se o receptor tiver um ferimento, imagine uma agulha e linha dando pontos nele. Se ele tiver um osso fraturado, use um "Esparadrapo Divino". Metáforas funcionam tão bem quanto cirurgias imaginadas — o que for visualizado realmente ocorre. Tenha a certeza de visualizar somente coisas positivas; a imagem de bem-estar ao final da sessão comprova isso. Novamente, use a energia dos símbolos do Reiki em áreas que apresentarem dor ou doenças, pois eles canalizam a energia para curar a doença.

Ao ministrar a cura a distância, seja receptivo ao que possa acontecer — às vezes, as doenças são diferentes do que o curador espera tratar. Por exemplo, ao curar uma dor de cabeça, a energia dos símbolos do Reiki é irradiada para o abdômen. Deixe que ela flua, não interfira no processo; a energia caminha inteligentemente para onde ela é necessária. Dirija a cura para a pessoa como um todo e não a limite à cabeça que dói. Isso faz com que a energia atue da forma mais benéfica possível.

Depois de terminar a cura, ocupe-se de outras coisas e esqueça-a. Pare de pensar nela, senão a energia não é liberada em direção à pessoa que a recebe. Como no caso da cura direta, determine a freqüência das sessões de cura a distância a partir da gravidade do caso. Para algo tão simples como uma dor de ouvido ou de cabeça, basta uma sessão. Para doenças mais sérias, repita a cura até mesmo a intervalos de poucos minutos, mas, entre as sessões, deixe que a energia seja liberada. Em geral, uma ou duas vezes por dia são o suficiente para estados que não inspiram muito cuidado.

Usando-se o Hon-Sha-Ze-Sho-Nen, você pode repetir a cura quantas vezes quiser. Também pode programar a cura para repetir-se de tantas em tantas horas (uma vez por hora, ou duas vezes por dia, ou a cada doze horas). Faça variações, realizando a cura a distância pelo menos uma vez por dia. Ao se condicionar para que o Reiki se repita, imponha-lhe um limite. Determine que a cura se repita até a pessoa não necessitar mais dela, ou até que certo objetivo seja alcançado, caso contrário a energia continuará sendo transmitida desnecessariamente.

Qualquer técnica de cura a distância também pode ser usada quando a pessoa está presente. Envie à pessoa a energia de cura através do ambiente, quando a cura por imposição das mãos não for apropriada ou quando não houver tempo para uma sessão completa. Use-a também quando o toque causar a dor, como no caso de queimaduras, ou se houver risco de infecção para a pessoa que recebe a energia ou para o curador. Faça isso também com animais para que eles adormeçam, pois de outra forma não cooperariam com a cura. Esse também é um bom método para se utilizar em animais selvagens ou em animais de fazenda. A mesma técnica também pode ser usada na sua própria cura, visualizando a si mesmo durante a meditação, em vez de outra pessoa.

Além da técnica de acrescentar os símbolos do Reiki a qualquer outra forma de cura a distância, há mais quatro métodos específicos do Reiki. Também são técnicas de visualização e concentração. No primeiro, imagine que você está ao lado da pessoa que recebe a cura, realizando uma sessão direta. Esse método parece simples, mas é o mais difícil dos quatro. Por demorar-se muito tempo em cada posição, o curador deve manter-se concentrado na visualização por um longo período. A maioria das curas a distância demora apenas alguns segundos e, a menos que você seja muito experiente, essa técnica lhe parecerá muito difícil. Uma opção que ajuda um pouco é visualizar pares extras de braços, como nas estátuas de Kwan Yin ou de Tara. Desse modo, diminui-se consideravelmente o tempo, mas ainda assim isso exige um grande esforço. As poucas vezes que ministrei sessões dessa forma foram altamente eficazes e gratificantes.

Uma segunda forma de ministrar a cura a distância com o Reiki é imaginar a pessoa, o animal ou o planeta encolhidos. Conserve a imagem correspondente entre as mãos em forma de concha. A cura a distância pode ser ministrada em animais e pessoas; a própria Terra precisa de tanta cura quanto possamos enviar. Uma forma alternativa é pegar um pequeno globo, como uma bolinha de vidro, e segurá-lo entre as mãos para enviar-lhe o Reiki. Uma foto entre as mãos também pode receber a energia Reiki. Com a imagem de uma pessoa entre as mãos, transmitimos os símbolos do Reiki e a cura. Esse é, provavelmente, o método mais fácil.

Os dois métodos seguintes utilizam um objeto para concentração em vez da visualização. No primeiro desses, sente-se ereto numa cadeira e imagine que seus joelhos e coxas são o corpo da pessoa que recebe a energia de cura. Seus joelhos correspondem à cabeça, suas coxas correspondem ao tronco, e seu quadril corresponde às pernas e pés da pessoa. Ministre a cura como se as suas mãos estivessem, de fato, no corpo dela, mantendo a imagem na mente durante a cura. Use o joelho esquerdo para representar a frente do corpo da pessoa e o direito para representar as costas.

O último dos quatro métodos é o meu favorito. Use um ursinho de pelúcia, uma boneca, um travesseiro ou uma foto da pessoa a ser tratada como uma representação para a concentração. Ministre cura no ursinho e, então, imagine-se dando o ursinho curado ao paciente. Diga a ele: "Aproveite do ursinho o que puder." Esse método é particularmente bom. Se, ao pedir permissão, a resposta da pessoa for "O que você quer fazer?" ou "Não tenho certeza", mostre-lhe o ursinho, presenteando-o no plano astral.

Fiz isso uma vez com certa amiga que machucara as costas e que não conhecia a cura. Ela não tinha certeza sobre se queria aceitar, e eu, então, ministrei a cura num ursinho que tenho para esse propósito. Imaginei-me dando a ela o ursinho e a visualizei segurando-o antes do término da meditação. No dia seguinte, enquanto eu estava sentada, lendo, no sofá, captei a imagem dela segurando o ursinho pelos braços. Então perguntei "O que aconteceu?" e ela respondeu: "Absorvi a cura do ursinho."

Eu usava freqüentemente o ursinho com ela, até que ela mesma resolveu aceitar a cura diretamente de mim.

Em resumo, acrescente os símbolos do Reiki a qualquer método de cura a distância que você faça. A cura a distância é uma visualização em estado de meditação que leva pouco tempo para se completar. Existem quatro formas de se ministrar a cura a distância com o Reiki.

1. Imagine-se ao lado da pessoa, ministrando uma sessão de cura direta.
2. Imagine a pessoa encolhida e pegue-a na palma das mãos para curá-la.
3. Use o joelho e a coxa esquerdos para representar a parte da frente do corpo da pessoa, e o joelho e a coxa direitos para representar a parte detrás. Ministre a cura por meio da imposição das mãos.
4. Use um ursinho de pelúcia, uma boneca, um travesseiro ou uma foto como substituto.

O processo de cura a distância torna-se fácil com a prática e aumenta em eficácia com a freqüência de uso. Nunca subestime seus benefícios e lembre-se de acrescentar os símbolos do Reiki à cura.

Aprendi nas diferentes sessões de canalização que, no início do Reiki, cada pessoa tinha o seu próprio símbolo. Esses símbolos, em geral, aparecem aos iniciados em Reiki II que usam a energia freqüentemente e, muitas vezes, são vistos pela primeira vez durante a iniciação. A figura aparece várias vezes como que pedindo para não ser ignorada. Em geral, esses símbolos pessoais são altamente eficientes para a cura de si mesmo. Às vezes, eles têm outro significado. Se uma energia dessa se apresentar a você, medite sobre ela e experimente enviá-la. Gradual ou rapidamente, você desenvolverá a compreensão do símbolo e de como utilizá-lo. Pode acontecer de esses símbolos não serem pessoais, e sim os que já estão incorporados ao Reiki III.

Os símbolos do Reiki II têm outras utilidades além da cura direta ou a distância. Desenhe o Cho-Ku-Rei sobre os alimentos para aumentar-lhes o valor nutritivo, e agradeça pela refeição — essa pode ter sido a primeira forma de se abençoar uma refeição. Se tiver alguma dúvida sobre a qualidade dos alimentos, ministre o Sei-He-Ki sobre o prato para purificá-los. Isso pode ser útil num piquenique, quando a salada de batata já ficou fora da geladeira por horas, entretanto não dependa inteiramente do Reiki. Se algum alimento parece realmente duvidoso, dispense-o. Ao usar os símbolos, purifique o alimento com o Sei-He-Ki antes de aumentar a energia com o Cho-Ku-Rei.

O Cho-Ku-Rei e o Sei-He-Ki juntos também limpam cristais. Use primeiro o Sei-He-Ki para clarear a pedra, segurando o cristal ou pedra preciosa entre as mãos, e visualize o símbolo desenhado sobre a pedra. Deixe o símbolo incorporar-se a ela e repita o processo até ter certeza de que se completou. Então, envie o Cho-Ku-Rei da mesma forma, até que o cristal esteja brilhando. Enquanto usar o Cho-Ku-Rei, programe a pedra preciosa para o seu uso, cura ou proteção. Um cristal ou pedra semipreciosa também pode ser programado dessa forma para curar uma pessoa. Limpe e potencialize a pedra e, então, entregue-a à pessoa. Outros objetos, além dos cristais, podem ser usados dessa forma. Quando o uso é para a cura, também acrescento o Hon-Sha-Ze-Sho-Nen à energia da pedra ou do objeto.

O Cho-Ku-Rei e o Sei-He-Ki também podem ser usados conjuntamente nos remédios para aumentar as propriedades de cura e diminuir os efeitos colaterais. Novamente, use o Sei-He-Ki, primeiro para energizar as propriedades claras e positivas, e depois o Cho-Ku-Rei. Com remédios homeopáticos também use ambos os

Reiki II: Cura a Distância

Imagine que está lá com a pessoa e ministre a cura como se realmente estivesse onde ela se encontra. Para acelerar o processo, você pode se imaginar com vários pares de braços!

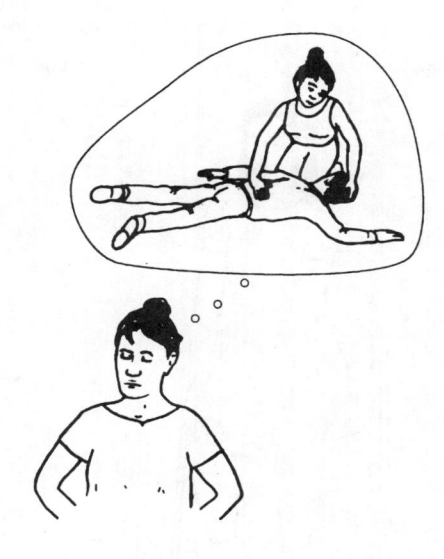

Imagine a pessoa, o animal ou o planeta encolhidos entre suas mãos para serem curados.

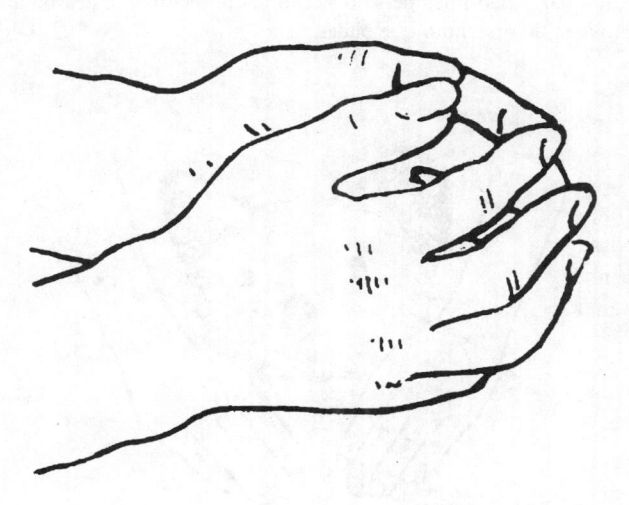

Reiki II: Cura a Distância (continuação)

Imagine que o seu joelho é o corpo da pessoa; ministre a cura. Concentre-se na pessoa. Use o joelho esquerdo como se fosse a parte frontal da pessoa e o direito a parte detrás. Seu joelho é a cabeça dela, sua coxa, o torso dela, e sua bacia, as pernas e os pés.

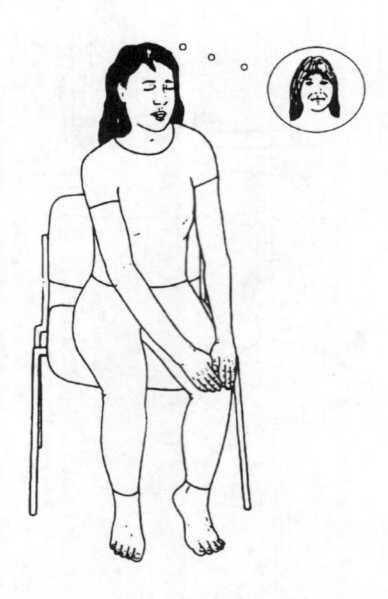

Use um ursinho, uma boneca, um travesseiro ou a foto de uma pessoa como substituto. Ministre a cura no urso, então imagine-se dando o ursinho curado à pessoa que precisa da cura. Diga a ela: "Aproveite do ursinho o que puder."

símbolos para aumentar a cura e diminuir as reações. Essências florais ou de ervas ficam mais eficientes, segurando-se o frasco entre as mãos e transmitindo-se o Cho-Ku-Rei. Fabrico minhas próprias essências florais e meus elixires de cristais, além de acrescentar energia Reiki tanto à infusão quanto ao processo de engarrafamento.

Não existe ajuda mais poderosa para manifestar a abundância do que o Cho-Ku-Rei. Ao usá-lo, tenha a certeza de fazer um pedido totalmente ético e positivo, e tenha cuidado em pedir somente o que você realmente precisa. O Universo está repleto de abundância, com todos os bens disponíveis àqueles que pedem e estão prontos a receber. Para muitas pessoas, especialmente para as mulheres, receber não é fácil — ensinaram-nos que não merecemos ter nem pedir coisas boas. Claro que merecemos. Enquanto muitas situações de pobreza são kármicas — e patriarcais —, manifestar abundância é uma qualidade que pode ser aprendida.

A ética da manifestação da abundância, especialmente com a ajuda poderosa do Reiki, é simples e clara. Se você pede uma coisa que de algum modo prejudique alguém, isso é antiético. Você pode ter dinheiro ou qualquer outra coisa que queira, contanto que não tome de outra pessoa. Se o que você quer de bom para você implica prejudicar qualquer outra pessoa, isso não é ético. Ao pedir um emprego, por exemplo, é errado pedir o emprego de outra pessoa; em vez disso, peça o melhor emprego disponível para você.

A maioria das questões sobre a manifestação da abundância envolve casos de amor. Você quer o amor de alguém, mas está envolvido num outro relacionamento. Pedir que o outro relacionamento termine não é ético, nem mesmo pedir que a outra pessoa lhe queira. Em vez disso, pedir o melhor relacionamento possível para você, sem especificar a pessoa, é a forma correta. Também não é ético visualizar nem pedir uma pessoa específica, a menos que ela concorde. (Então, é muito bom realizar esses rituais juntos...) Ignorar isso é violar o livre-arbítrio, e tem conseqüências kármicas no próprio relacionamento afetivo desta vida.

Uma forma positiva de manifestação da abundância para um relacionamento afetivo é fazer uma lista de todas as qualidades que você deseja para o melhor companheiro ou companheira possível, e usar a lista como o foco da visualização. Faça a lista no estado de meditação, como na cura a distância. Então, tome a lista entre as mãos e ministre o Reiki, enviando o Cho-Ku-Rei. Se sentir vontade, acrescente também o Sei-He-Ki e o Hon-Sha-Ze-Sho-Nen. Ao final da meditação, coloque a lista sob uma vela acesa ou num altar, se você tiver um. Guarde a lista para outras meditações. Fazendo isso entre a lua nova e a lua cheia, aumenta-se a intensidade da manifestação da abundância.

Outra forma de se manifestar a abundância num relacionamento é visualizar-se num relacionamento feliz e harmonioso, sem dar à imagem da pessoa querida um rosto ou um nome. Sinta o seu beijo, suas mãos. Conserve a imagem em mente e envie o Cho-Ku-Rei ou um par deles, lado a lado (Cho-Ku-Rei duplo). Visualize o símbolo gravado na imagem. Isso também pode ser feito para a materialização de outras coisas. Se quiser um apartamento novo, faça a lista do que você quer. Não limite seu desejo ao que você pensa que pode comprar; vá fundo. Visualize-se dentro do apartamento novo, com a escritura ou uma chave nas mãos para mostrar que é seu. Envie o Cho-Ku-Rei ou o Cho-Ku-Rei duplo para a imagem.

Esse processo de meditação pode ser usado para trazer para a sua vida qualquer coisa que você precise. Visualize a si próprio nessas imagens, e só visualize mais alguém se tiver certeza de que não está violando o desejo dessa pessoa. O provérbio Wicca alerta: "Tome muito cuidado com o que pedir, pois você pode conseguir." Peça claramente. Visualize exatamente o que você deseja ter, e não o que acha que pode ter. A maioria das pessoas recebe pouco porque deseja muito pouco. Antes de pedir algo, componha uma imagem clara do que quer, e então pergunte como isso vai afetar a sua vida.

Ao trabalhar com a materialização da abundância, gosto de usar uma afirmação retirada do livro de Marion Weinstein, *Positive Magic* (Phoenix Publishing, 1981).[2] Atualmente, esse é o único livro disponível que trata do assunto de Wicca ou ética metafísica, e é altamente recomendável. A afirmação pode ser alterada para se adaptar a toda situação; e eu a faço da seguinte forma: "Peço essas coisas, seus equivalentes ou algo melhor, de acordo com o livre-arbítrio, sem agredir ninguém, e para o benefício de todos." Ao usá-la, estou imbuída da intenção positiva quanto a qualquer programação/materialização e corrige-se qualquer erro ético. Não é um substituto para a ética clara e bem definida, mas ajuda.

O Sei-He-Ki também tem muitas utilidades, muito mais do que aprendem muitos curadores Reiki. Use-o para mudar tipos de comportamento e hábitos negativos, por exemplo: parar de roer as unhas ou de fumar. Toda vez que vier desejo, visualize o Sei-He-Ki. Ele é excelente para eliminar qualquer tipo de bloqueio energético em cura direta ou a distância, como num chakra ou órgão desequilibrado. O símbolo purifica as energias negativas, inclusive os apegos espirituais. Quando a energia ou padrão negativos forem kármicos, acrescente o Hon-Sha-Ze-Sho-Nen.

Use o Sei-He-Ki pelos cantos ou sobre as janelas de uma casa para clarear a energia do ambiente. Abençoe a casa, primeiramente usando o Sei-He-Ki purificando a energia do local; então, envie o Cho-Ku-Rei para aumentar as qualidades harmoniosas e pacíficas da casa. Algumas dessas qualidades a serem invocadas incluem o amor, a harmonia, a amizade, a prosperidade e o bem-estar. Purifique a energia do lado de fora também, em torno da casa e em toda a sua extensão.

Às vezes, uma casa velha pode conservar a energia da pessoa que lá viveu. A pessoa já faleceu, mas sua energia e imagem permanecem no local. Isso é o que chamamos de entidade desencarnada, espíritos ou, mais popularmente, "fantasmas". São espíritos presos na dimensão errada, que precisam de ajuda para progredir. Raramente negativas ou prejudiciais, essas entidades podem, às vezes, perturbar. Podem não saber que estão mortas. Videntes podem vê-las ou intuir que algo ali está errado. As pessoas podem sentir que não estão sozinhas num quarto, ou que estão sendo observadas, entretanto ninguém está fisicamente presente. A energia da casa parece diferente.

Em casos como esse, primeiro defume cuidadosamente a casa com salva e cedro. Defume os cômodos da casa e transmita o Sei-He-Ki a todos os cantos, portas e janelas. Diga à entidade: "Estou aqui para ajudá-la a ir embora. Você não pertence mais a este local." Em dado momento, você sentirá a sua presença. Envie o Sei-He-Ki à entidade e convide seus espíritos-guia a levarem-na da casa. Seja gentil e educado. Mesmo que você tenha a impressão de que a entidade se recusa a sair, ela não pode fazer mal algum. Para que o espírito se afaste, ele pode ter a necessidade de ver a mãe dele, a companheira, ou alguma figura religiosa na qual acreditava. Quando tenho dúvidas, peço que Maria, como Mãe da Terra, o leve para a nova casa.

Às vezes, os espíritos presos no plano astral podem entrar no corpo das pessoas ou dos animais e se manifestar como doenças. Essas manifestações são chamadas de obsessões espirituais. À medida que o curador se torna mais experiente, ele consegue identificá-los. O processo que envolve o afastamento desses espíritos é parecido com a libertação de entidades numa casa. A diferença, nesse caso, é que os espíritos têm consciência do que estão fazendo erradamente, e podem sentir medo de "voltar para casa". Novamente peço a Maria, como Mãe da Terra, dizendo ao espírito: "Dirija-se à luz. Seu trabalho já terminou e você pode voltar para casa. Você não será punido, será bem-vindo e curado. Dirija-se à luz. A Mãe o espera." Use vários Sei-He-Ki. Você sentirá a energia se desprender. Às vezes, essas energias causam problemas prolongados de saúde ou, para ser mais claro, problemas emocionais.

A teoria sobre as obsessões espirituais é que esses espíritos, de fato, completaram um trabalho, causando a experiência de crescimento aceita pela pessoa antes de encarnar. Agora, o aprendizado se completou, e a dor ou doença não são mais necessárias. Essas entidades ou espíritos habitam uma região do plano astral na qual estão presos e da qual não podem sair. Esse não é o lugar a que pertencem ou onde precisam estar. Entrando num corpo do qual serão afastados pela cura, eles encontram a maneira de ir para onde querem ou ao lugar a que pertencem. As pessoas que os recebem e o agente de cura prestam, assim, um serviço ao espírito. Muitas entidades deixam dessa forma o plano astral inferior. As obsessões espirituais não são algo que se deva temer. Se elas aparecem durante uma cura, é porque estão passando pelo processo de encaminhamento no plano astral.

Uma vez que a energia do recinto, da casa ou da pessoa foi purificada, use o Sei-He-Ki para proteção. Além disso, use-o no seu carro e nos animais. Ele também pode ser usado na cura a distância. O símbolo fecha o espaço em torno da pessoa, ou a sua aura, protegendo-a de qualquer forma negativa. Se alguém sofreu uma cirurgia, um trauma físico ou emocional, o Sei-He-Ki pode ser usado para reparar os danos produzidos na aura pelos anestésicos, pela dor ou pelo medo. Às vezes, depois de proteger a aura, costumo usar o Hon-Sha-Ze-Sho-Nen junto com o Sei-He-Ki. Uma entidade pode ser um obsessor kármico, e os símbolos podem purificá-lo totalmente.

Obsessões kármicas são situações, doenças ou energias negativas trazidas de outras vidas com o propósito de serem curadas nesta. Em geral, são sintomas negativos, hábitos ou doenças de vidas passadas; também pode-se incluir nesses sintomas a sensibilidade da pessoa. Às vezes, são fixações que as pessoas carregam de vidas passadas. Uma obsessão kármica não é positiva, e precisa ser resolvida para que a pessoa viva em harmonia. Usar o Hon-Sha-Ze-Sho-Nen numa situação de cura que não pareça ter origem coerente pode acabar com essas obsessões, libertando a pessoa de muito sofrimento e negatividade sem explicação. Nesses casos, é difícil dar um conselho; siga a sua intuição. O Reiki freqüentemente libera essas causas sem que o agente de cura ou receptor notem.

Com tanta atividade por parte dos desencarnados ocorrendo no Reiki II, é necessária a ajuda do plano espiritual superior. Nós não viemos à Terra sozinhos; todos temos um grupo de guias espirituais designados para nos ajudar na cura. A energia da alma humana não é uma única linha isolada, mas uma imensidão de linhas entrelaçadas tal qual uma molécula de DNA. Quando uma pessoa encarna, trata-se apenas de um filamento da cadeia; outro filamento que permanece desencarnado é uma entidade diferente, e pode se tornar o guia de vida pessoal ou o anjo guardião. Cada alma pode encarnar vários seres simultaneamente, embora esses seres raramente se encontrem. Outros espíritos do grupo de encarnações individuais da alma também podem agir como seus guias. Isso é apenas uma explicação parcial de um processo muito complexo.

Cada um de nós tem vários guias espirituais. Todos temos um guia de vida, que fica conosco durante a encarnação. Este, em geral, ajuda-nos a realizar nosso projeto de vida. Um concertista, por exemplo, pode ter como guia alguém que, um dia, foi violinista. O meu guia de vida foi um xamã — Ojibwa. Ele me ajuda a escrever os meus livros. Outro guia, Teresa D'Ávila, diz que foi uma de minhas vidas passadas. Ela cuida do meu corpo e me ensina métodos de cura. Um guia, que chamo de Mãe, é a Deusa Ísis.

Outros guias vêm com um propósito específico e se vão quando o objetivo foi atingido. Alguns permanecem em contato conosco por longo tempo, enquanto outros ficam só por um dia ou uma semana. Alguns guias aparecem em grupo. Durante os últimos anos, tenho trabalhado com um grupo de guias chamado Bharamus; eles me dizem que seu objetivo é ensinar-me a ser feliz. São seis entidades pelo menos; esse grupo é composto por homens e mulheres com vozes e aparências distintas e identificáveis. Alguns arquétipos não são precisamente guias, mas podem ter esse papel. Kwan Yin, Maria e Buda aparecem em minhas curas várias vezes, e se sentem gratos por participar. Eles aparecerão a qualquer um que os invoque.

Os guias espirituais são seres totalmente positivos. Qualquer espírito que o leve a fazer algo contra a sua vontade, ou que você saiba que está errado, não é um guia. Um guia não lhe diz o que fazer; ele só dá uma opinião quando requisitado. Os guias não violam o livre-arbítrio, nem fazem escolhas por você, assim como não intervêm em lições ou em decisões. Eles são fundamentais na supervisão do aprendizado, protegendo, presenteando, ajudando na sua tarefa de vida e em qualquer trabalho que você faça aos outros. Um curador sempre tem guias que o ajudam na cura.

Um guia espiritual ligado ao Reiki é designado a todo curador desde a iniciação no Primeiro Grau. Assim que a energia começa a fluir na cura, os guias do Reiki aparecem. Se necessário, eles tomam parte da sessão. A partir do momento que o curador recebe o Segundo Grau, é difícil ignorá-los. Um único guia é designado no Reiki I, no Segundo e no Terceiro Graus, vários guias são designados. Às vezes, durante as minhas sessões de cura, parece que a sala está cheia de gente. Algumas vezes eu os vejo, outras vezes eu apenas sinto a presença deles. Freqüentemente, a pessoa que recebe a cura pensa que minhas mãos ainda estão sobre ela muito tempo depois de eu as ter tirado. Às vezes as pessoas sentem vários pares de mãos, ainda que só eu mesma esteja fazendo a imposição das mãos.

Freqüentemente, recebo durante a cura informações as quais não tenho um meio lógico de explicar. Quando essas informações aparecem, é porque são importantes para a sessão. Nunca recebi informações erradas e, virtualmente, toda vez que uma mensagem me pareceu "estranha", a pessoa que está recebendo a cura confirmou sua validade. A maior parte da informação psíquica que recebo vem através da clariaudiência — eu ouço palavras —, pois esse é o meu sentido mais desenvolvido; é assim que a informação me é transmitida. É como se alguém que sabe muito mais do que eu ficasse do meu lado, oferecendo o necessário para tornar a cura mais eficaz e, ao mesmo tempo, estimulando a mim e a pessoa que recebe a cura. Quando sinto a presença deles, sei que a cura vai ser bem-sucedida. Durante essas curas, em geral, ocorrem liberações emocionais, resolução de problemas de vidas passadas e afastamento de espíritos obsessores.

Para alguém que nunca trabalhou com guias, o encontro com espíritos obsessores e guias do Reiki pode constituir um processo de conhecimento. É quase inevitável que um agente de cura de Reiki II comece a trabalhar com guias. Se durante uma cura você ouvir uma voz dizendo: "Irradie a cor dourada" ou "Olhe para o chakra do umbigo", com certeza trata-se de um guia. (Uma vez pensei que a voz que eu ouvia fosse proveniente da minha consciência culpada e, então, descobri mais tarde que era a voz de Teresa!) Eles tornam a cura um prazer, algo maravilhoso; a presença deles faz com que aconteçam milagres tanto durante a sessão de Reiki quanto na vida diária. Guias espirituais acrescentam à vida uma outra dimensão, que precisa ser experimentada. Nós não viemos para viver sem ajuda; é através da nossa interação com guias que se rompe o nosso isolamento.

Para começar o trabalho com guias espirituais, primeiro se conscientize deles. Quando você ouvir "aquela voz tranqüila", preste atenção a ela. Quando sentir a participação de outras mãos durante a cura, agradeça a eles. No início de uma sessão Reiki, convide-os — peça que "todos os curadores iluminados e guias que queiram ajudar participem". Quando eles descobrem que você está consciente da presença deles, tentando fazer contato direto, eles começam a ajudar. Quando você começa a reconhecer a presença deles e a agradecer, ela se torna mais evidente. Peça que mostrem como você pode trabalhar mais efetivamente com eles durante a cura. Particularmente durante as meditações, peça que seus objetivos e propósitos permaneçam com você. Algumas pessoas ouvem, como eu, informações; outras sentem a presença deles, enquanto outras ainda recebem impressões visuais — você pode vê-los, bem como as luzes ou cores no recinto. Alguns guias trazem consigo fragrâncias de flores ou incensos.

Faça contato consciente com seus guias durante as meditações. Isso é extremamente fácil e muito gratificante, e exige relaxamento e estado de concentração mais profundos do que é necessário para a cura psíquica. Reserve um tempo em que você não seja perturbado e trabalhe num espaço bem protegido. Acenda luzes e incensos, se quiser — a fragrância de ervas atrai espíritos positivos enquanto a luz das velas oferece um bom foco para a meditação. Desenhe um círculo se você for adepto do Wicca, ou faça a afirmação de que "só energias positivas podem entrar aqui". Proceda, passo a passo, com o exercício de retesar e relaxar os músculos dos pés à cabeça. Depois de ter completado o ciclo, embora já relaxado, repita o processo. Deite-se no chão com os joelhos flexionados, de forma tal que a planta dos pés permaneça em contato com a Terra.[3]

Uma vez completamente relaxado, faça mentalmente a seguinte afirmação: "Estou pronto para encontrar conscientemente o meu guia." Mantenha-se calmo e seja receptivo a tudo o que ocorrer. Ouça atentamente, pois os guias sempre estiveram com você e são tão familiares que você pode não se conscientizar da presença deles se não estiver completamente aberto. Quando fizer contato — o que pode ocorrer através da visão, da audição, do olfato ou do tato — peça informações. Se ouvir um guia e quiser vê-lo, peça isso a ele. Pergunte quem ele é, qual o seu nome e o propósito dele na sua vida. Vários guias podem estar presentes; peça que se apresentem, um de cada vez. Pode levar várias sessões de meditação para encontrar todos.

Quando meditei dessa forma pela primeira vez, seguindo as instruções do livro *Companions in Spirit* (Celestial Arts, 1984), de Laeh Maggie Garfield e Jack Grant, fiquei admirada em saber como era fácil e simples entrar em contato com guias. Três apareceram para mim na primeira noite, todos querendo falar comigo. Ouvi a todos mentalmente e vi um, muito claramente, acompanhado de duas formas brilhantes. Depois da primeira noite, em todas as outras usei meditações noturnas para conversar e aprender mais sobre eles. À medida que me foram relatando seus objetivos, passei a incluí-los na minha vida cada vez mais. Dois ou três guias do início ainda estão comigo. Um reencarnou e um outro só raramente se apresenta. O terceiro é um avô, o xamã, que é o guia da minha vida e, principalmente, me ajuda em meus escritos.

Alguns anos depois, pedi para entrar em contato novamente com meus guias Reiki. Eles formam um grupo, e foram decisivos no que concerne a escrever este livro, guiando-me sempre até o fim. Muitas das minhas perguntas sobre o passado do Reiki foram respondidas por esses guias, bem como minhas perguntas sobre a doutrina Reiki. Quando ensino o Reiki, sinto que são eles que o ministram e realizam as iniciações. Em sessões de cura, eles estão presentes e em atividade. Seus objetivos básicos em trabalhar com curadores são proteger o Reiki e usá-lo para o bem de todos. Eles querem que o Reiki volte a ser universal como antes.

Se você é principiante no trabalho com seres espirituais, recomendo que primeiramente conheça seus próprios guias. Comece com os guias de sua vida; então, faça contato com os outros que forem se apresentando. Faça a meditação para encontrá-los e iniciar o diálogo. Continue até que consiga entender quem são e como operam na sua vida. Com essa compreensão e com algum conhecimento de como os guias pessoais agem, faça a meditação novamente e peça para encontrar os guias do Reiki. Pergunte como você pode aprender a curar com eles e peça esclarecimento sobre qualquer outra dúvida que tenha. Durante as sessões de cura, convide os guias a se juntar a você e seja flexível ao trabalhar com eles. Sua vida e seu trabalho de cura se ampliarão consideravelmente com esse contato. É uma riqueza que não deve ser perdida, uma parte vital do Reiki e do curador em si.

Resta ainda uma coisa a ser examinada neste capítulo sobre o Reiki II — como usar o Reiki para curar a Terra. Nossa Mãe precisa de nós mais do que nunca. Procure transmitir com freqüência a energia Reiki para o planeta. Uma forma de fazer isso é impor as mãos sobre o que quer que represente a Terra. Use qualquer forma de globo terrestre, ou segure em suas mãos uma bolinha. Eu mesma uso um ioiô. Também existem bolas com a representação do planeta. Concentre sua atenção não no brinquedo, mas na cura da Mãe-Terra em si. Ou ponha suas mãos no chão e envie energia e amor diretamente à Terra.

Também é possível fazer isso ministrando a cura a distância. Visualize a Terra como se você estivesse no espaço e transmita a energia Reiki e os símbolos dessa forma. Visualize um país em particular, um lugar onde haja problemas, um grupo de pessoas, ou uma floresta ou mesmo animais em extinção, e transmita a cura a eles. Visualize falhas geológicas, manifestação de furacões, áreas inundadas ou poluídas e envie energia para iluminar e sanar os problemas dessas regiões. É imensa a quantidade de pessoas, animais, plantas e lugares que precisam de proteção, luz, energização, assistência e liberação kármica. Escolha um Deus Terrestre ou um protetor planetário e envie energia de cura e amor a ele. Envie-a também às pessoas que você sabe que estão trabalhando pela paz, pela mudança e pela restauração do planeta.

Como praticante do Reiki II, você faz parte do grupo de curadores da Terra. A habilidade vem acompanhada da responsabilidade. No Reiki I, você desenvolveu a capacidade de curar a si mesmo, e isso vem primeiro. Com o Reiki II, você desenvolve a capacidade cada vez maior de ajudar os outros por meio do processo de liberação e iluminação mental e emocional. O passo seguinte é a cura do planeta — todos somos metáforas do corpo da Terra. Peço que todos os meus alunos Reiki II pensem seriamente no que podem fazer pela Terra, como parte de seu trabalho de cura com o Reiki II.

O capítulo seguinte trata da abertura do sistema elétrico do corpo humano, e é uma ponte entre o Reiki II e o Reiki III. Para os que não pretendem continuar com o Terceiro Grau, o material até este capítulo pode ser suficiente. Para os que desejam continuar com o Reiki III, o material que segue é pré-requisito necessário no meu método de ensino. Espero que mais e mais canais Reiki II avancem e se tornem Mestres em Reiki. Ensinar o Reiki é outra forma de curar as pessoas da Terra.

1. Amy Wallace e Bill Henkin, *The Psychic Healing Book* (Berkeley, CA, The Wingbow Press, 1978), pp. 99-101.

2. Marion Weinstein, *Positive Magic: Occult Self-Help* (Custer, WA, Phoenix Publishing Co., 1981). Ver Capítulo VIII, "Words of Power, The Work of Self-Transformation", pp. 199-254.

3. O processo seguinte está no livro de Laeh Maggie Garfield e Jack Grant, *Companions in Spirit* (Berkeley, CA, Celestial Arts Press, 1984), pp. 38-43.

CAPÍTULO 6

Como Ativar a Kundalini

A partir daqui, meus métodos de ensinar o Reiki deixam de ser tradicionais para serem modernos — embora, na verdade, pouco tenham de modernos. Os exercícios e as informações que se seguem não são usados no método Tradicional, mas tornam possível a explicação do Reiki III não-Tradicional. Ofereço este material como parte do Reiki II, por um lado, porque ele serve de ponte entre as energias do Segundo e Terceiro Graus e, por outro, porque o estudante precisa de algum tempo para trabalhar com ele antes de começar com seriedade o treinamento em Reiki III. As informações e os exercícios também são vitais para compreender como funciona o Reiki, e, enquanto isso só começa a ser foco de interesse no Reiki II, no Terceiro Grau é de fundamental interesse.

O material deste capítulo é muito antigo e origina-se dos ensinamentos do Budismo Sânscrito e Tântrico. Esses ensinamentos já eram antigos no tempo de Jesus, e ele os incorporou, de início, ao Cristianismo. Durante quase dois mil anos, esses ensinamentos têm sido omitidos e esquecidos no Ocidente, e estão sendo reintroduzidos agora, quando alguns dos conhecimentos e das civilizações mais antigas do planeta estão ameaçadas de se extinguir e desaparecer. São métodos conhecidos por vários nomes, em diversos países orientais. Não sei quando ou como esses exercícios foram integrados e se tornaram parte dos ensinamentos avançados sobre o Reiki. Também não sei quem desenvolveu o método de iniciação que uso e quem o usa. Esse material pode, na verdade, ter sido parte original do Reiki. O próprio Mikao Usui parecia versado nos ensinamentos budistas, tendo sido conhecedor dos antigos *Sutras*.

Tomando conhecimento dos canais de energia que permeiam o corpo humano, o agente de cura compreende como o Reiki penetra e flui pelo corpo. Ao trabalhar com o Reiki para harmonizar esses canais, ele aumenta sua capacidade como curador. Aprendendo a controlar o fluxo de energia nos canais, o curador é capaz de transmitir aos outros essa energia. Essa transmissão é o processo de iniciação em Reiki, e os exercícios energéticos contidos neste capítulo preparam o corpo físico para isso. A capacidade de conter e transmitir grandes quantidades de Ki e as técnicas para fazer uso dessa energia é o que constitui a iniciação em Reiki e o que dá origem a um Mestre. Os exercícios deste capítulo dão início a esse processo.

A natureza dessa energia e como ela flui pelo corpo é a natureza da vida em si. A canalizadora Barbara Marciniak, em seu livro iluminador *Bringers of the Dawn* (Bear & Co., 1992), chama a energia da força vital de "Luz" (que, no Japão, é chamada de Ki) e a define como "informação". Ela afirma que o DNA humano, o transmissor de "Luz" ou de Ki ou "informação", um dia se constituiu de doze filamentos, ao passo que hoje se constitui apenas de uma hélice dupla. No estágio de evolução humana atual, estamos aprendendo a usufruir a informação codificada Ki e a nos ligar novamente ao que tínhamos perdido. Lembre-se da citação no último capítulo sobre almas como uma série de filamentos entrelaçados. Creio que o Reiki é uma parte vital do processo de reconexão.

Barbara Marciniak diz:

"É hora de você aceitar os desafios e investigar a história que existe dentro do seu corpo, deixando que os filamentos codificados pela luz se reagrupem, formando novas hélices, e se abrindo para o que essa nova informação no DNA vai lhe trazer...
Os filamentos codificados pela luz são instrumentos de luz, uma parte da luz, uma expressão da luz. Esses filamentos existem como milhões de fibras finas, como linhas dentro de suas células; como filamentos-imagens codificados pela luz, existem também fora do seu corpo. Esses filamentos guardam a geometria da Linguagem da Luz, a qual guarda a história de quem você é...
À medida que o DNA começar a formar novos filamentos, estes viajarão ao longo de um sistema nervoso no corpo que está sendo desenvolvido neste momento, e memórias lhe inundarão a consciência. Você deve trabalhar para desenvolver esse sistema nervoso a fim de atrair luz para o seu corpo...[1]

Esse trabalho energético de reconexão está ocorrendo agora, sobretudo em pessoas conscientes do Ki (ou Luz). Os métodos de abertura e canalização de Ki são muito antigos (Budismo Vajrayana, Hinduísmo, Ch'i Kung), mas estão sendo redescobertos neste momento, tal é a sua necessidade. Sanaya Roman e Duane Packer trabalham com esse processo na série em fita *Awakening Your Light Body*. Ao abrir os canais de Ki ou Luz e ao aprender como a força vital funciona, novas informações começam a fluir. Essa nova informação é o maior potencial para o crescimento humano desde que a Deusa Tântrica Shiva trouxe o Reiki para este planeta.

A força vital (Ki) está sendo ativada através de novas maneiras com métodos antigos, e o veículo de transformação da humanidade é o Reiki (entre vários outros possíveis). Existe um ditado que diz: "Não existe nada de novo sob o Sol." Estamos nos voltando para métodos antigos a fim de nos modernizar. Ligar novamente o DNA humano e exigir nossa herança de Seres de Luz (Luz definida como Ki ou informação) é quase uma metáfora para o Reiki. Devolver o Reiki a todos os que quiserem neste planeta é o mesmo que recuperar o DNA de doze filamentos e o Ki/Luz/Informação que perdemos.

Vários sistemas esotéricos antigos — sistemas de canalização de energia — agora estão sendo revelados pela primeira vez no Ocidente. Pela primeira vez, as regras secretas mitificadoras estão sendo colocadas de lado, à medida que a necessidade de cura dos seres e do planeta se torna urgente. Ensinamentos Wicca, budistas e hinduístas, tanto quanto ensinamentos do Cristianismo primitivo dos Manuscritos do Mar Morto, os métodos de meditação tântrica e da Kundalini, e o Ch'i Kung Oriental estão disponíveis a qualquer um que queira ler e compreender. Com a tradição verbal perdendo-se no mundo moderno, com a preferência que se dá aos livros e à televisão, e com a cultura destruindo suas raízes rapidamente, essa abertura é necessária para a sobrevivência do aprendizado. Também é preciso que os habitantes da Terra se espiritualizem para que dêem valor e sentido à sua vida. Uma outra espiritualização significa a salvação da Terra, a reconexão do DNA e a descoberta de quem realmente somos.

O Reiki tem um papel vital nesse processo. Esse sistema de cura torna a ligar as pessoas com seu Ki Terreno e Celestial (sua ligação com a Terra e com as Estrelas), e desperta capacidades que os humanos já esqueceram há muitos séculos. Descobrir a natureza dessas capacidades, o que são, como e por que existem significa entender a natureza da força vital. Atualmente, os métodos energéticos antigos estão sendo revistos, visando uma nova era, uma nova cultura: são as chaves do Reiki, e este é o veículo que os leva à Terra. Nenhum outro método de trabalho com o sistema de Luz/Informação/Energia ou Ki do corpo humano é tão simples e natural. Outras disciplinas levam anos de estudo e prática, ao passo que o Reiki depende apenas de uma iniciação.

Embora não tenha sido importante saber há centenas de anos como a iniciação e a energia Reiki realmente atuam num corpo, hoje em dia é premente sabê-lo. Quando utilizamos e controlamos os canais de energia do Ki, também tornamos a ligar os filamentos perdidos do DNA, bem como nosso corpo, nossa mente e nosso espírito. Sabendo por que e como, abrimos caminho para mais um aprendizado. Embora parte da beleza e da magia do Reiki esteja na sua simplicidade, a informação (Ki/Luz) deve estar disponível a qualquer pessoa que deseje entendê-lo. Ao escrever este capítulo, farei todo o possível para apresentar a informação como a entendo.

O primeiro conceito é o da circulação do Ki através do corpo. Ki é energia da força vital, chamada Prana na Índia e Ch'i na China. Na Ioga Kundalini (proveniente da Índia), Prana significa "respiração", mas também é definido como "um corpo de energia que atua como o meio transmissor da consciência".[2] Consciência é a força que anima o Ser, sem a qual não pode existir vida. Segundo as tradições iogues, o Prana sempre foi simbolizado pela Deusa-Mãe, chamada Shakti-Kundalini, a qualidade feminina da existência que dá forma à consciência. O estudo do movimento da Shakti-Kundalini através do corpo é chamado Ioga Kundalini, e o uso da respiração para regular o Prana é chamado de Prana Ioga. Tantra Ioga é outro método de se trabalhar com os canais energéticos do Prana/Ki.

Na Ásia, Shakti-Kundalini é o princípio Yin, representado pelo Ch'i Terrestre. No Japão e na China, vigora o conceito de que o movimento do Prana ou do Ki é controlado pela intenção ou força mental. Ensinamentos budistas afirmam que toda a realidade é criada por meio da ação/intenção da Mente sobre o Vazio. O "Ki", no "Reiki", é o Deus da consciência, a energia da força vital, o elo que liga os corpos físico, energético e espiritual. A intenção de ativar o Ki é expressa quando o curador Reiki impõe as mãos para curar — ele liga a energia. Exige-se mais atenção e concentração para fazer a iniciação em Reiki.

O Ki vem do Céu e da Terra e é a força vivificante do Ser. Junto com o Ki Terreno e o Ki Celestial, todas as pessoas nascem com o Ki Original, a força vital presente na concepção. Enquanto o Ki Terreno e o Ki Celestial são levados para o corpo por força exterior, o Ki Original é interno, e está armazenado na região entre o umbigo e o chakra umbilical, na frente dos rins (Porta da Vida), no centro do corpo. Hara é o nome japonês dessa região de armazenamento. É chamada de Triplo Aquecedor na China e de Centro Sacro na Índia.

Tanto na Ásia como na Índia se descrevem os canais por onde o Ki (Prana ou Ch'i) entra e circula através do corpo. Ambos os sistemas começam com um canal central primário, ladeado por um par de canais que ativa a energia em direções opostas. Esses canais acompanham a linha da coluna vertebral através do corpo. Eles se ramificam para formar a "fiação" do sistema elétrico do corpo. Na Índia, descrevem-se os chakras como tendo raízes na linha de tensão do corpo etérico central (Sushumna), e essa linha de energia se repete nos corpos além do duplo etérico. Existe um sistema de chakras em cada um dos corpos: no duplo etérico, assim como nos corpos emocional, mental e espiritual.

Na China, os canais emparelhados são considerados como o tronco central dos meridianos da acupuntura. As ramificações desses canais primários formam as pequenas e as grandes linhas da acupuntura que, na Índia, são chamadas de Nadis. Estes são os canais nervosos do corpo etérico, e eles se manifestam no corpo físico. Ramificando-se além dos Nadis, existe o sistema nervoso central e o sistema nervoso autônomo. Os meridianos ou canais do sistema nervoso chegam ao Seketsu (palavra japonesa), os pontos utilizados em reflexologia nas mãos e nos pés. A rede ramificadora de canais forma a ponte entre o duplo etérico e o corpo físico, tanto quanto o duplo etérico e os corpos com freqüências vibracionais mais altas. Imagine essa rede como uma árvore, a já conhecida Árvore da Vida, símbolo usado por muitas culturas.

Na Índia, os três canais principais são chamados de Kundalini e se localizam no duplo etérico. O grande canal central que corre verticalmente ao longo da coluna vertebral, do chakra da coroa até o da raiz, é chamado de Sushumna. Trata-se da ligação entre as energias Terrena e Universal, e contém carga energética neutra. No nível físico, é formado pela coluna vertebral e pelo sistema nervoso central. No nível do duplo etérico, os chakras se localizam ao longo da linha do Sushumna. O par de canais que movimenta a energia em direções opostas é conhecido na Índia como Ida e Pingala, ou, às vezes, como Shakti e Shiva. Estes se movem num tipo de entrelaçamento ao longo do Sushumna, com as energias cruzando-se nos pontos entre os chakras. Ida é feminino, e flui descendo pela frente do corpo, enquanto Pingala é masculino, e move-se para cima, ao longo da coluna.

Na China, no Japão e em outros países asiáticos, são atribuídos nomes e dada uma ênfase diferente a cada um dos três canais para descrever os mesmos conceitos.

Os Canais da Kundalini e os Chakras[3]

"Ida e Pingala, à medida que sobem da região do cóccix, circulando ao redor do Sushumna, cruzando-se lado a lado entre os chakras... O mesmo padrão de espiral é visto na configuração de hélice dupla da molécula DNA..."

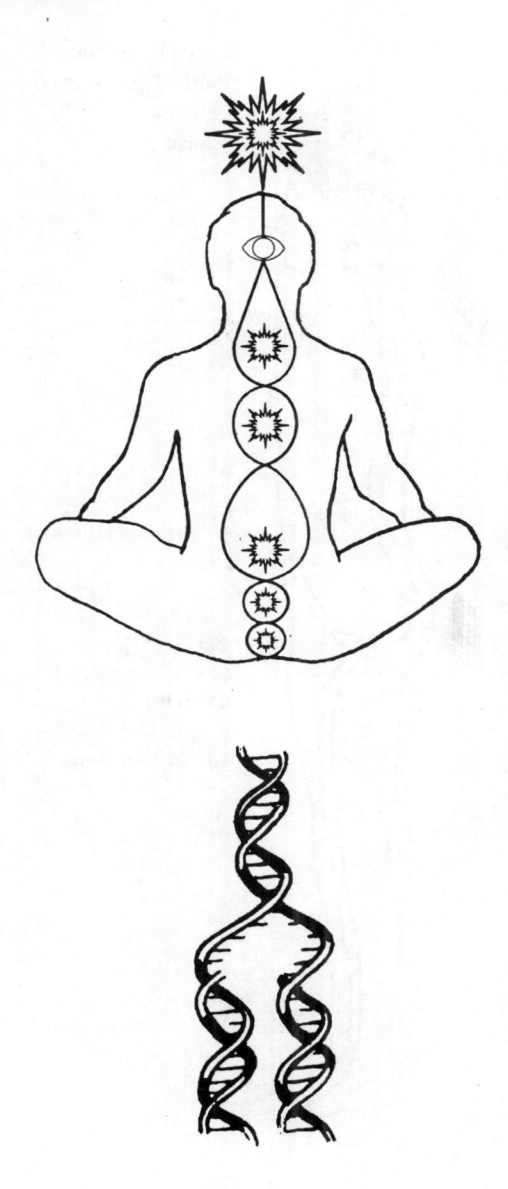

Configuração da hélice dupla da molécula de DNA contendo o código genético da vida.

A Linha do Hara[4]

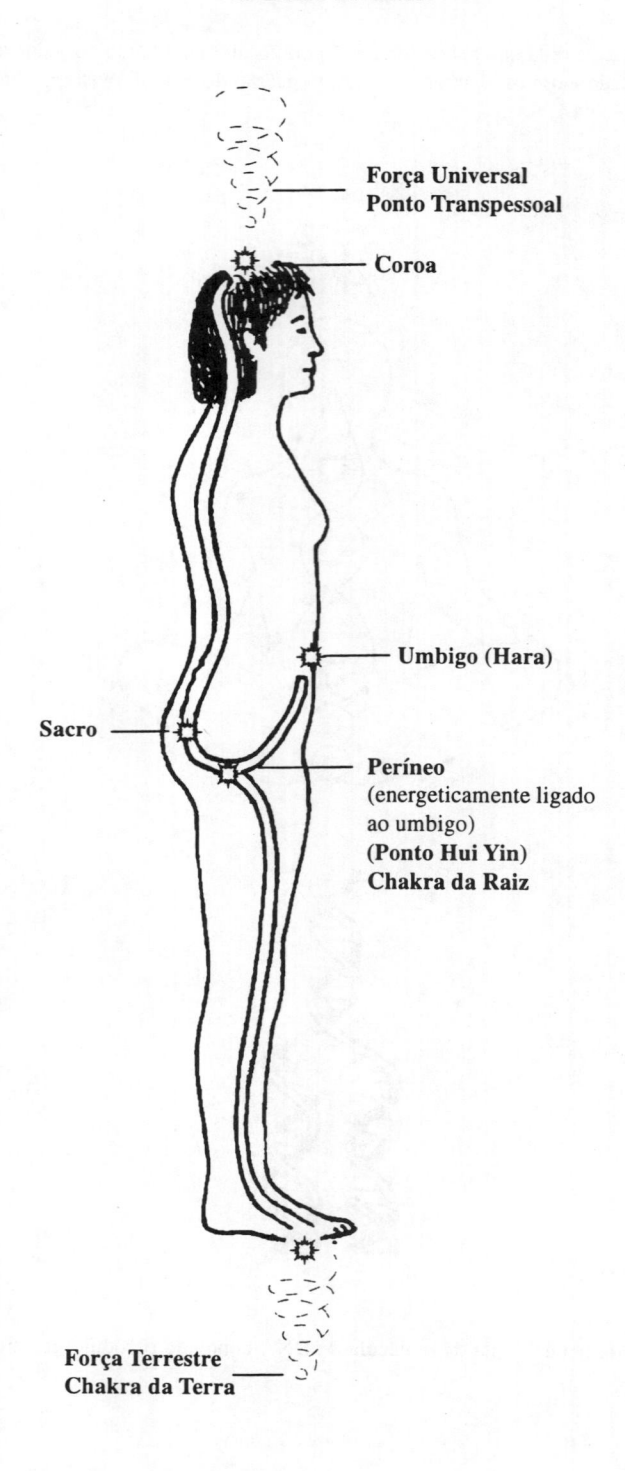

Força Universal
Ponto Transpessoal

Coroa

Umbigo (Hara)

Sacro

Períneo
(energeticamente ligado ao umbigo)
(Ponto Hui Yin)
Chakra da Raiz

Força Terrestre
Chakra da Terra

Circuito do Ki no Corpo[5]
A Órbita Microcósmica
Pequeno Ciclo Celeste

Visão da Frente do Pequeno Ciclo Celeste

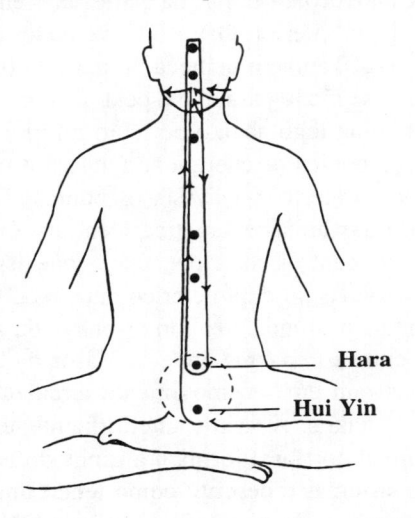

Hara
Hui Yin

Visão do Lado do Pequeno Ciclo Celeste

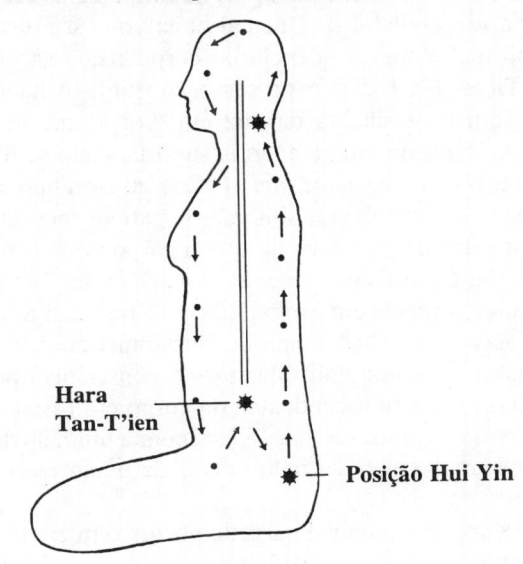

Hara
Tan-T'ien

Posição Hui Yin

O canal central, enfatizado por estar além dos corpos físico e do duplo etérico, é a Linha do Hara no Japão. O par de linhas energéticas que se move lateralmente é chamado de Vaso da Concepção (ou Funcional) e Vaso Governador. Estes são os Grandes Canais Centrais chamados de Ida e Pingala na Índia. O Vaso da Concepção é feminino (Yin) e tem carga energética negativa. Inicia-se no períneo ou ponto Hui Yin (ver adiante) e se move para cima, na parte da frente do corpo, terminando ligeiramente abaixo do lábio inferior. O Vaso Governador é masculino (Yang) e sua carga energética é positiva. Também começa no períneo (entre os órgãos genitais e o ânus, no corpo físico) e se move para cima, pela parte posterior do corpo, ao longo da coluna vertebral. Termina logo abaixo do lábio inferior.

Enquanto na Índia os pontos de energia ao longo dos canais centrais são conhecidos como chakras (duplo etérico), na Ásia os pontos-chave da acupuntura estão mapeados ao longo das duas linhas energéticas centrais. Os chakras não são enfatizados e são considerados centros menores. Creio que isso ocorre porque não se ressalta a existência dos canais no duplo etérico onde os chakras estão, mas, sim, na Linha do Hara, que é mais profunda. Os pontos-chave da acupuntura, na Ásia, correspondem aos pontos entre os chakras onde os Vasos da Concepção e Governador (Ida e Pingala) se encontram em seu movimento circulatório do Ki. Esses pontos também são os "novos" chakras descritos anteriormente, e juntamente com o canal central (Sushumna no nível do Hara) formam a Linha do Hara. O movimento do Ki ou Prana em ambos os sistemas é descrito como tendo um movimento de espiral e uma forma que se assemelha à da molécula da vida, o DNA.

A disciplina que envolve a ativação do Ki ou Prana através desses canais de energia é chamada na Índia de abertura da Kundalini, mas também tem outros nomes na própria Índia e no Tibet. Nos países asiáticos, essa disciplina é chamada de Ch'i Kung (ou Qi Gong). Existem variações na forma de ativar a energia nesses sistemas. Reabastecer a força vital é o principal objetivo dessa disciplina na Ásia; desenvolvimento espiritual e transcendência do corpo físico são os principais objetivos na Índia e no Tibet. Na Índia, o processo constitui-se na movimentação da energia Prânica para cima, do chakra da raiz em direção ao da coroa. No ponto em que Shakti e Shiva se encontram, a energia supostamente se libera e volta pelo caminho por onde subiu. Na Ásia, dá-se tanta ênfase ao caminho descendente quanto ao ascendente, resultando em menos sintomas negativos, normalmente causados pela reação ao excesso de energia, mais do que o corpo pode suportar.

A Kundalini em estado dormente se acha na base da coluna vertebral, enrolada na forma de uma serpente em espiral. Ela é a Kundalini Shakti — o poder consciente. Quando ela acorda, sobe ao longo do Sushumna através dos chakras, para se unir acima do chakra da coroa com Shiva — a consciência pura. Essa união é descrita como um êxtase e é a transcendência do corpo e a fusão da Terra com o Céu. Para os Tântricos, essa é a união com a Deusa, com a unidade de toda a vida. A dualidade do plano terrestre é resolvida pelo êxtase da união com o todo: "Assim na Terra como no Céu."[7]

No Ch'i Kung, o caminho energético ocorre em círculo, não somente para cima, tendo como objetivo usar a força vital para gerar a saúde e a longevidade. O despertar espiritual vem depois. Diz-se que a prática diária da circulação de energia cura qual-

Circuito do Ki no Corpo[6] (continuação)
A Órbita Microcósmica (O Grande Circuito Celeste)

A língua toca o palato duro e completa o circuito dos canais Governador e Funcional

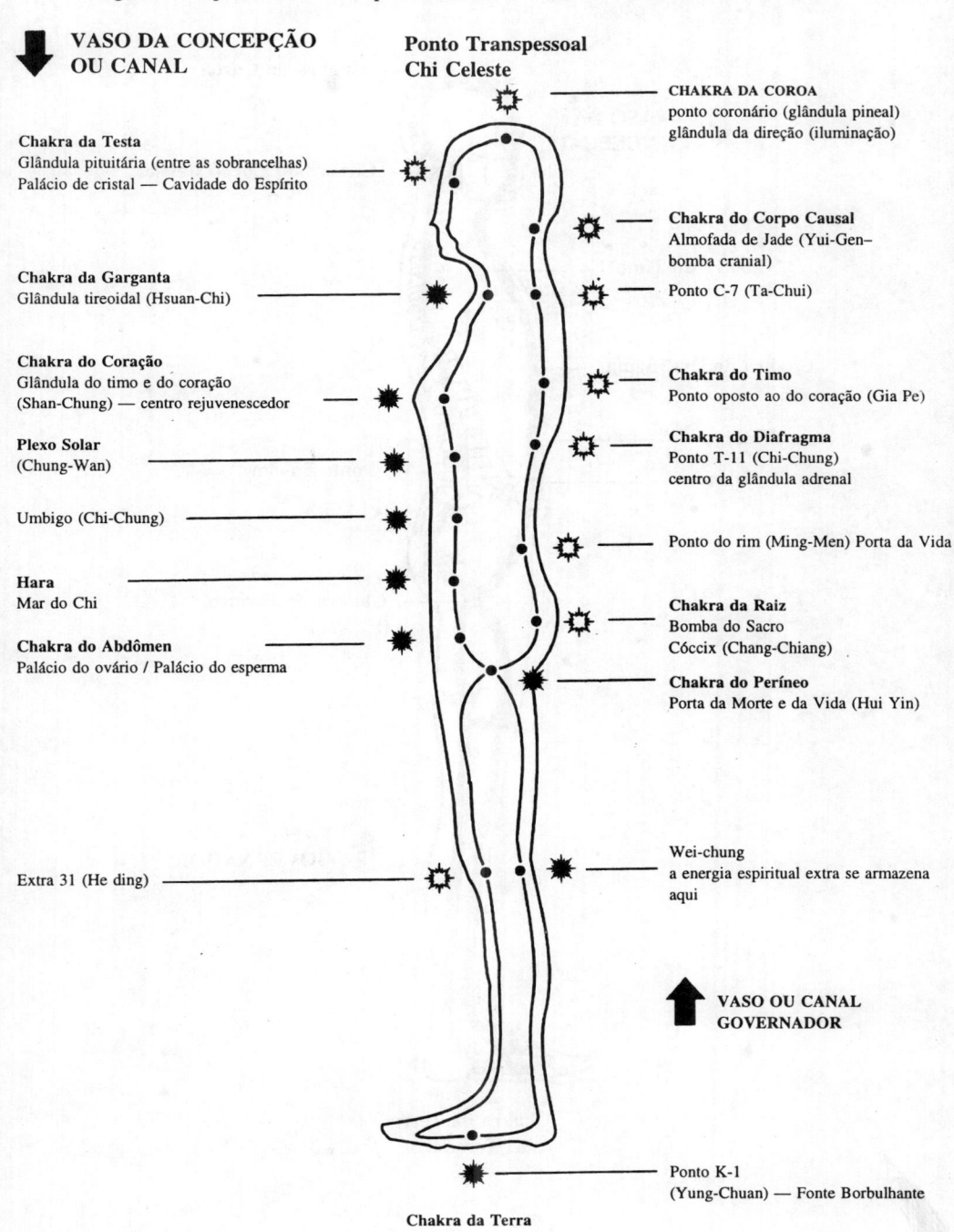

▼ VASO DA CONCEPÇÃO OU CANAL

Ponto Transpessoal Chi Celeste

CHAKRA DA COROA
ponto coronário (glândula pineal)
glândula da direção (iluminação)

Chakra da Testa
Glândula pituitária (entre as sobrancelhas)
Palácio de cristal — Cavidade do Espírito

Chakra do Corpo Causal
Almofada de Jade (Yui-Gen–bomba cranial)

Ponto C-7 (Ta-Chui)

Chakra da Garganta
Glândula tireoidal (Hsuan-Chi)

Chakra do Coração
Glândula do timo e do coração
(Shan-Chung) — centro rejuvenescedor

Chakra do Timo
Ponto oposto ao do coração (Gia Pe)

Plexo Solar
(Chung-Wan)

Chakra do Diafragma
Ponto T-11 (Chi-Chung)
centro da glândula adrenal

Umbigo (Chi-Chung)

Ponto do rim (Ming-Men) Porta da Vida

Hara
Mar do Chi

Chakra da Raiz
Bomba do Sacro
Cóccix (Chang-Chiang)

Chakra do Abdômen
Palácio do ovário / Palácio do esperma

Chakra do Períneo
Porta da Morte e da Vida (Hui Yin)

Extra 31 (He ding)

Wei-chung
a energia espiritual extra se armazena aqui

▲ VASO OU CANAL GOVERNADOR

Ponto K-1
(Yung-Chuan) — Fonte Borbulhante

Chakra da Terra

Fluxo de Energia através da Linha do Hara

Ponto Transpessoal
Chi Celeste

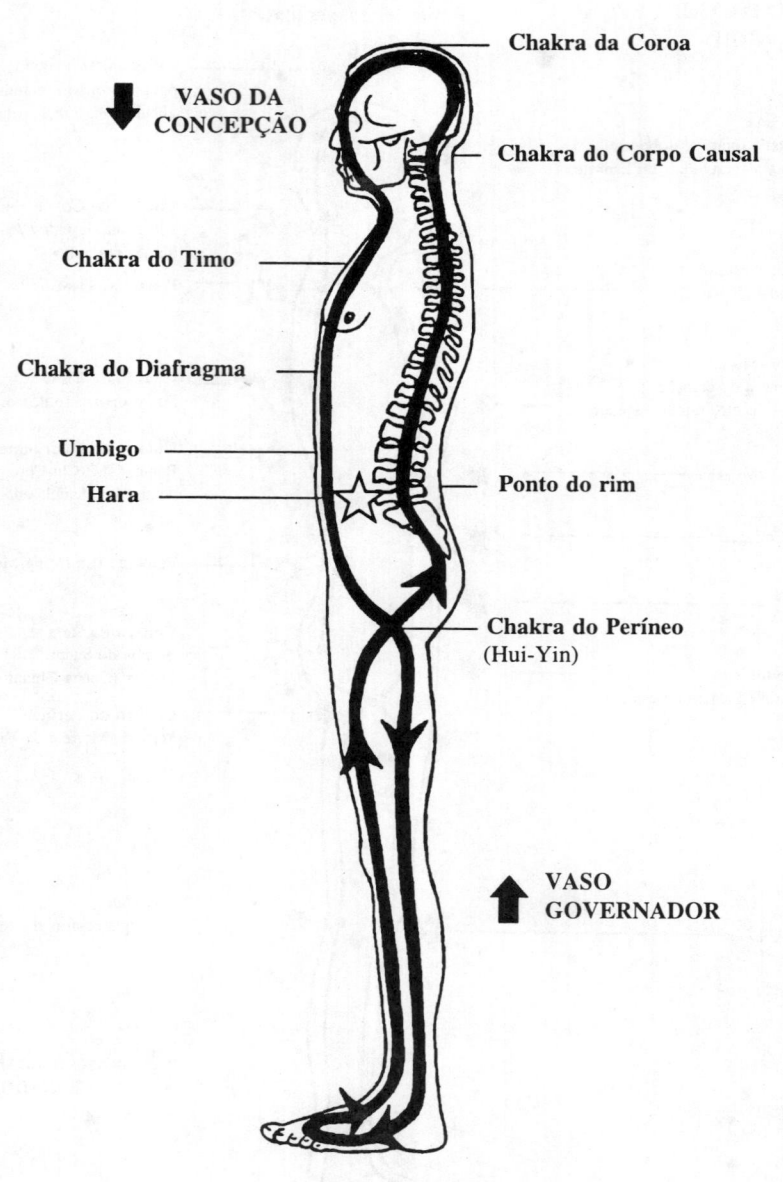

Chakra da Coroa

↓ VASO DA CONCEPÇÃO

Chakra do Corpo Causal

Chakra do Timo

Chakra do Diafragma

Umbigo

Hara

Ponto do rim

Chakra do Períneo
(Hui-Yin)

↑ VASO GOVERNADOR

Chakra da Terra
Ki Terrestre

quer doença do corpo e leva o Ki para quase todos os órgãos. O Ch'i Kung trabalha com os Vasos da Concepção e Governador (Ida e Pingala) em vez do Sushumna central, como é enfatizado na Índia. O caminho circular da energia resulta numa integração final em todas as sessões, em vez de permitir que o fluxo intenso de Ki passe para os chakras superiores. Isso evita o "superaquecimento do cérebro", os problemas emocionais resultantes de experiências alucinatórias, criando uma válvula de escape segura ao se usar o Sushumna. Ao se movimentar a energia através dos dois canais em direções opostas, qualquer excesso de energia é corretamente integrado ou liberado.[8]

O que isso significa em termos de Reiki? O Reiki também trabalha para movimentar o Ki/Ch'i/Prana através do corpo. A energia se move através dos canais primários — a Linha do Hara, Vasos da Concepção e Governador — e, através dos caminhos energéticos ramificados, chega às mãos. A iniciação em Reiki abre e ilumina os três canais primários, tanto quanto os chakras, direcionando e harmonizando o fluxo, e atinge e ilumina a energia no duplo etérico (Sushumna) e nos níveis do Hara. Cada iniciação depois do Reiki I aumenta a capacidade que os canais têm de manter e transmitir o Ki — primeiro na cura e depois de realizar as iniciações. É através da manipulação do Ki, por meio dos Vasos da Concepção e Governador, que uma quantia suficiente de energia elétrica é retida no corpo do Mestre que realiza as iniciações em Reiki. O Reiki é uma disciplina que envolve a energia da Kundalini.

Com o Reiki II, o agente de cura começa a manipular essa energia, aumentando, assim, em seu corpo a capacidade para canalizá-la e segurá-la. Na Índia, no Tibet e no Japão, essa disciplina era apenas uma parte do treinamento dentre todas as práticas Tântricas. Quando o agente de cura do Reiki II se torna experiente com os níveis de energia do Segundo Grau, ele atingiu um bom patamar em sua capacidade de trabalho, usando essa energia. Consciente ou não, seus canais de energia estão abertos e fluindo enquanto cura; uma grande quantidade de Ki flui através dela. Entretanto, quando o curador atinge o nível de energia no Reiki III, ele deve se tornar consciente do processo, bem como aprender a transmitir essa energia segundo a sua vontade. Esse é o objetivo do exercício do Ki — aumentar a capacidade do corpo de armazenar essa energia e tornar o processo consciente. Mais tarde, no Reiki III, o ato da mente e a intenção também devem ser ativados.

Primeiramente, é necessário que haja consciência do padrão da energia fluindo, o que o Ch'i Kung chama de a Órbita Microcósmica. Essa é a base de todo o trabalho energético em Ch'i Kung, e falarei brevemente sobre ela. Escolhi exercícios de Ch'i Kung em vez de Ioga da Kundalini porque o circuito completo de energia usado no Ch'i Kung evita problemas de sobrecarga elétrica, e esses exercícios são muito mais seguros de fazer sem supervisão. Eles geram rapidamente muita energia, sem que a pessoa sinta mal-estar ou corra algum perigo. Técnicas de Kundalini Tântrica também são muito parecidas com os exercícios oferecidos aqui.

Para o trabalho sério com a Órbita Microcósmica, recomendo dois livros: de Mantak Chia, *Awaken Healing Energy Through the Tao** (Aurora Press, 1983), e de

---

* *A Energia Curativa Através do Tao*, publicado pela Editora Pensamento, São Paulo, 1987.

Mantak e Maneewan Chia, *Awaken Healing Light of the Tao* (Healing Tao Books, 1993). Minhas informações sobre o Ch'i Kung provêm desses livros. A Órbita Microcósmica conecta os canais, o Vaso da Concepção e o Governador, formando um circuito de energia completo pelo corpo. Isso é feito através de dois movimentos, e ambos são vitais para o Reiki III. O primeiro liga os canais localizados embaixo (no chakra da raiz) por meio da posição Hui Yin, fechando-se o períneo. O segundo movimento liga os canais na parte superior do corpo, e isso é feito colocando-se a língua no céu da boca, atrás dos dentes. Esses movimentos são analisados logo adiante, neste capítulo.

O caminho do movimento da energia na Órbita Microcósmica é a base e o princípio para os exercícios do Ki no Reiki. Estes são feitos em estado de meditação, como na cura a distância, mas com a energia concentrada interiormente. Comece voltando sua atenção para o umbigo ou Hara.[9] Quando o aquecimento (Ki) começar, desloque-o mentalmente em direção ao períneo (Hui Yin, chakra da raiz), atrás dos genitais e, então, para cima, ao longo da coluna vertebral. Pare um momento na altura dos rins (Ming-Men), então, suba com a energia do Ki vagarosamente até o topo da cabeça (glândula pineal e chakra da coroa). Siga o fluxo de energia, não force. Conserve essa energia no chakra da coroa por até dez minutos, então, faça com que desça em direção à testa (pituitária, terceiro olho). Faça a energia fluir pela frente do corpo até o umbigo/Hara novamente; conserve-a nessa região até que a sensação de calor se concentre inteiramente; depois, repita o circuito até se aproximar do chakra da raiz. Faça isso diversas vezes. Com prática, aumente o número de Órbitas percorridas por sessão para 36.

Quando se sentir à vontade nesse exercício, passe a fazer a ligação com as pernas e com a Terra.[10] Do umbigo, dirija o fluxo de energia para o Hui Yin (raiz); então, dividindo-o em dois canais, envie o Ki pela parte de trás das coxas até a parte de trás dos joelhos. Daí, a energia flui para baixo, ao longo da parte posterior das pernas até a planta dos pés. O ponto K1 (Yung-Chuan), na planta de ambos os pés, é onde estão localizados os chakras nessa região. Esse ponto é chamado de Fonte Borbulhante, e é a ligação elétrica do corpo com a energia da Terra. Quando a planta dos pés se aquecerem, faça a energia fluir para os dedões e, então, para a parte superior dos pés e para os joelhos, extraindo a energia da Terra. Continue a elevar a energia interiormente pela parte de fora das coxas e de volta para o Hui Yin, atrás dos órgãos genitais.

Faça o fluxo de energia voltar pela coluna vertebral e ramificar-se novamente para os braços quando chegar ao ponto central entre os ombros. Transmita o Ki pela parte interna dos braços até o centro das palmas, o local de onde o Reiki flui durante a cura. Concentre-se na sensação; então, siga com o fluxo ao longo do dedo médio e volte com a energia pela parte externa dos braços. Quando chegar aos ombros, volte ao circuito principal e faça essa energia subir pela coluna e pelo pescoço rumo ao chakra da coroa novamente. Continue com o circuito de energia ao longo do canal central, voltando ao Hara.

Quando terminar o circuito de energia, complete a meditação da Órbita Microcósmica, integrando a energia. Isso é extremamente importante e deve ser feito ao final de todas as sessões, independentemente de você ter realizado um ou muitos circuitos. Com a energia estacionada no ponto inicial e final do Hara, coloque o punho rapidamente sobre a região do umbigo. Realize movimentos giratórios, com um diâmetro de no máximo quinze centímetros. As mulheres realizam o movimento no sentido anti-horário, 36 vezes, e, então, 24 vezes, no sentido horário. Os homens fazem o movimento 36 vezes no sentido horário, e 24 vezes no sentido anti-horário. Isso integra e concentra a energia, prevenindo a sobrecarga elétrica e o mal-estar.[11]

A Órbita Microcósmica descrita acima é a base para os dois exercícios do Ki que se seguem. Esses exercícios me foram ensinados como parte do Reiki II em 1989. Naquele tempo, eu não tinha o conhecimento de sua origem ou da Órbita Microcósmica, e fiquei contente por achá-los durante minhas pesquisas para este livro. Esses exercícios do Ki são conhecidos tanto na Ioga Kundalini quanto no Ch'i Kung, e são tratados como práticas muito importantes por ambas as disciplinas. Provavelmente, foram levados da Índia e do Tibet para a China e Ásia.

A razão de se fazer esses exercícios é aumentar a capacidade do corpo para receber e canalizar o Ki. Exige-se uma quantidade muito maior de energia para realizar iniciações em Reiki, e esses exercícios são uma preparação para isso. Se você não estiver planejando receber treinamento em Reiki III, pode deixar de lado esse ponto — mas espero que a maioria dos estudantes do Reiki II avance até o Reiki III. Esses exercícios também ajudam no desenvolvimento da espiritualidade, por tornarem as pessoas mais saudáveis.

Uma observação final, antes de iniciar os exercícios, envolve o caráter sagrado do corpo. Embora muitas disciplinas metafísicas trabalhem para transcender o físico, é importante se concientizar de que o corpo é mágico e sagrado. Os budistas acreditam que o karma só será resolvido quando estivermos encarnados, e o Reiki certamente só pode ser usado no corpo. Nesta era em que civilizações se reestruturam para dar origem a um planeta melhor, existem muitas coisas na Terra que prejudicam o corpo, a mente e o espírito. Muitas dessas coisas são inevitáveis — não temos escolha a não ser beber água contaminada, inspirar ar poluído e comer alimentos com agrotóxicos, já que é disso que dispomos.

Entretanto, temos controle sobre outras coisas. Muitos curadores acreditam, assim como eu, que um fumante ou quem usa drogas nunca poderão ser canais completamente claros para o Reiki, assim como alguém que abusa de bebidas alcoólicas. Nunca realize sessões de cura nem faça iniciações sob a influência do álcool ou de drogas. Esses estados convidam constantemente entidades negativas a estarem presentes na cura. Eles são inteiramente negativos para o agente de cura. Nunca realize sessões de cura nem faça iniciações quando estiver com raiva, ou não se sentir bem. Se deseja parar de fumar ou eliminar os vícios do álcool ou de drogas, o Reiki e a Órbita Microcósmica são instrumentos eficazes de autocura. Lembre-se de que, como um praticante do Reiki, você é um canal sagrado para a energia da força vital da Deusa Universo.

Primeiro Exercício

Comece num estado de meditação e inicie a Órbita Microcósmica. Sinta e visualize o Ki como energia do fogo (Raku), movimentando-a do Hara (umbigo) para o Hui Yin (períneo), e daí para cima, ao longo da coluna, até o chakra da coroa. Leve a energia para baixo, pela frente do corpo, até o Hara novamente. Desse ponto em diante, os exercícios diferem para homens e mulheres. Não visualize os símbolos do Reiki durante este exercício.

Para Mulheres:

Comece com o chakra da raiz fechado, a posição Hui Yin, que será examinada no próximo exercício. Para usá-la neste exercício, comece sentando-se no chão com o calcanhar de um dos pés pressionando a vagina e o clitóris. A pressão deve ser firme e contínua, o que também pode ser conseguido com um pequeno travesseiro entre as pernas, uma bola de tênis ou mesmo um cristal grande.[12] Coloque a língua no céu da boca atrás dos dentes. Essa posição é fundamental na maioria dos exercícios de Ioga Kundalini e Ch'i Kung, inclusive na Órbita Microcósmica. O uso do travesseiro ou almofada é uma técnica zen (Budismo Japonês). Você pode sentir calor ou mesmo chegar ao orgasmo em virtude dessa pressão.

Em seguida, levante as mãos, esfregue uma contra a outra para ativar o fluxo da energia Reiki até que elas se aqueçam.[13]

Cubra e pressione com a palma das mãos aquecidas os seios nus e comece a massageá-los descrevendo círculos para cima e para fora. Faça isso dezoito vezes sem estimular o bico dos seios, e conscientize-se do fluxo do Ki na direção da vagina, das glândulas pineal e pituitária (os chakras da raiz, da coroa e o terceiro olho). A rotação para cima chama-se dispersão.

Termine com os dedos tocando ligeiramente o bico dos seios e faça a energia fluir dos seios, da vagina, do chakra da coroa, do terceiro olho em direção ao chakra do coração. Repita o grupo de dezoito movimentos giratórios de massagem de duas a quatro vezes, fazendo o Ki fluir para o chakra do coração depois de cada ciclo.

Depois, faça os movimentos giratórios na direção oposta, movendo-se para dentro e para baixo. Concentre a energia nos mamilos e faça-a fluir para a coluna dorsal na altura dos seios; a seguir, dirija-a à região dos rins. Faça de dois a quatro movimentos giratórios. Esse tipo de movimento realizado para dentro é chamado de inversão.

Mova as mãos dos seios para a parte posterior do corpo, na altura dos rins. Massageie delicadamente essa área de nove a dezoito vezes; então, pare. Faça esses movimentos circulares de duas a quatro vezes, descansando ao final de cada série. Sinta o aquecimento na área dos rins.

Mova as mãos novamente, desta vez massageando o baixo-ventre, dos ovários até a virilha. Massageie a região do fígado e do pâncreas, abaixo das costelas flutuantes, à direita, e o baço do lado esquerdo. Faça movimentos para fora e para dentro, 36 vezes em cada posição. Massageie a seguir a área vaginal para concentrar a energia. Faça uma pausa e sinta o Ki se expandir.

Coloque a mão direita sobre a vagina e a esquerda sobre o centro do coração, e dirija a sensação resultante do amor universal para o coração. Absorva a energia da Terra e continue com a Órbita Microcósmica, terminando por concentrar a energia no Hara.

Isso completa o primeiro exercício para mulheres.

Exercícios de Ki para Mulheres[14]
Primeiro Exercício

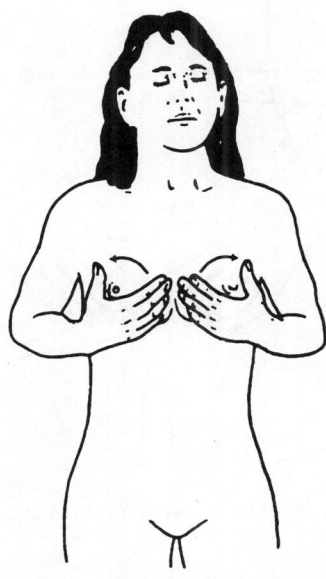

Massageie os seios para dentro, para cima e para fora.

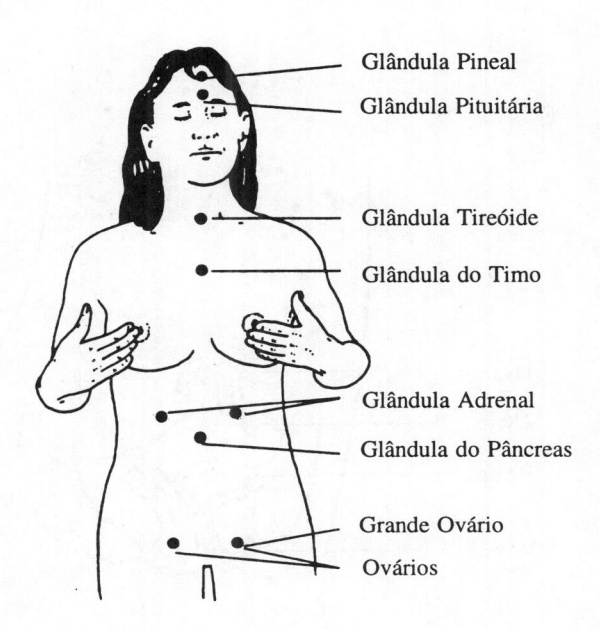

- Glândula Pineal
- Glândula Pituitária
- Glândula Tireóide
- Glândula do Timo
- Glândula Adrenal
- Glândula do Pâncreas
- Grande Ovário
- Ovários

Toque os mamilos e faça a energia fluir para o coração

151

Exercícios de Ki para Mulheres[15]
Primeiro Exercício (continuação)

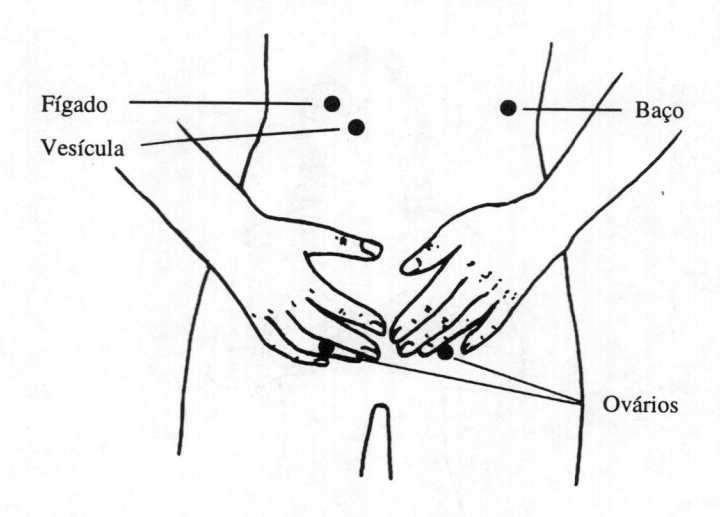

Fígado
Vesícula
Baço
Ovários

Massageie a virilha e a cintura.

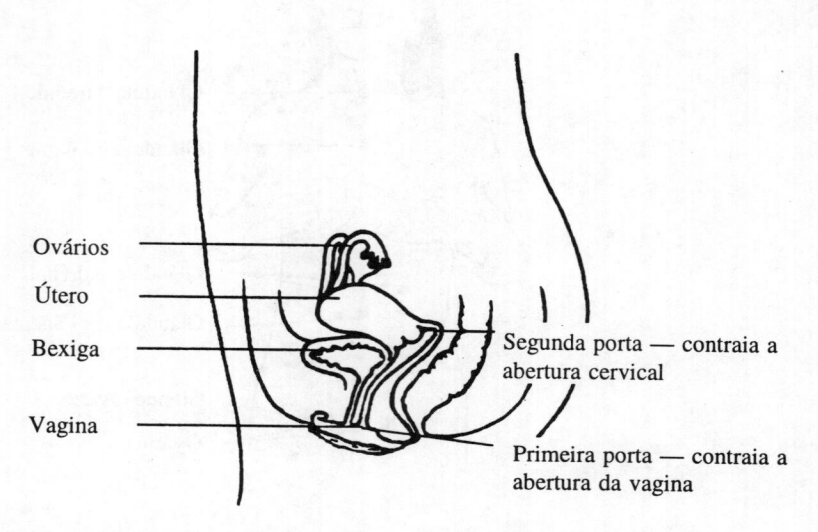

Ovários
Útero
Bexiga
Vagina

Segunda porta — contraia a abertura cervical

Primeira porta — contraia a abertura da vagina

A posição Hui Yin — Porta da Vida e da Morte para Mulheres.

Os benefícios desse exercício vão além da expansão dos canais da Kundalini. A maioria das disciplinas espirituais trabalha de alguma forma para dirigir a energia sexual ao chakra da coroa — a energia sexual é o Ki Original, e sua perda diminui a vitalidade, bem como a saúde e o período de vida. Essa energia é perdida através da ovulação, da menstruação e do ato sexual. O exercício acima recicla essa energia, gerando um aumento do Ki Original para o benefício do corpo, da mente e do espírito. Combinando a energia sexual com a energia do coração, desenvolve-se a compaixão, que traz a sensação de bem-estar, prazer e paz.

Os movimentos giratórios sobre os seios servem para equilibrar nas mulheres o processo hormonal, às vezes com resultados surpreendentes. Os movimentos giratórios podem causar o desaparecimento dos sintomas da menopausa, com a explicação de que "o sangue retrocede". Mulheres com nódulos nos seios acham que os movimentos giratórios podem reduzir ou eliminar esses nódulos. Fazendo apenas os movimentos giratórios, pode-se provocar a diminuição do tamanho dos seios. Faça os movimentos na direção inversa para aumentar o tamanho dos seios, mas evite-os se tiver nódulos nos seios ou se estiver passando pela menopausa. Para a maioria das mulheres, fazer movimentos giratórios em ambos os sentidos (o mesmo número de vezes em cada direção), equilibra os hormônios sem alterar o tamanho dos seios.

Outro resultado possível desses exercícios diários é o fato de o sangue "retroceder". Para algumas mulheres, os níveis de estrógeno podem diminuir o suficiente para interromper o ciclo menstrual. De acordo com a filosofia esotérica, esses exercícios são considerados positivos e significam que o Ki sexual foi reciclado e dirigido ao chakra da coroa. Esses, provavelmente, não são usados como anticoncepcionais e, se a menstruação foi interrompida por gravidez, pare com os exercícios ou faça um número menor de movimentos giratórios (menos de 100 por dia). *Esses exercícios não têm efeitos colaterais indesejáveis.* Eles param o relógio biológico e aumentam a criatividade e a atividade mental.

Esses exercícios podem ser feitos duas vezes ao dia, de manhã e à noite. Faça no mínimo 36 movimentos giratórios e, no máximo, 360 por sessão. Comece com um número menor e aumente aos poucos.

Para Homens:

Comece os exercícios estando nu, de preferência, concentrado na sua meditação, com a Órbita Microcósmica. Não visualize os símbolos do Reiki ou do Raku (energia do fogo) enquanto faz os exercícios, pois eles causam mal-estar e estimulam em excesso. Se isso ocorrer, devolva o excesso de energia à Terra e use a Órbita Microcósmica, terminando em espirais a fim de levar o Ki até o Hara. A posição Hui Yin e o modo como ligar os Vasos da Concepção e Governador serão examinados neste capítulo mais à frente. Leia o primeiro exercício para mulheres antes de começar.

Inicie o exercício aumentando o nível de energia nas mãos: friccione-as uma contra a outra rapidamente ou dê início ao fluxo do Reiki.[16]

Quando suas mãos estiverem quentes, massageie delicadamente os rins, de nove a dezoito vezes. Pare e atente para a sensação de calor. Usando o poder da mente,

Exercícios de Ki para Homens[17]
Primeiro Exercício

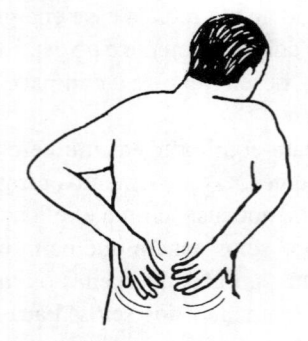

Massageie os rins.

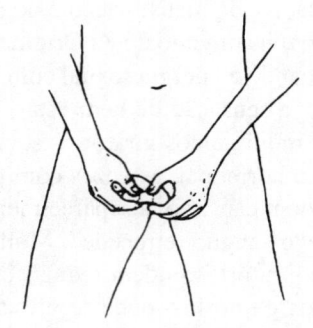

Massageie os testículos.

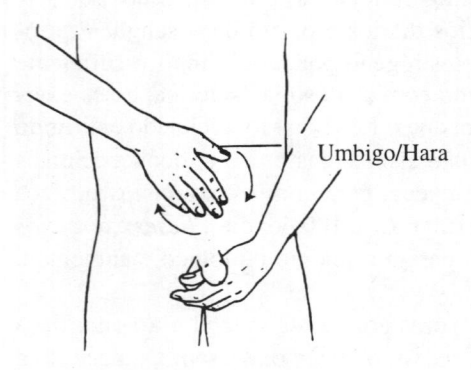

Umbigo/Hara

Segure os testículos com a mão esquerda
e com a direita massageie o
abdômen no sentido horário.

Entrada da parte
frontal —
ponta do pênis

Hui Yin (Períneo)

Segunda
entrada —
diafragma
urogenital

Localização da posição Hui Yin para homens.

inspire em direção aos rins e expire em direção ao K1 (planta dos pés). Repita isso de duas a quatro vezes. Conscientize-se da ligação energética entre os rins e os órgãos genitais.

Aumente o nível de energia das mãos novamente. Segure os testículos delicadamente com a mão direita em forma de concha sem apertá-los. Massageie-os de 18 a 36 vezes. Pare e sinta o Ki acumular-se nos testículos.

Segure-os com a palma da mão esquerda e coloque a mão direita sobre o Hara. Pressionando levemente, massageie o umbigo com a mão direita no sentido horário de 36 a 81 vezes.

Troque as mãos e repita o procedimento, primeiramente elevando o nível de energia nas mãos. Massageie o Hara no sentido anti-horário, de 36 a 81 vezes. Dessa vez, segure os testículos com a mão direita em forma de concha.

Cubra os órgãos genitais com as mãos. Sinta os órgãos estimulados e contraia os músculos para concentrar a energia. Pare e sinta a energia se expandir.

Com a mão direita sobre os testículos, coloque a esquerda sobre o centro do coração. Dirija a energia universal do amor ao coração.

Continue com a Órbita Microcósmica, voltando com a energia ao Hara e terminando o exercício com as espirais finais.

São vários os objetivos deste exercício. O primeiro é aumentar a compaixão, ligando os órgãos genitais ao coração. O segundo maior benefício está em reciclar a energia sexual ou Ki Original para ter saúde e vida mais longa. Os órgãos sexuais também se fortalecem. Problemas relacionados com a próstata, com a ejaculação precoce e com outras dificuldades sexuais também podem ser aliviados. A circulação plena de energia ao longo da Órbita Microcósmica cura todos os órgãos e equilibra possíveis bloqueios energéticos em qualquer região do corpo. A consciência espiritual se eleva, e a mente, o corpo e o espírito se unificam. Esse exercício também promove um estado elevado de paz interior, de segurança e de bem-estar. Estimula a criatividade, a atenção e o desenvolvimento espiritual.

Segundo Exercício — a Posição Hui Yin

A posição Hui Yin liga os Vasos da Concepção e Governador nas partes inferior e superior do corpo. Sem essa posição, o Ki se movimenta através dos canais em direções opostas, para dentro e para fora num fluxo em linha reta. A contração do Hui Yin permite que o Ki se movimente num circuito completo através do corpo, e é a força propulsora para o movimento de energia ao longo da Órbita Microcósmica. A Órbita não se completa e o Ki não é ativado sem essa posição. Essa também é a forma pela qual o Ki é levado, através do corpo do Mestre Reiki, para transmitir iniciações segundo o método de iniciação que ensino. Os exercícios do Ki não são usados no processo iniciático para o Reiki Tradicional.

Ao realizar as iniciações em Reiki, a posição Hui Yin é uma das maiores diferenças entre o Reiki Tradicional e o não-Tradicional. Nas iniciações Tradicionais, quatro iniciações devem ser passadas a cada aluno do Primeiro Grau e uma no Segundo Grau. Com a contração do Hui Yin, e o método que ativa a Linha do Hara, somente uma iniciação combinada é exigida para cada grau. O Reiki III envolve uma única iniciação para ambos os métodos.

Embora ambos os processos iniciáticos funcionem, creio que a ativação da Linha do Hara, para fazer a iniciação, é mais eficaz. Muitos de meus alunos, que receberam as iniciações de ambas as formas, comentaram isso, e eu sinto isso em mim mesma. Também a forma de fazer quatro iniciações limita seriamente o número de alunos por classe, aumentando significativamente a duração de tempo. Para tornar o Reiki acessível ao maior número de pessoas ou para ensiná-lo em eventos dirigidos ao público feminino, onde se reúnem grupos numerosos de mulheres, quanto menos iniciações melhor.

A terceira razão para se optar pelo método mais recente está na sua simplicidade. Existem quatro iniciações para se aprender o Reiki I Tradicional, uma outra para o Reiki II e ainda outra para o Reiki III. Segundo o meu método, só uma iniciação combinada é necessária nos três graus, e todas são idênticas. A necessidade de aprender a posição Hui Yin para qualquer um que planeje prosseguir com o Reiki III é fundamental. Não sei quem desenvolveu o método de fazer as iniciações que uso, ou quem o desenvolveu utilizando-se dos exercícios de Ch'i Kung. Até o momento, o Reiki tem sido uma tradição verbal.

A posição Hui Yin é outro exemplo da transformação da energia sexual em espiritualidade e da ativação e conservação do Ki Original. Trata-se de uma característica básica da Ioga Kundalini, da Ioga Pranayama, da Ioga Tantra e do Ch'i Kung, e já vi discussões sobre esses assuntos em vários livros. Contraindo-se o períneo, os Vasos da Concepção e Governador são ligados na parte inferior do corpo. Isso resulta num fechamento temporário do chakra da raiz ou do equivalente na Linha do Hara. Em vez de o Ki deixar o corpo pelos pés, ele se desloca para cima e a energia sexual é levada para o chakra da coroa.

Na Ioga Kundalini, essa posição é conhecida como Fechadura ou Fechamento do Chakra da Raiz. A postura de pressionar a vagina chama-se Siddhasana, a postura do sucesso, como descrevo no primeiro exercício do Ki. É considerada como a melhor posição de meditação para o desenvolvimento espiritual.[18] Faz-se essa pressão colocando o calcanhar (uma almofada ou outro objeto) contra a vagina, o ânus, ou contra o períneo entre eles. O fechamento do Hui Yin (ponto períneo) traz o Ki Terrestre para cima em direção ao Hara e, ao mesmo tempo, atrai o Ki Celestial também para o Hara. Quando as duas energias se encontram, elas geram calor, que se desloca para a base da coluna (cóccix, chakra da raiz), liberando a energia da Kundalini.[19]

O segundo exercício ensina a aluna a entrar em contato com o Hui Yin sem pressioná-lo externamente, fechando o períneo através da contração muscular. Essa posição (Hui Yin) é necessária para que a Mestra Reiki faça as iniciações, enquanto se movimenta em torno da aluna. A posição é absolutamente necessária para que se faça a iniciação pelo método não-Tradicional que eu ensino. Entretanto, se a Mestra Reiki tiver alguma deficiência que não permita que ela faça uso dessa posição, os guias do Reiki interferem para que as iniciações sejam feitas corretamente.

Como Localizar a Posição Hui Yin[20]

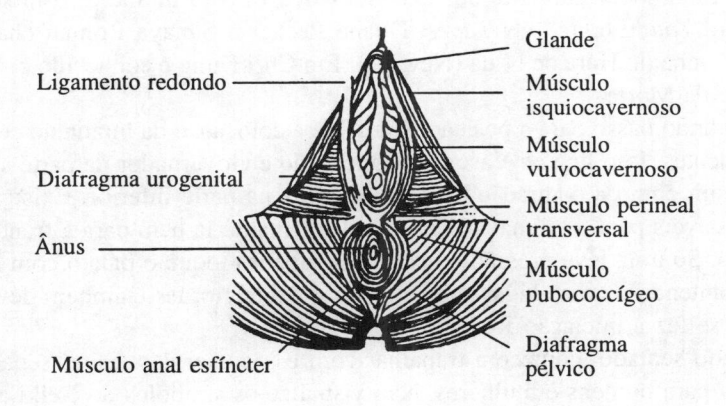

Ligamento redondo
Diafragma urogenital
Ânus
Músculo anal esfíncter
Glande
Músculo isquiocavernoso
Músculo vulvocavernoso
Músculo perineal transversal
Músculo pubococcígeo
Diafragma pélvico

Músculo do períneo (mulheres)

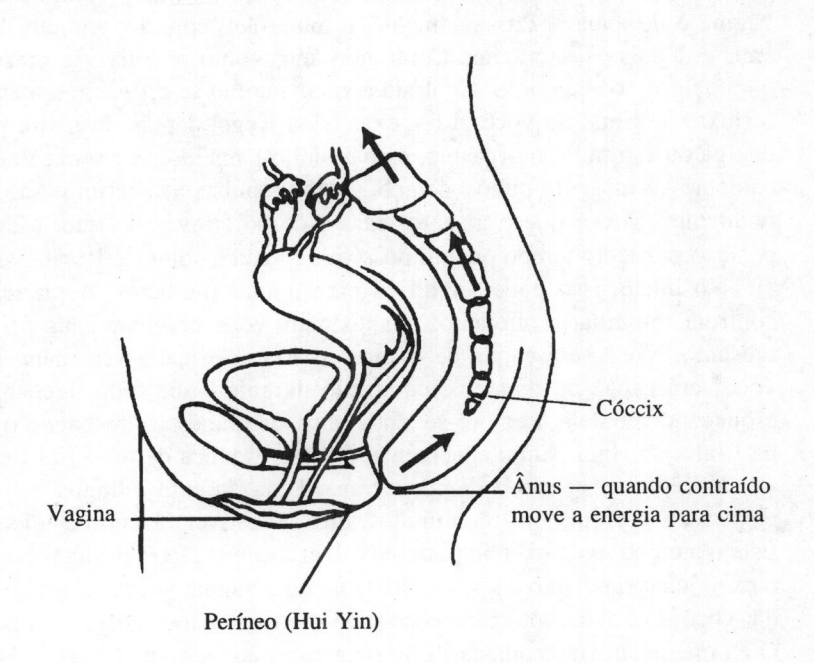

Cóccix
Ânus — quando contraído move a energia para cima
Vagina
Períneo (Hui Yin)

A Porta da Vida e da Morte para mulheres

Primeiro, conscientize-se dos músculos envolvidos. Eles estão entre os genitais e o ânus, tanto nas mulheres quanto nos homens, e correspondem ao ponto de acupuntura como VC-1 (primeiro ponto do Vaso da Concepção). Eles são o local onde é feita a incisão durante o parto e dos exercícios Kegel para mulheres. A contração do Hui Yin também faz parte dos exercícios Kegel para mulheres. Em seus vídeos *Awakening Your Light Body Tapes*, Duane Packer e Sanaya Roman chamam esse ponto na Linha do Hara de N'ua (New-ya). Em Ch'i Kung é conhecido como a Porta da Vida e da Morte.

O segundo passo para a posição Hui Yin é a colocação da língua no céu da boca, atrás do dentes. Isso liga os Vasos da Concepção e Governador na parte superior do corpo, assim como a contração do períneo o faz na parte inferior. Existem três posições possíveis para a língua; a mais simples é mantê-la bem para a frente (Posição do Vento). Só uma leve pressão é necessária: apenas toque o palato com a ponta da língua, mantendo-a nesse lugar enquanto faz o exercício. Isso também deve ser feito enquanto se faz a iniciação Reiki.

Estando sentado, comece a trabalhar com essas energias. Darei separadamente instruções para homens e mulheres. Não visualize os símbolos do Reiki ao fazer os exercícios dessa vez; espere pelo processo iniciático no Reiki III.

Para Mulheres:

Enquanto estiver sentada numa cadeira ou no chão, contraia os músculos da vagina e do ânus.[21] Provavelmente, é mais fácil contrair primeiro os músculos do ânus e depois os da vagina. Contraia o ânus como se estivesse pressionando o reto para dentro do seu corpo. Contraia a vagina como se estivesse tentando interromper o fluxo da urina. Se você já fez exercícios Kegel depois do parto, para controlar a bexiga ou estimular o orgasmo, esse é muito parecido. A contração ocorre anatomicamente no músculo pubococcígeo. Quando ambas as aberturas são contraídas corretamente, parece que o ar entra para o corpo através do reto. Mantenha-se nessa posição por tanto tempo quanto possível, e, então, solte-se. Repita isso várias vezes.

No início, isso pode ser difícil para muitas mulheres. A prática desenvolve o controle muscular; entretanto, quanto mais você praticar, mais forte se tornará o músculo. Você será capaz de manter a contração cada vez mais. Posteriormente, você será capaz de manter a contração durante o dia todo, fechando a posição e esquecendo-se dela. Lembre-se, entretanto, de que estará fechando o chakra da raiz, na Linha do Hara, simultaneamente. Não se esqueça de relaxá-la freqüentemente.

Você deve ser capaz de conservar o Hui Yin com a língua no céu da boca e a respiração por dois ou três minutos, quando estiver fazendo a iniciação em Reiki. Este é o objetivo do exercício: desenvolver a contração muscular necessária. Comece o exercício prendendo a respiração. Quando a vagina estiver completamente contraída, você sentirá a contração do colo do útero, fechando mais uma porta de energia. O Ki imediatamente começa a fluir para cima, ao longo da Linha do Hara, e a energia não pode mais se movimentar para baixo e sair do corpo pelos pés e órgãos internos. A ligação é feita com a energia da Terra, que é absorvida para cima em direção ao Hara.

Contração do Hui Yin[22]

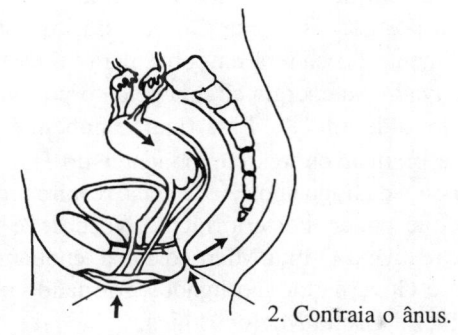

1. Contraia a vagina.
2. Contraia o ânus.
3. Contraia toda a área pélvica, mantendo-a esticada.
4. Sinta a energia subir do cóccix pela coluna.

Posição Hui Yin da Língua[23]

A ponta da língua toca o palato duro.

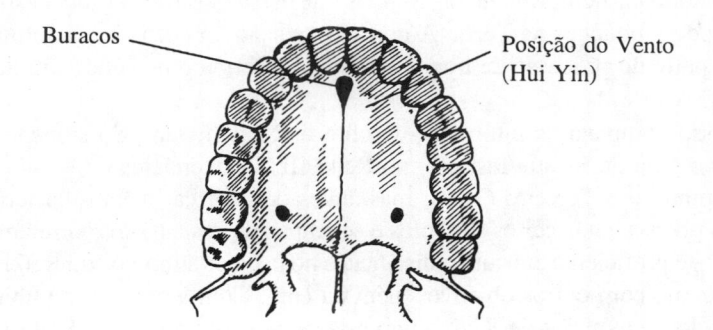

Buracos

Posição do Vento (Hui Yin)

Em seguida, enquanto a posição Hui Yin é mantida na base do corpo, coloque a língua no céu da boca, atrás dos dentes, no palato duro. Agora, o circuito de energia está fechado e os Vasos da Concepção e Governador são ligados em ambos os extremos. Você sentirá a Órbita Microcósmica se iniciar quase que imediatamente; o Hui Yin e a posição da língua são necessários para se executar a Órbita. Agora, o Ki se movimenta do chakra da coroa para baixo, tanto quanto da Terra para cima. O Hara é ativado e a energia circula pelo corpo, fazendo-se sentir como se o circuito tivesse a forma de um "8". Essa figura também é o símbolo egípcio do infinito.

Procure praticar os três componentes do Hui Yin. Contraia a vagina e o ânus, coloque a ponta da língua no céu da boca, respire profundamente e prenda a respiração o máximo que puder. Posteriormente, você deve fazer isso em pé. Sem prender a respiração, realize a Órbita Microcósmica, enquanto os dois extremos dos Vasos da Concepção e Governador são ligados, formando um ciclo de energia. Essa posição torna possível a Órbita Microcósmica.

Para Homens:
Este exercício é feito da mesma forma que nas mulheres; porém, agora, só o ânus é contraído.[24] Pressione os músculos para cima e para dentro. As duas portas, nos homens, se localizam na ponta do pênis e na abertura da uretra, na base. Esses são os lugares por onde o Ki sexual se esvai do corpo.

Leia o exercício para mulheres e faça da mesma forma.

Homens e mulheres devem praticar ambos os exercícios duas vezes ao dia, pela manhã e à noite. Quanto mais você se familiarizar com a Órbita Microcósmica, melhor.

À medida que você pratica esse exercício por períodos mais prolongados, uma sensação de total bem-estar torna-se parte da sua vida diária, e vários problemas físicos e emocionais são eliminados. A prática desse exercício libera endorfinas no cérebro, dando origem a uma "elevação" natural. O segundo exercício é exigido para fazer a iniciação Reiki, mas o primeiro remove bloqueios energéticos, e os dois aumentam o nível de alerta espiritual e desenvolvem a conexão corpo-mente-espírito. Isso é particularmente verdadeiro para os homens. Tanto para os homens quanto para as mulheres, o primeiro exercício de Ki pode ser importante para curar dificuldades na reprodução e desequilíbrios hormonais.

Saúdo particularmente os homens que estão desenvolvendo a espiritualidade nesta era de mudanças na Terra. A conscientização começa com a autocura nos homens e faz parte do processo de transformação da Terra como sendo um lugar melhor para todos os seres.

Isso completa as informações sobre o Reiki II, faltando somente as informações sobre o grau de Mestre/Instrutor no Reiki III. Os exercícios de Ki são uma ponte entre o Segundo e o Terceiro Graus; mas, antes de começar a trabalhar com o Reiki III, o aluno precisa conhecer os símbolos e ser capaz de desenhá-los corretamente. Ele precisa tornar-se proficiente em cura a distância e no uso dos símbolos do Reiki II na cura direta, bem como com outros objetivos além da cura. Com a prática da Órbita Microcósmica e dos dois exercícios de Ki, o aluno está pronto para receber o Reiki III.

1. Barbara Marciniak e Tera Thomas, orgs., *Bringers of the Dawn: Teachings from the Pleiadians* (Santa Fé, NM, Bear & Company Publishing, 1992), pp. 62-63.
2. Earlyne Chaney e William L. Messick, *Kundalini and the Third Eye* (Upland, CA, Astara, Inc., 1980), p. 23.
3. Ajit Mookerjee, *Kundalini: The Arousal of the Inner Energy* (Rochester, VT, Destiny Books, 1991) p. 21.
4. Mantak e Maneewan Chia, *Awaken Healing Light of the Tao* (Huntington, NY, Healing Tao Books, 1993), p. 114.
5. Dr. Stephen T. Chang, *The Tao of Sexology, The Book of Infinite Wisdom* (São Francisco, CA, Tao Publishing, 1986), pp. 182-183.
6. Mantak e Maneewan Chia, *Awaken Healing Light of the Tao* (Huntington, NY, Healing Tao Books, 1993), p. 170.
7. Ajit Mookerjee, *Kundalini: The Arousal of the Inner Energy* (Rochester, VT, Destiny Books, 1991) pp. 10-12.
8. Mantak Chia, *Awakening Healing Energy Through the Tao* (Santa Fé, NM, Aurora Press, 1983), pp. 6-7. [*A Energia Curativa através do Tao*, publicado pela Editora Pensamento, São Paulo, 1987.]
9. O seguinte processo é de Mantak Chia, *Awaken Healing Energy Through the Tao*, pp. 73-74. Também in Dr. Stephen T. Chang, *The Tao of Sexology, The Book of Infinite Wisdom* (São Francisco, CA, Tao Publishing, 1986), pp. 181-186.
10. Mantak Chia, *Awaken Healing Energy Through the Tao*, pp. 60-61.
11. *Ibid.*, p. 59.
12. Essa posição está descrita em: Earlyne Chaney e William L. Messick, *Kundalini and the Third Eye*, pp. 32-35.
13. O restante desse exercício é de: Mantak e Maneewan Chia, *Awaken Healing Light of the Tao*, pp. 382-389, e do Dr. Stephen Chang, *The Tao of Sexology*, pp. 103-107. Aprendi esse exercício em 1989, como parte do treinamento em Reiki II.
14. Mantak Chia, *Awaken Healing Energy Through the Tao* (Huntington, NY, Healing Tao Books, 1993), pp. 383-384. Nota: Aprendi esse exercício como parte do treinamento em Reiki II, em 1989.
15. *Ibid*, p. 385.
16. Mantak e Maneewan Chia, *Awaken Healing Light of the Tao*, pp. 385-389 e Dr. Stephen Chang, *The Tao of Sexology*, pp. 72-76.
17. Mantak e Maneewan Chia, *Awaken Healing Energy Through the Tao* (Huntington, NY, Healing Tao Books, 1993), pp. 386-388.
18. Ajit Mookerjee, *Kundalini: The Arousal of the Inner Energy*, p. 20.
19. Earlyne Chaney e William L. Messick, *Kundalini and the Third Eye*, pp. 32-33.
20. Mantak Chia, *Awaken Healing Energy Through the Tao* (Huntington, NY, Healing Tao Books, 1993), pp. 113-117.
21. Dr. Stephen T. Chang, *The Tao of Sexology*, pp. 105-106. Já vi esse exercício em várias fontes diferentes.
22. Mantak e Maneewan Chia, *Awaken Healing Light of the Tao*, pp. 195, 289 e 291.
23. Mantak e Maneewan Chia, *Awaken Healing Light of the Tao*, pp. 147 e 227.
24. Dr. Stephen T. Chang, *The Tao of Sexology*, pp. 73-76.

REIKI III
O Terceiro Grau

CAPÍTULO 7

Os Símbolos do Terceiro Grau

O Terceiro Grau do Reiki é a parte mais interessante deste fantástico sistema de cura. Esse é o grau de Mestre, em que se aprende como transmitir o Reiki aos outros. Alguns instrutores dividem esse grau em duas partes: Reiki III para Praticante e Reiki III para Mestre/Instrutor. O ensinamento em Reiki III para Praticante inclui os exercícios de Ki citados no último capítulo, bem como os símbolos do Reiki III e seu uso na cura. Alguns instrutores chamam esse grau de Reiki II avançado. (Instrutores Tradicionais não usam, de modo algum, os exercícios de Ki.) O grau Mestre/Instrutor inclui informações sobre como realizar iniciações e ensinar o sistema Reiki. No meu método de ensino incluo no Reiki III os dois: a cura e a instrução.

Discute-se muito, em círculos de Reiki Tradicional e moderno, sobre quem deve receber o Terceiro Grau. No Reiki Tradicional, o grau de Mestre só deve ser conferido àquelas pessoas que se dispõem a dedicar sua vida ao Reiki. O candidato é avaliado cuidadosamente durante vários anos, período entre o treinamento em Reiki II e o III. Não é permitido que o estudante solicite o Reiki III, mas esse grau deve ser oferecido a ele por um Mestre iniciado. Poucos alunos são aceitos para a instrução. Os instrutores de Reiki que usam os métodos modernos ensinam o Terceiro Grau a preços muito mais baixos e com muito menos restrições.

A taxa para treinamento de Mestre em Reiki Tradicional, nos Estados Unidos, é de US$ 10.000 e, no Canadá e na Inglaterra, é de US$ 15.000. Não existem bolsas de estudo a preços reduzidos para o Reiki III, ou mesmo para os graus I e II. Exige-se que o aluno estude com o Mestre pelo menos durante um ano. Uma vez que ele comece a ensinar, isso deve ser feito na presença do Mestre por certo tempo, e durante esse período o Mestre recebe as taxas cobradas. A ele é permitido ensinar só o Reiki I e, posteriormente, o Reiki II. Pode levar até vários anos antes que o novo instrutor seja capaz de ensinar por si próprio.

Pouco antes e depois da morte da sra. Takata, durante certo tempo, pensava-se que só a Grã-Mestra pudesse iniciar no Reiki III. Suas alunas, embora também fossem iniciadas no Reiki III, só podiam ensinar o Reiki I e II. Algumas curadoras formadas pelo método Tradicional me disseram que as próprias instrutoras não sabiam que podiam iniciar Mestres. Quando as instrutoras compreenderam que também podiam iniciar Mestres/Instrutores, várias Reiki III começaram a ser treinadas. Hawayo Takata iniciou 23 alunos de Reiki III durante os últimos dez anos de sua vida (1970-1980). Há poucos anos, havia um total de 250 Mestres em Reiki Tradicional nos Estados Unidos e cerca de 750 pelo mundo. Provavelmente, existem muito mais agora.

Alguns iniciados em Reiki III, treinados tradicionalmente, começaram a questionar o custo e a exclusividade, e os instrutores começaram a baixar suas taxas. Alguns também começaram a revisar e a modernizar os métodos de ensino. O resultado é que existem hoje mais Mestres, e novos métodos de Reiki estão sendo desenvolvidos. Meu próprio treinamento em Reiki II e Reiki III foi transmitido por esses métodos e instrutores. Esses Mestres estão descobrindo que o Reiki traz prosperidade e benefícios a baixos preços, e que a multiplicação de Mestres também beneficia o Reiki. Parece que há pouco ou nenhum diálogo entre as organizações Tradicionais e os Mestres/Instrutores modernos.

De acordo com Phyllis Furumoto, numa entrevista concedida a William Rand, Mikao Usui ensinou o Reiki muito informalmente, sem dividi-lo em graus. Chujiro Hayashi desenvolveu os métodos para o ensinamento Tradicional, e Hawayo Takata valeu-se do sistema de pagamento usado nos Estados Unidos. A Aliança Reiki estabeleceu muito mais regras depois da morte da sra. Takata.[1] A sra. Furumoto, neta de Takata, foi nomeada Grã-Mestra da Aliança Reiki, mesmo não tendo nenhum conhecimento de novas técnicas do Reiki, de símbolos ou de iniciação, e nenhuma autoridade sobre outros praticantes.[2] Além disso:

> Parece, freqüentemente, que muitos Mestres e praticantes do Reiki são demasiado sensíveis a fatos como linhagem, certificados e filiação à organização "certa". O importante é você saber que está ligado ao Reiki de alguma forma. Se você sabe disso, nada mais importa.[3]

Os símbolos do Reiki também foram mencionados na entrevista, e a sra. Furumoto reconheceu a diferença atual que existe entre os símbolos do Reiki de vários Mestres. Ela disse que os símbolos do Reiki não têm de ser desenhados da mesma forma por todos os Mestres e praticantes; eles têm apenas de ser reconhecíveis. Ao usar os símbolos, o importante é a sua intenção. Ela comparou as variações com as diferenças de caligrafia na escrita das pessoas; não existem duas pessoas com uma mesma caligrafia. Entretanto, quase todos podem entender a caligrafia de outras pessoas, embora sejam diferentes.

Nas minhas aulas, quando alunos vêm até mim com símbolos ligeiramente modificados, mostro-lhes os meus e digo para usarem os que lhes pareçam mais apropriados. Já vi quatro versões para o Hon-Sha-Ze-Sho-Nen e há várias opções para os símbolos de Mestre em Reiki. Todas as versões funcionam de modo eficaz e apropriado. O mesmo ocorre com relação aos métodos de ensino do Reiki. O sistema Tradicional deve ser considerado por ter trazido o Reiki para o Ocidente, conservando-lhe as características.

Métodos de ensino modernos também dão sua contribuição. Eles ajudam a adaptar o Reiki a uma época e a uma cultura muito diferente da dos que o desenvolveram. Lembre-se de que esse sistema de cura provavelmente foi desenvolvido na Índia e no Tibet, alcançando a China com o Budismo e, então, espalhou-se pelo resto da Ásia, indo para os Estados Unidos depois de passar pelo Japão. As fórmulas escritas são anteriores à época cristã, pelo menos por mil anos. Elas têm pelo menos três milênios. Esse sistema pode ter chegado à Terra vindo de outros planetas. O Reiki passou por um longo processo de adaptação e mudanças durante milhares de anos.

Alguns instrutores e praticantes treinados conforme a tradição, embora nem todos, se recusam a aceitar outros métodos além dos seus próprios. Eles não dão valor ao treinamento de Reiki I, proposto pelos métodos modernos, dos estudantes que os procuram com vista aos estágios seguintes. Eles até mesmo recusam a participação de curadores treinados em outros métodos em seus encontros. Alguns dos meus alunos de Reiki III foram ameaçados por essas pessoas quando anunciaram seus trabalhos. Alunos não-Tradicionais podem ouvir que "eles não conhecem realmente o Reiki", ou que "aprenderam de forma errada". Se o desenho moderno de certos símbolos não é idêntico às versões de Mestres Tradicionais, os alunos ouvem de algumas pessoas que "esses não são os símbolos do Reiki e não vão funcionar". Nada disso é verdade. Essas atitudes certamente vão contra qualquer ética de cura e certamente também "não são Reiki".

O fato é que a iniciação em Reiki é simples e pode transformar um principiante num curador qualificado em apenas uma sessão. O mundo precisa muito de curadores, e quanto mais curadores melhor para o planeta. Todos sofrem muito nesta época de mudanças para a Terra. Para novamente tornar o Reiki universal, como ele foi um dia, são necessários muito mais instrutores em todos os seus métodos. É imoral manter exclusivo, nestes tempos, qualquer método de cura, e nenhum método é "melhor" ou "mais Reiki" do que qualquer outro.

Na minha opinião, o treinamento para Mestre em Reiki não pode ser limitado apenas às pessoas que podem dedicar sua vida ao Reiki. O mundo não funciona mais dessa forma. Poucas pessoas podem passar anos sendo treinadas, ou gastar US$10.000 para receber o treinamento. Depender do Reiki para a própria sobrevivência também não é apropriado para a maioria das pessoas. Nos meus ensinamentos, ofereço o Reiki III a qualquer pessoa íntegra que o queira receber e tenha completado os outros dois graus. Para uma pessoa dedicada e com talentos excepcionais para a cura, em geral, não cobro nem mesmo preços baixos. Cerca da metade, talvez mais, de meus alunos não paga. Isso é válido para os três graus.

Da forma como ensino, obedeço a uma ética para cada um dos três graus. A ética simples do Reiki I e II é a de fazer a cura tanto direta quanto a distância somente para as pessoas que a queiram, e nunca violar o livre-arbítrio. No Reiki III, a ética é financeira. O Reiki traz prosperidade, vida longa e bem-estar a todos. Estes não são valores que podem ser comprados ou vendidos. Embora o instrutor e o curador tenham o direito de ganhar a vida com seu trabalho, eles também têm a obrigação de tornar a cura acessível. Atualmente, quando dou aulas particulares, cobro US$ 75 para ensinar o Reiki I, US$ 100 para o Reiki II e US$ 300 para o Reiki III. Quando ensino grupos maiores, durante um final de semana inteiro, cobro uma porcentagem de arrecadação, que resulta num custo bem abaixo do treinamento particular. Não cobro o trabalho de cura, mas qualquer um tem direito de ganhar a vida com esse trabalho. Peço aos meus alunos que não cobrem muito e ofereçam bolsas de estudo quando necessário.

Quando comecei a ensinar, passei por um período de três semanas tentando conservar o Reiki para mim mesma, querendo ganhar dinheiro e achando que o *status* de Mestra significava mais do que a simples responsabilidade de ensinar. Fiquei decepcionada comigo mesma por pensar dessa forma, mas não havia como negar a realidade. Sempre desejei o Reiki III com o propósito de ensinar o maior número possível de pessoas, a baixos custos, mas pude permitir que essa falta de perspectiva continuasse. Depois de algumas semanas de reflexão, essas idéias desapareceram. Ainda assim, tenho visto outros instrutores modernos, com intenções positivas, deixar de lado seus objetivos logo que começam a ensinar. Digo isso agora para alertar os meus alunos de que esse processo egocêntrico pode ocorrer também com eles. Seja persistente, e lembre-se do motivo pelo qual se tornou Mestre em Reiki.

Do mesmo modo que no Reiki II, ofereço aos meus alunos do Reiki III informações completas (em forma de apostila), para que estudem em casa. Espero que alunos sérios façam o trabalho e sintam que, embora eu os ensine, eles devem aprender por si próprios. Torno o Reiki III acessível em cursos de fins de semana, para os três graus, e raramente recuso alunos. Nem todos os meus alunos de Reiki III se transformam em instrutores sérios, mas a maioria é. Eles desenvolvem a capacidade de ensinar, e farão isso quando estiverem prontos. Peço aos meus estudantes de Reiki III que ensinem com seriedade, e mesmo aqueles que dizem que não pretendem ensinar, em geral terminam ensinando. Eles podem não dar aulas, mas acabam ensinando seus familiares, ou aqueles que precisam dessa energia. Isso é muito diferente do método Tradicional de escolher um estudante de Reiki III, mas sinto que funciona nos dias de hoje.

Quando ensino o Reiki II, digo aos meus alunos que sinceramente espero que prossigam com o Reiki III. Eu só peço que façam isso se estiverem preparados para curar a si próprios, aos outros (incluindo os animais) e ao planeta. Eu não limito meus ensinamentos; aceito todos os alunos que couberem na classe. O aluno é quem determina se está pronto para o Reiki e em que grau. Se ele vem para aprender, já deu o primeiro passo. Não faço questão de um intervalo de tempo determinado entre os graus.

Ao dar aulas sábado e domingo, ofereço o Reiki I, II, III — um processo cansativo para todos, inclusive para mim. No Reiki I, digo aos alunos que decidam por si se podem agüentar mais um dia de aula. Se eles se sentem sobrecarregados pela energia ou pelo excesso de informação (freqüentemente isso não acontece no Reiki I), é melhor esperar para obter o Reiki II. Se eles se sentem prontos, são bem-vindos para continuar. Com o Reiki II, sou mais cautelosa; alerto-os sobre o processo de modificação emocional, que pode levar até seis meses após a iniciação. Pessoas com problemas emocionais podem preferir esperar.

Se um aluno nunca teve experiência com a cura, e recebe o Reiki I num dia e o II em outro, peço-lhe que deixe para receber o Reiki III posteriormente. Se o aluno é um curador experiente, ou um médium sem treinamento em Reiki I, ou mesmo um médium que recebeu recentemente esse treinamento, então deixo que ele escolha. A maioria das pessoas está bem consciente de suas limitações. É melhor fazer entre as iniciações uma pausa de pelo menos alguns meses, mas a disponibilidade dos Mestres, em geral, não permite isso. O aluno saberá decidir se está pronto ou não, e eu respeito e aceito suas decisões. Quando parto de uma cidade depois de um curso de Reiki de fim de semana, deixo para trás várias pessoas prontas para ensinar dentro de poucos meses.

Os ensinamentos em Reiki III começam com a introdução de mais dois símbolos. Ambos são utilizados durante as iniciações, mas só um é usado na cura. Os ensinamentos em Reiki III visam a iniciação, e os símbolos fazem parte desse processo. Os dois símbolos do Terceiro Grau são o Dai-Ko-Myo e o Raku. O Dai-Ko-Myo é usado na cura, e é também o símbolo que transmite a iniciação. O Raku é usado apenas durante as iniciações, e em nenhuma outra ocasião. Não era utilizado pela sra. Takata. O Dai-Ko-Myo é o único que tem duas versões muito diferentes: uma é usada no Reiki Tradicional e a outra no Reiki moderno. Nos meus ensinamentos, prefiro o símbolo moderno, embora não tenha nenhuma idéia de sua origem.

Dai-Ko-Myo
Versão Tradicional.

Quando comecei minha busca pelo Reiki III, uma conhecida mandou-me pelo correio o símbolo do Dai-Ko-Myo Tradicional, e eu o usei durante meu primeiro ano como instrutora. O símbolo Tradicional me foi mostrado com grandes variações, mas com os traços fundamentais bem definidos. A. J. Mackenzie Clay desenha uma versão no seu livro: *One Step Forward for Reiki* (New Dimensions, 1992). Depois

Dai-Ko-Myo
Versão Tradicional com flechas mostrando como desenhar.

170

Dai-Ko-Myo
Variações.

Símbolo do Mestre Tibetano (esquerda) e Símbolo do Mestre Reiki Sunyata (direita).

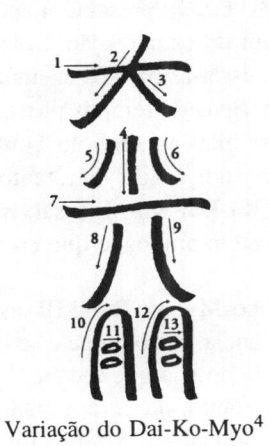

Variação do Dai-Ko-Myo[4]

de eu estar ensinando há algum tempo, minha instrutora de Reiki II, com quem eu havia aprendido a maior parte das informações sobre como ensinar, me perguntou qual Dai-Ko-Myo eu estava usando. Quando lhe enviei uma cópia dele, pediu-me para tentar um outro. Fiquei relutante porque a versão que eu usava funcionava, mas concordei em tentar o novo símbolo. Assim que o experimentei resolvi adotá-lo, e nunca mais voltei a usar a versão Tradicional, a não ser para efeito de comparação.

O novo símbolo não requereu memorização — foi como se eu já o conhecesse — e meu primeiro pensamento ao vê-lo foi: "Claro, é a espiral da Deusa." Ao usá-lo nas iniciações, descobri que é muito mais eficaz e flui mais facilmente que o Dai-Ko-Myo original. Quando utilizei esses símbolos nos alunos, pedi que os comparassem, e todos gostaram mais da nova versão. Esse símbolo lhes pareceu mais claro, mais simples e eficaz, como o foi para mim. Depois de trabalhar com esse símbolo por uns tempos, e alterná-lo com o Tradicional, resolvi utilizar a versão moderna.

Dai-Ko-Myo Não-Tradicional

Em sessões de canalização com Suzanne Wagner, uma aluna perguntou sobre a forma do novo símbolo. Eu não estava presente à sessão, mas ouvi a gravação. Os guias do Reiki que participaram da canalização disseram que o novo Dai-Ko-Myo adapta-se mais às vibrações necessárias para os ensinamentos atuais. O símbolo mais antigo é mais apropriado às energias de tempos passados. Disseram que talvez houvesse pessoas que se adaptariam mais ao símbolo Tradicional, e que eu saberia disso ao fazer a iniciação. Na maioria dos casos, entretanto, aconselharam que eu usasse o novo símbolo. Os símbolos do Dai-Ko-Myo são mostrados neste capítulo. Peço aos meus alunos que experimentem ambos, e que escolham o que melhor se adapte às energias necessárias.

Uma vez conhecido o Dai-Ko-Myo no Reiki III, use-o em todas as curas. Quando transmito o Dai-Ko-Myo a distância, sinto que ele se desloca rapidamente do chakra do coração do curador para o da pessoa que recebe. Freqüentemente, este é o único símbolo usado numa cura; entretanto, na cura a distância, sempre o uso junto com o Hon-Sha-Ze-Sho-Nen. O uso do Dai-Ko-Myo na forma invertida absorve a energia negativa para fora dos corpos e a libera. O objetivo do Dai-Ko-Myo é a cura da alma. Cada um dos símbolos do Reiki concentra-se num dos corpos vibracionais. O Cho-Ku-Rei apresenta ressonância mais forte com o nível do corpo físico, o Sei-He-Ki, com o corpo emocional, o Hon-Sha-Ze-Sho-Nen, com o corpo mental; o Dai-Ko-Myo trabalha no nível do corpo espiritual.

Essa forma de cura é extremamente eficaz. Ela combate as raízes da doença. Os níveis do corpo espiritual trazem em si o projeto do qual o corpo físico é derivado. Nesse nível, a cura causa alterações profundas, comumente descritas como "miraculosas". Curadores Reiki vêem "milagres" em todas as sessões, e o Dai-Ko-Myo é usado freqüentemente. As mudanças na vida ocorrem aqui. Assim como acontece com os outros símbolos, envie o Dai-Ko-Myo nas curas diretas, quando sua intuição lhe disser para utilizá-lo. Eu o utilizo mais do que qualquer outro símbolo.

Dai-Ko-Myo Não-Tradicional
Como desenhar.

Na cura a distância, freqüentemente uso os quatro símbolos. Como primeiro recurso, use o Dai-Ko-Myo; então, envie o Hon-Sha-Ze-Sho-Nen. Em seguida, adicione o Cho-Ku-Rei, então o Sei-He-Ki e, finalmente, repita o Dai-Ko-Myo. Ao ser enviado, esse símbolo por vezes assume a coloração rosa do plano astral e, às vezes, o dourado metálico. A transmissão não é estática, mas se move, gira e vibra. Percebo isso ao transmitir direta e fortemente a energia do Deus/Fonte por meio do curador para a pessoa que recebe a energia. Essa energia supre todas as necessidades do receptor. Essa é a energia de cura mais poderosa disponível no planeta Terra, e certamente a mais positiva.

Na cura de si mesmo, use o Dai-Ko-Myo da mesma forma que o usa nos outros. Desenhe-o sobre o chakra do coração e visualize-o com os outros símbolos. Existe também um exercício de Ch'i Kung que usa esse símbolo na autocura ou para aumentar o fluxo de Ki pelo corpo. Ele estimula o chakra do timo, na Linha do Hara, e melhora o sistema imunológico do corpo. Faça esse exercício duas vezes ao dia, do modo como segue, em pé, com as costas eretas.

Primeiramente, encontre o ponto indicado na ilustração. Ele se localiza em cada uma das escápulas, na cavidade óssea das costas. Aumente o fluxo de Reiki nas mãos, ou esfregue-as até que se aqueçam; então, comece a massagear o ponto num dos ombros, com a ponta dos dedos da mão. Massageie no sentido horário por um minuto e, então, comece a visualização do Dai-Ko-Myo. Faça trezentas vezes esse movimento giratório. Encontre o mesmo ponto no outro ombro e repita o processo.

Faça esse exercício em ambos os ombros, por três vezes. Para terminar, feche delicadamente os dedos da mão direita e bata suavemente sobre o osso esterno (no peito) 25 vezes, visualizando o Dai-Ko-Myo durante o tempo todo duas vezes ao dia. Não conheço a origem desse exercício; mas, dando pancadas no timo, você o estimula e o fortalece. Existe um livro, escrito pelo médico John Diamond, *Your Body Doesn't Lie* (Warner Books, 1979), que trata do fortalecimento da glândula do timo. Diamond chama um exercício parecido com o descrito acima de "Tamborilar sobre o Timo".[5]

O Dai-Ko-Myo apresenta outros usos. Visualize os quatro símbolos para purificar e energizar os cristais, para programá-los, pedindo que se purifiquem a si mesmos. Para fazer isso, segure o cristal ou pedra preciosa entre as palmas das mãos, enviando energia Reiki. Primeiramente, visualize o Dai-Ko-Myo e, então, o Sei-He-Ki para purificar a pedra de todas as dores e energias negativas absorvidas. Em seguida, envie o Cho-Ku-Rei para programar o cristal — afirmando um objetivo como a cura, por exemplo. Se a pedra for usada para a cura, adicione o Hon-Sha-Ze-Sho-Nen. Por último, visualize o Dai-Ko-Myo novamente, pedindo que a pedra se purifique a si mesma a partir daí. Isso significa que a pedra trabalhará no sentido de purificar-se; por outro lado, é bom que você a limpe freqüentemente. (Faça o teste com o pêndulo.)

Ao preparar elixires de pedras e flores, adiciono o Dai-Ko-Myo e o Cho-Ku-Rei à água e às flores (ou pedras) durante a infusão sob o Sol. Dizem que meus elixires são extremamente eficazes, e tenho certeza de que isso ocorre por causa do Dai-Ko-Myo. Use-o também para aumentar o poder dos remédios, das tinturas de ervas, dos remédios homeopáticos, etc. Em geral, esse é o único símbolo necessário. Uso o Dai-Ko-Myo virtualmente todas as vezes que uso o Reiki, em geral no início e ao final de qualquer seqüência de símbolos ou sessão. A energia é forte e age profundamente. O Dai-Ko-Myo é o símbolo usado pelo instrutor na transmissão das iniciações Reiki. Informações sobre o processo iniciático são dadas no próximo capítulo.

Como os outros símbolos, o Dai-Ko-Myo deve ser memorizado. O aluno tem de ser capaz de desenhá-lo precisamente, com todas as linhas na seqüência correta. É mais simples usar o Dai-Ko-Myo em espiral do que a versão antiga. Demorei várias semanas para memorizar o Dai-Ko-Myo Tradicional. E esse foi o sinal de que

Energizador Imune Dai-Ko-Myo

minhas energias não se harmonizaram com as dessa versão. Ao contrário, incorporei o Dai-Ko-Myo moderno instantaneamente quando o vi. Não foi necessário memorizá-lo, pois parecia que eu já o conhecia. Novamente, todas as variações que conheço deste símbolo estão reproduzidas neste capítulo. Utilize a versão que for mais apropriada a você. Todas elas funcionam.

É interessante notar a definição que o Ch'i Kung dá para a espiral, que também é o símbolo da energia da Deusa. Uma espiral no sentido horário, movendo-se a partir do centro, tem a propriedade de condensar o Ki no seu centro. O Dai-Ko-Myo moderno é desenhado dessa forma, do centro para fora, no sentido horário. A espiral, no sentido anti-horário, provoca a expansão do Ki interno, que se liga ao Ki que existe além do corpo. Quando a expansão se completa, a direção se inverte automaticamente, levando o Ki para o centro. A espiral cria vórtices de energia que atraem outras energias. A natureza se move em espirais, formando desde redemoinhos na água até furacões, e as espirais são usadas no Ch'i Kung para unir e condensar o Ki em prol da saúde e do aumento da capacidade de cura.[6]

Em Wicca, a espiral é o labirinto da iniciação; é a passagem da Roda dos Anos, e o local de afloramento e renascimento. A espiral no sentido horário invoca a energia criadora, ao passo que no sentido anti-horário deixa a pessoa dispersiva e relaxada. Starhawk, em *The Spiral Dance* (Harper e Row Publishers, 1979), compara a espiral dupla a um labirinto que leva ao centro da criação, o Vazio Budista:

Raku
O raio de luz mantendo o fogo (somente para fazer as iniciações).
As flechas mostram como desenhar.

À medida que você se movimenta ao longo da espiral, o mundo se dissolve, as formas se dissolvem, até que você se encontre no centro escondido onde a morte e o nascimento são "um". O centro da espiral brilha; é a Estrela do Norte, e as extremidades da espiral representam a Via Láctea; miríades de estrelas giram lentamente em torno de um ponto fixo... Você está no útero da Deusa, flutuando livremente. Sinta-se levado e impelido para fora da espiral, que agora é a abertura pela qual se renasce. Mova-se no sentido horário pela espiral dupla do seu DNA.[7]

O Dai-Ko-Myo moderno é a espiral dupla.
O outro símbolo do Reiki III é o Raku. A sra. Takata não usava esse símbolo sânscrito, mas a maioria, se não todos os Mestres em Reiki americanos, o usa hoje em dia. A maioria dos Mestres parece ter pouca informação sobre ele, e não compreendem a sua importância. Ele só é usado durante as iniciações, nunca no trabalho de cura. O símbolo se parece com um raio luminoso. Sua definição me foi dada como o símbolo que "domina o fogo". Ao finalizar a iniciação, o Raku é usado para reter a energia Reiki no receptor. Isso é tudo o que a maioria dos Mestres em Reiki sabe; mas, de fato, sua função vai bem além disso. Ele ativa a Linha do Hara, ajudando o aluno a trazer a energia Reiki para seus canais condutores do Ki, e a fixam no centro do Hara (Tan Tien ou do umbigo).

Durante a iniciação, as auras do Mestre e do aluno se unem, e algo mais ocorre nesse momento. Durante esses poucos instantes, os guias do Reiki usam a energia para retirar o karma negativo da pessoa que recebe a iniciação em Reiki. O Mestre que realiza o processo capta o que é liberado através do contato das auras e realiza a integração; em geral, ele é totalmente inconsciente disso. O Raku ainda separa as auras no final da iniciação. Também deixa o Mestre e o aluno com muito mais energia do Ki Original do que dispunham antes. Essa liberação kármica durante a iniciação explica a purificação e a reorganização do corpo físico e do emocional que se seguem à iniciação.

Com todas as variações dos símbolos hoje em dia, é interessante notar que há apenas uma variação para o Raku. Esta simplesmente suaviza as curvas do raio luminoso, que forma uma linha tortuosa. Usado dessa forma, o símbolo se transforma no Poder da Serpente Kundalini. Entretanto, o raio luminoso é a Vajra do Budismo Vajrayana — o símbolo do caminho de diamante do Budismo Mahayana no Tibet; a forma em ziguezague do desenho parece ser a mais correta. O Raku é o pequeno detalhe na extremidade da espiral dupla do Dai-Ko-Myo.

Os iniciados no Reiki III pelo método moderno que moram nas regiões mais próximas também me trazem desenhos de "novos" símbolos do Reiki. Dizem estar trazendo de volta alguns dos símbolos que se perderam. Muitos desses são energias sânscritas ou budistas, positivos em si, mas não são símbolos do Reiki. Nas canalizações feitas por Laurel Steinhice, disseram-nos que outros símbolos seriam devolvidos à Terra. O primeiro seria um símbolo para ativar os centros energéticos dos olhos, permitindo que o Reiki fosse usado como um *laser*. Muitos curadores, à medida que se vão desenvolvendo psiquicamente, aprendem a fazer isso sem um símbolo consciente. O Dai-Ko-Myo moderno parece ser o único símbolo não-Tradicional autenticamente Reiki, mas alguns outros são mostrados nas páginas seguintes.

Raku, Versão Serpente

Embora eu não os considere símbolos do Reiki, alguns deles oferecem matéria para debate. "OM" é um símbolo sânscrito que representa o som ou vibração que deu origem ao Universo. Vários outros símbolos sânscritos são mostrados, cada qual com um tipo de energia de cura. O símbolo de Mestre da Palma representa a passagem

Símbolos Não-Reiki

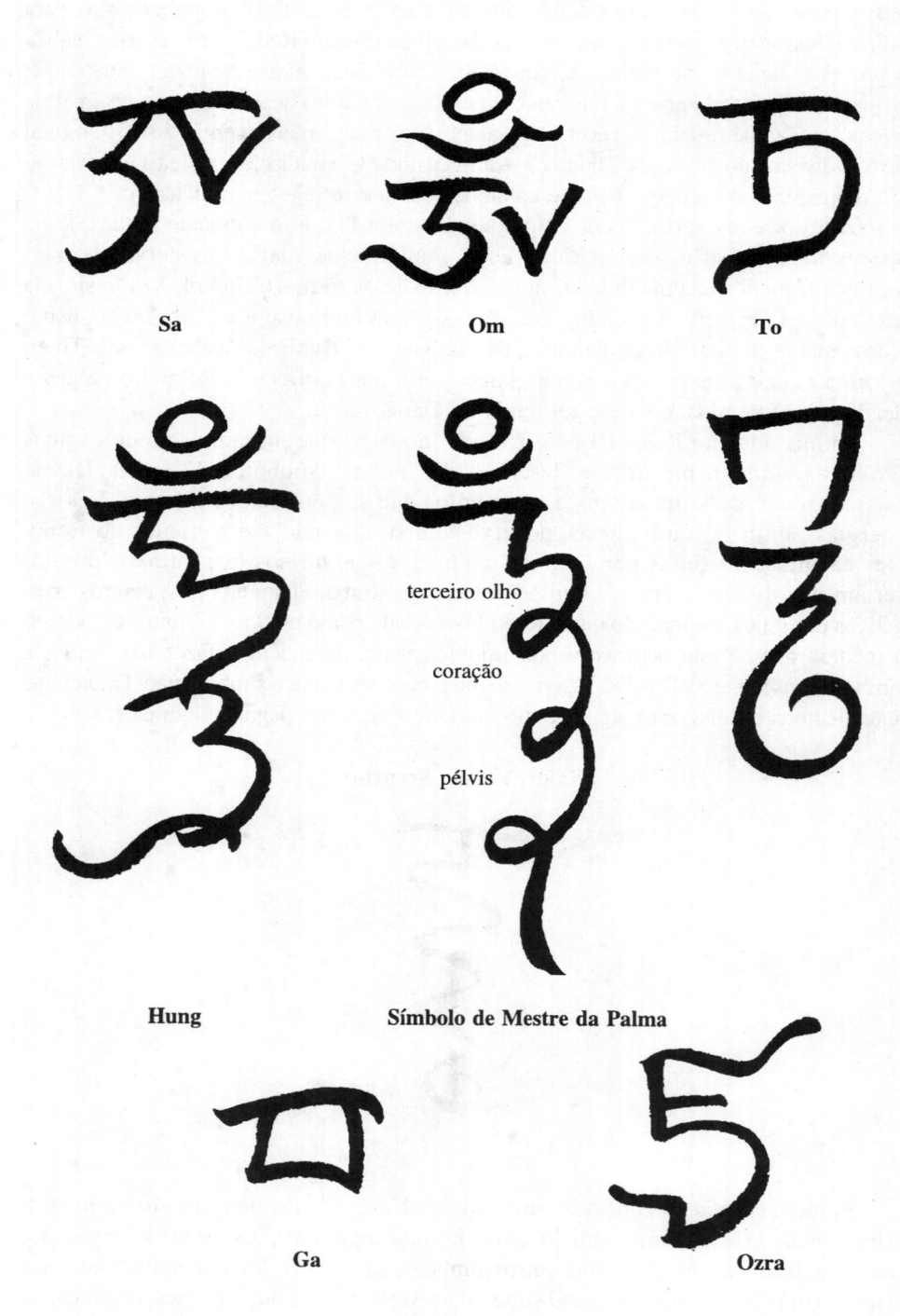

Sa

Om

To

Hung

Símbolo de Mestre da Palma

terceiro olho

coração

pélvis

Ga

Ozra

da energia pelos chakras e pelo Sushumna, e também pode representar uma forma de iniciação. No Budismo Tântrico, as estátuas mostram muitos símbolos semelhantes esculpidos na palma das mãos dos Budas. Uma série de símbolos é chamada de Padrão do Útero e os símbolos são chamados de Bijas — sons das sementes. Eles são considerados como sendo a linguagem do Absoluto. O verdadeiro significado dos Bijas, que têm papel importante nos rituais do Budismo Tântrico, só é revelado aos iniciados. Bijas desenhados sobre *Stupas* também podem ser utilizados para representar os cinco elementos. *Stupas* são estátuas ou construções anteriores ao pagode, que representam intrinsecamente os elementos em suas formas.[8] O Hon-Sha-Ze-Sho-Nen assemelha-se muito a uma *Stupa*.

Outro conjunto de símbolos contendo o Harth, o Zonar, o Halu e o Yod me foi dado na Califórnia. Eles foram desenhados para serem usados junto com os símbolos do Reiki. Embora a intenção desses símbolos seja altamente positiva, tive uma péssima experiência com um deles. Quando mostrei esses símbolos a certa mulher, ela escolheu o Harth e começou a usá-lo negativamente, construindo pirâmides psíquicas negras, que ela descrevia como proteção. Elas foram colocadas sobre a minha aura, a minha casa e sobre a de outras pessoas, e de forma alguma foram positivas. Em vez disso, as pirâmides interromperam o fluxo e a troca de energia, limitando o que deviam apenas proteger, prejudicando a pessoa ou o local. Nenhuma energia psíquica podia sair desses objetos mentalizados. Quando as energias negativas foram purificadas interiormente, elas não se dissiparam, mas continuaram voltando em virtude de o símbolo as ter aprisionado.

Eu me senti mal com esses símbolos desde o início, e pedi à mulher que não os usasse, mas ela continuou fazendo isso. As pirâmides constituíram um verdadeiro assédio psíquico, e se tornaram fonte de muita tensão e negatividade na minha casa. Quando finalmente compreendi o que se passava, trabalhei com outra curadora para purificar essas energias. As pirâmides negras — havia muitas delas — resistiam a quase todas as tentativas de eliminá-las. Depois de muitas tentativas inúteis, desco-

A Antahkarana[9]

Símbolos Não-Reiki (continuação)

Johre
Luz Branca

Lon Say
Negatividade Infecciosa

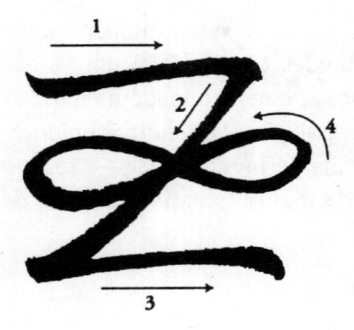

Zonar
Infinito, interminável. Trabalha com vidas passadas, assuntos kármicos e interdimensionais.

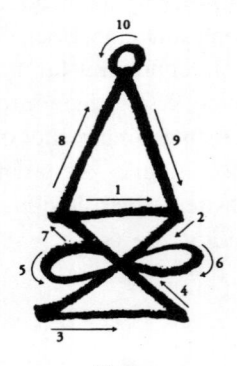

Halu
Amor, verdade, beleza, harmonia, equilíbrio, e um profundo Raio de Cura. Halu é o Zonar com maior poder. A pirâmide alta na parte superior simboliza a grande energia mental.

Símbolos Não-Reiki (continuação)

Len So My
Amor Puro

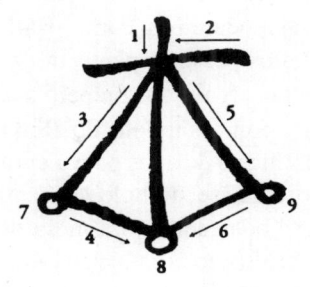

Harth
Amor, verdade, beleza, harmonia, equilíbrio. Esse é o símbolo para o coração, do qual fluem a cura e o amor. É a pirâmide tridimensional.

Yod
Ao desenhar esse símbolo, simplesmente desenhe a linha grande, simbolizando as mãos de Deus (para a qual flui a Arca Sagrada). Nós não temos essa energia; somos guardiães da energia do coração.

brimos que os Rakus enviados do terceiro olho (testa) podiam ser usados para eliminá-las, mas quase imediatamente elas se reestruturavam. Finalmente, nós as eliminamos, usando o Raku intensivamente; enviamos folhas de luz por baixo, para levantá-las e carregá-las para fora do planeta. Foram necessários vários meses para a minha casa se purificar e para eu me ver livre dessa energia.

Eu suspeito que esse símbolo tenha sido deturpado e usado negativamente, sem o seu sentido original. Ainda assim, desde essa ocasião, tenho evitado experimentar os "novos" símbolos, a menos que eu os entenda completamente. Não digo aos meus alunos que evitem essas energias desconhecidas, mas que procedam com muito cuidado. Os autênticos símbolos do Reiki não podem ser usados negativamente; eles têm uma proteção interna. Disseram-me, durante uma sessão de canalização, que havia originariamente trezentos símbolos do Reiki, 22 dos quais atualmente estavam sendo usados. Eles estão arquivados em bibliotecas no Tibet e na Índia. Quando chegar a hora de o Ocidente e de o Reiki terem esses símbolos de volta, ser-nos-ão dados de tal forma que poderão ser imediatamente reconhecidos como os autênticos símbolos do Reiki. Também aprenderemos como usá-los. O que também se pode dizer sobre isso é que os símbolos pessoais parecem dados psíquica e internamente às pessoas. Esses símbolos podem ser usados ou pelo menos estudados seguramente.

Uma outra forma utilizada como símbolo do Reiki é a Antahkarana, símbolo tibetano usado em rituais por milhares de anos para a cura e a meditação, mencionado por Alice Bailey e outros autores. Esse símbolo concentra e desenvolve o Reiki, ou outras energias de cura, quando colocado sob a mesa de massagem durante a cura. Também se diz que liga o cérebro físico com o chakra da coroa, tendo efeito positivo sobre todos os chakras e a aura. Meditando com esse símbolo, ativa-se automaticamente a Órbita Microcósmica, enviando-se o Ki através dos canais energéticos centrais do corpo. Durante a meditação, o símbolo parece deslocar-se e alterar, evoluindo para imagens diferentes. A Antahkarana pode ser usada para liberar as energias negativas de pessoas e objetos, bem como purificar cristais.[10]

Já vi representações holográficas da Antahkarana impressas em quadros de madeira. Parecem ser usadas geralmente no Meio-Oeste americano, e me foram mostradas na maioria das vezes por pessoas dessa região. Não se trata de um dos símbolos perdidos do Reiki, mas sua forma é positiva e sagrada quando em uso. Não se pode utilizá-lo de forma negativa e, mesmo tendo uma história antiga, sua energia tem sido testada por vários agentes de cura durante muitos anos.

Outro conjunto de símbolos usado em curas psíquicas merece ser mencionado. Trata-se de uma série de onze símbolos desenvolvidos por Frank Homan em seu livro *Kofutu Touch Healing* (Sunlight Publishing, 1986). Esses símbolos modernos são cuidadosamente apresentados, junto com uma série de posições das mãos sobre o corpo, iguais às do Reiki. Esses não são símbolos do Reiki, mas são válidos e definitivamente funcionam para a cura. A quantidade e a complexidade desses símbolos os tornam difíceis de gravar. Não os achei tão eficazes quanto os símbolos do Reiki, mas não deixam de ser válidos. Alguns alunos podem interessar-se em trabalhar com eles. Eles são positivos.

Quanto aos símbolos do Reiki III isso é tudo. Os dois símbolos do Reiki são o assunto central deste capítulo, e o aluno precisa escolher entre a versão moderna e a Tradicional do Dai-Ko-Myo. O Raku também é apresentado. Falarei muito mais sobre esses símbolos até o final do livro. Quanto aos símbolos que não são do Reiki, não serão mais analisados neste livro. A impressão que tenho é que os Mestres em Reiki moderno depararão com um sem-número de novos símbolos, assim como tem ocorrido comigo, e precisarão de um mapa para se orientar. Quando você estiver familiarizado com os símbolos do Reiki III e estiver pronto para usá-los na cura e nas iniciações, use-os. As iniciações são o maior "milagre" do sistema de cura Reiki.

1. William L. Rand, "A Meeting with Phyllis Furumoto", in *Reiki News*, primavera de 1992, p. 2.
2. *Ibid*, p. 1.
3. *Ibid*.
4. Uma outra versão do Símbolo do Terceiro Grau do Reiki, publicado in *One Step Forward for Reiki* de A. J. Mackenzie Clay (NSW, Austrália, New Dimensions Press, 1992), p. 38.
5. John Diamond, MD, *Your Body Doesn't Lie* (Nova York, NY, Warner Books, 1979), pp. 50-53.
6. Mantak e Maneewan Chia, *Awaken Healing Light of the Tao*, pp. 119-121.
7. Starhawk, *The Spiral Dance: A Rebirth of the Ancient Religion of the Great Goddess* (São Francisco, Harper and Row Publishers, 1979), p. 82.
8. Pierre Rambach, *The Secret Message of Tantric Buddhism* (NY, Rizzoli International Publications, 1979), pp. 60-67.
9. Em 1991, enviaram-me uma cópia xerox da primeira edição do livro de William L. Rand, *Reiki: The Healing Touch, First and Second Degree Manual*. Esse material continha um apêndice que nunca foi publicado como parte dessa edição. Essas informações sobre a Antahkarana, inclusive o desenho, estavam contidas nas páginas 8-13 desse apêndice.
10. *Ibid*.

CAPÍTULO 8

Como Realizar a Iniciação

No começo dos ensinamentos sobre o Reiki I, os alunos em geral perguntam o que é uma iniciação. Digo-lhes que só posso descrever o processo como sendo um milagre e, se depois de a terem recebido puderem dar uma definição mais clara, eu quero ouvi-la. Até hoje ninguém que tenha passado por uma iniciação, ou tenha realizado uma iniciação para alguém, deu uma definição precisa. A iniciação tem de ser vivida — não pode ser descrita racionalmente (ela é comandada pelo hemisfério esquerdo do cérebro). Ninguém sabe por que ou como a iniciação em Reiki funciona, ou por que a combinação das mãos, da respiração e do controle da Kundalini tem um efeito tão profundo. Os que já receberam iniciações em Reiki sabem que sua vida se altera profundamente. As iniciações são um ponto alto na vida de muitas pessoas, e a maioria de nós, que já passamos por elas, fica completamente deslumbrada durante o processo.

A diferença entre o Reiki e outros sistemas de cura pela imposição das mãos é a iniciação. Outros sistemas podem usar a imposição das mãos sobre os chakras e trabalhar com a energia do Ki, mas só o Reiki tem o benefício extraordinário da iniciação. Nos treinamentos Tradicionais do Reiki, existem quatro iniciações para o Reiki I e duas únicas iniciações para o Reiki II e III. Todas as quatro iniciações do Reiki I são diferentes entre si. Em métodos não-Tradicionais, a mesma iniciação combinada é usada uma única vez para cada um dos três graus, uma única iniciação suficientemente eficaz para substituir vários processos. Ambas as formas funcionam muito bem. A aceitação de ambas as formas de iniciação torna o agente de cura mais versátil.

As iniciações em Reiki abrem e expandem o Ki, mantêm a capacidade da Linha do Hara e eliminam os bloqueios dos canais energéticos, além de equilibrar e iluminar os chakras da Linha do Hara e do duplo etérico. Durante uma iniciação, o Ki Celeste, carregando os cinco símbolos do Reiki, desloca-se do chakra da coroa para o do coração do receptor. O Ki Terrestre é absorvido pelas pernas e pelos chakras inferiores, sendo levado do Hara ao chakra do coração. O suprimento de Ki Original é

Como a Iniciação É Recebida

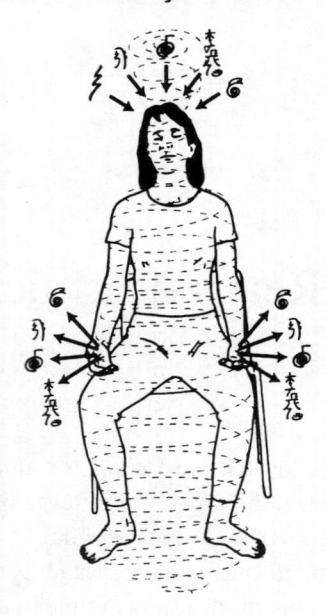

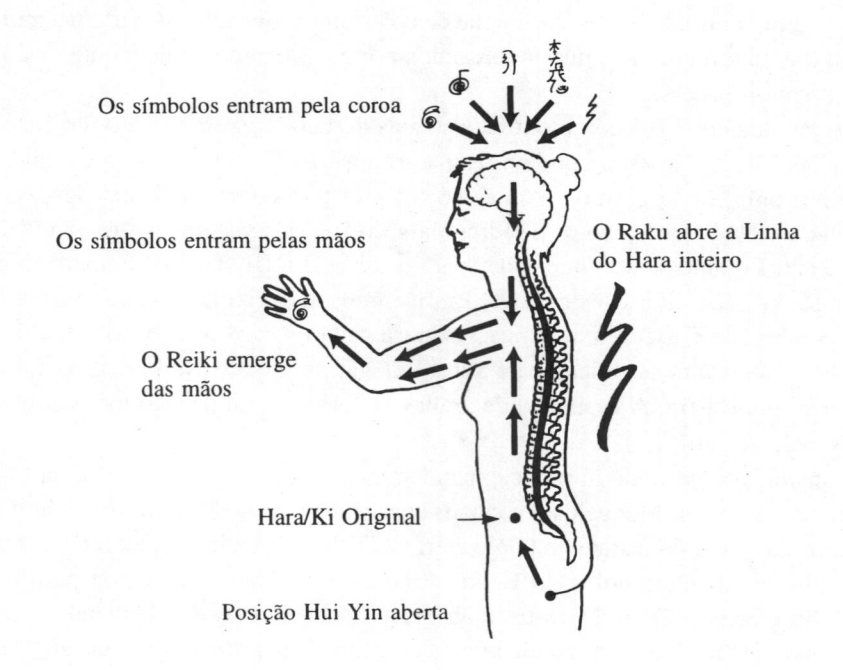

Os símbolos entram pela coroa

Os símbolos entram pelas mãos

O Reiki emerge das mãos

Hara/Ki Original

Posição Hui Yin aberta

O Raku abre a Linha do Hara inteiro

restabelecido no Hara, e qualquer bloqueio ao uso da energia se desfaz. Tudo isso ocorre em poucos minutos.

A iniciação é uma forma de pagamento kármico. Durante o processo, o karma é retirado do receptor como pagamento por se tornar um curador. Isso ocorre quando o Mestre/Instrutor permanece num nível energético muito elevado durante a iniciação, o que também eleva o nível do Ki no receptor. A ocorrência é automática, sem a intenção ou interferência do Mestre, apenas fluindo através dele. O ego não é envolvido. O Mestre simplesmente faz os movimentos físicos, e tudo o mais se segue.

O processo iniciático pode ser considerado hoje uma das coisas mais sagradas na Terra. Desde o momento da iniciação, um novo curador é criado — ou melhor, *despertado*. A capacidade de curar faz parte do código genético humano impresso no nosso DNA. A iniciação Reiki acende uma luz numa casa escura, reativando dons que um dia foram universais, mas que hoje estão praticamente esquecidos. O Reiki é uma das maiores forças deste planeta na evolução das pessoas. As iniciações curam

Como a Iniciação é Passada

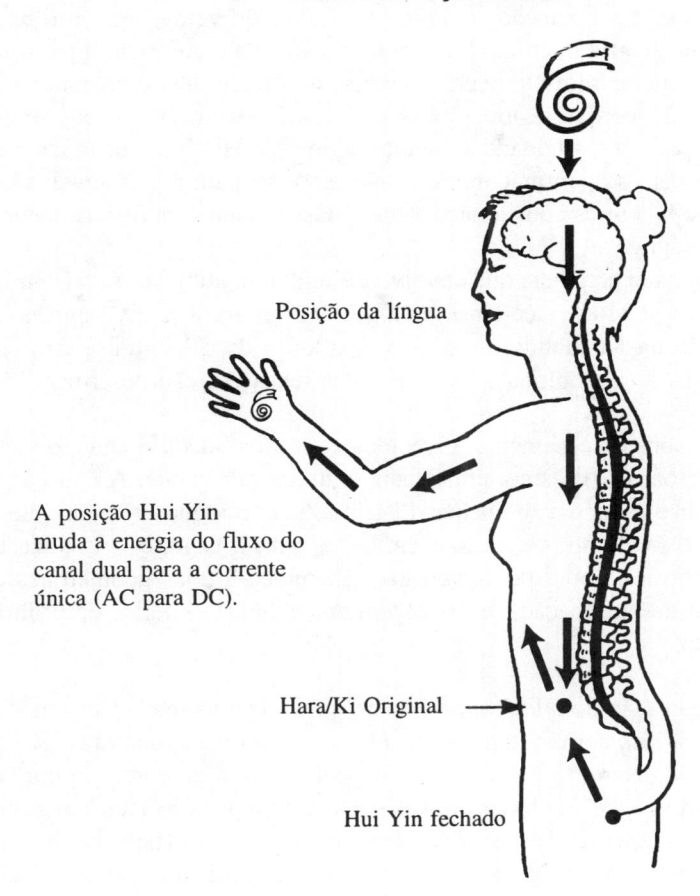

Posição da língua

A posição Hui Yin muda a energia do fluxo do canal dual para a corrente única (AC para DC).

Hara/Ki Original

Hui Yin fechado

o nosso DNA, ligando-nos novamente à "Luz" da informação que foi perdida pelos habitantes da Terra.

Ao receber a iniciação em Reiki, cada pessoa tem uma experiência diferente. Ela pode ver cores, ter sensações estranhas, visualizar a imagem de si mesma em vidas passadas ou entrar em contato com espíritos-guias, ou encher-se de felicidade e alegria. Algumas pessoas choram ou tremem. Outras dizem que não sentiram nada, mas apresentam as faces coradas e um largo sorriso. A abertura para a energia é evidente ao se olhar para elas. A maioria das pessoas sente imediatamente as mãos quentes, o que é típico do curador Reiki, embora algumas possam levar mais tempo até manifestarem o calor nas mãos, à medida que as utilizarem na cura. Tenho sentido as mãos quentes até mesmo fazendo a iniciação com crianças, ou mesmo quando os símbolos não são colocados diretamente nas mãos delas. Certa vez, uma mulher, ao cumprimentar-me com um aperto de mão, disse: "Você tem energia Reiki." Perguntei como sabia, pois ainda não ensinava naquela época. "Porque suas mãos estão quentes", respondeu. "Posso sentir. Você tem, no mínimo, o Reiki II." Eu tinha o Reiki II naquela época.

O Mestre, ao fazer a iniciação, sempre sente algo diferente, mas em geral o sentimento é de uma alegria intensa. O processo transforma o corpo num pára-raios. A energia do Ki primeiro se movimenta no corpo do Mestre/Instrutor, para depois ser transmitida ao aluno. Este é um processo fisicamente cansativo, que exige o controle da respiração e a capacidade de manter a posição Hui Yin por longo período. Não há tempo para se pensar durante a iniciação, só para movimentar a energia pelo corpo. Não há outras considerações além dos movimentos físicos; a energia toma conta de si própria.

A iniciação é uma experiência que envolve a Kundalini, atinge os níveis do Hara e do duplo etérico. Ajit Mookerjee em *Kundalini: O Despertar da Energia Interna*, descreve a ascensão da Kundalini como uma "explosão de calor, que passa como uma corrente através do Sushumna".[1] Algumas das sensações são descritas:

> Ouvem-se sons, internamente, parecidos com uma queda-d'água, o zumbir das abelhas, o soar de um sino, uma flauta, e assim por diante. A cabeça pode começar a girar e a boca a se encher de saliva, mas o iogue vai além, até que consiga ouvir o mais interno, o mais sutil... os sons... O iogue visualiza uma variedade de formas, como pontos de luz, labaredas, formas geométricas que, no estado final de iluminação, se dissolvem em radiância interior de brilho intenso e pura luz.[2]

Isso dá uma indicação do que sente o Mestre ao realizar as iniciações em Reiki.

É a posição Hui Yin, com a língua colocada no céu da boca, que faz o Ki subir pela Linha Central do Hara. O Ki Celeste entra pelo chakra da coroa no corpo do Mestre, e o Ki Terrestre, pelos chakras dos pés. Quando a posição Hui Yin se completa no chakra da raiz, o Ki Terrestre se dirige para cima, ao Hara ou chakra do Tan Tien. O canal de movimento ascendente (Vaso Governador, pelas costas) se fecha quando se coloca a língua no céu da boca de tal forma que a energia não sai do corpo pelo chakra da coroa. O Ki Celeste, movimentando-se para baixo (pelo Vaso da Concepção, pela frente), da mesma forma estaciona no Hara, sem poder mover-se através do Hui Yin e sair pelos pés. Sem ter para onde ir, a energia do Ki muito elevada sai do corpo pelas mãos, impulsionando os símbolos para dentro da aura do receptor.

O efeito é o de mover o Ki dos canais internos do Mestre (para cima e para baixo, através do Vaso da Concepção e do Vaso Governador) para o único canal da Linha do Hara. Isso é equivalente à mudança de corrente elétrica alternada para contínua. O Mestre em Reiki conserva esse fluxo dentro do corpo, no qual a energia parece perfazer um oito, o símbolo egípcio do infinito. A energia é quente e viva e o raio do Raku é preso no interior do corpo. Os exercícios do Reiki II são formulados com o objetivo de exercitar o corpo do Mestre para manipular grande quantidade de Ki, mas, ao aprender a fazer iniciações, ele ainda deve se adaptar. Quanto mais energia ele puder canalizar, mais poderoso será o efeito de suas iniciações nos outros.

Para mim, é durante a iniciação que os guias do Reiki se fazem sentir mais presentes. Eles se colocam atrás de mim e dirigem todo o processo; e eu presumo que também façam isso com todos os Mestres em Reiki. Quando faço iniciações, sinto constantemente a presença desses guias. Às vezes eu consigo vê-los. Se, ao traçar os símbolos, desenho uma linha fora de lugar, eles a corrigem e me dizem para continuar. Se cometo um engano, eles dizem: "Nós corrigimos", e assim o fazem. Psiquicamente observo as formas energéticas dos símbolos se alterarem. Enquanto ensino o Reiki, e escrevo este livro, sinto-os canalizando o ensinamento através de mim. Todo contato com o Reiki se transforma num ritual de grande beleza. Sempre digo que para mim o Reiki continua a ser novo e milagroso.

As gravações das sessões de canalização com Suzanne Wagner afirmam que todas as versões do Hon-Sha-Ze-Sho-Nen que temos no Ocidente são incorretas. Quando se pergunta aos Mestres em Reiki que participam da sessão como se pode encontrar o símbolo correto, eles dizem que isso não importa. O símbolo correto está numa biblioteca no Tibet ou na Índia. Quando se pergunta o que fazer, eles respondem: "Escolha um — nós o corrigimos." Durante a iniciação, os símbolos se movimentam muito rapidamente para serem definidos com exatidão, mas algo ocorre com o que é tirado. Eles se transformam em algo ligeira mas definitivamente diferente. Eles não ficam estáticos nem se conservam em duas dimensões como aparecem no papel, mas se movem tridimensionalmente. Desenvolvem profundidade, cor, movimento, pulsação. Os guias do Reiki alteram os desenhos e "os corrigem" para que funcionem. Eles desejam tanto que o Reiki seja devolvido às pessoas deste planeta que fazem isso por nós.

Qualquer pessoa que queira transmitir o Reiki aos outros recebe toda a ajuda necessária. Já ensinei mulheres que não conseguiam manter a posição Hui Yin — uma não tinha mais o reto e os músculos dessa região, devido a uma cirurgia para extirpar um câncer, e a outra fora vítima de incesto quando criança, tendo os músculos da vagina e do reto sido gravemente afetados. Ambas fizeram o que puderam, e aprenderam a passar iniciações facilmente. A mulher vítima de incesto descreveu o aprendizado como a maior cura da sua vida. Uma outra usava um respirador artificial e não conseguia controlar a respiração da forma necessária durante as iniciações. Os guias do Reiki ensinaram-na a transmiti-las de uma forma especial. Certa mulher com problemas cardíacos, que também não conseguia manter-se nas posições físicas adequadas por tempo suficiente, desenvolveu uma capacidade própria para fazer iniciações. Faça o máximo. Quando se tem a intenção de ensinar o Reiki, recebe-se a ajuda.

Uma de minhas alunas do Reiki III é uma mulher confinada a uma cadeira de rodas, imóvel do pescoço para baixo. Ela usa o Reiki II, a cura a distância, sendo poderosa curadora psíquica. Sua Mestra em Reiki I e II recusou-se a lhe ensinar o Reiki III, dizendo que ela não iria usá-lo. A mulher veio até mim e eu a recebi sem objeção. Suspeitei que pudesse fazer iniciações tal como a cura a distância. Depois de ter recebido a iniciação do Terceiro Grau, sugeri que tentasse fazê-la. Imediatamente ela fez a iniciação para outra pessoa na classe, e a receptora sentiu a energia suficientemente forte, a ponto de ver os símbolos à medida que ela os enviava. Ela me telefonou, certa noite, chorando tanto que eu quase não compreendia o que ela dizia. Quando conseguiu acalmar-se, disse-me que conseguira fazer sua primeira iniciação em Reiki I.

Quando um Reiki III se familiariza com o processo iniciático, algo se altera com sua posição Hui Yin. Como a energia necessária para passar iniciações não ocorre no nível físico, torna-se possível manter a posição num nível não-físico. Com a prática, o Mestre aprende a manter a posição Hui Yin no nível do Hara e no seu chakra da raiz. Comigo isso aconteceu por acaso. Eu já estava ensinando há aproximadamente um ano, e sentia que realizava iniciações extremamente eficazes, embora não mantivesse a posição Hui Yin como se exigia. Eu não teria sido capaz de realizar iniciações dessa forma. Isso continuou e, quando perguntei a meus guias, eles me explicaram o que estava acontecendo. Isso é algo que também pode acontecer intencionalmente, mas aprender a controlar as posições corretas no corpo físico é essencial. Entretanto, quando tenho alunos com dificuldade, peço que tentem isso, o que em geral funciona.

Também já tentei realizar iniciações no plano astral, durante uma cura a distância. A pessoa com quem tentei isso estava fortemente ligada a mim neste plano, de tal forma que podia vê-la e tocá-la. Perguntei-lhe se queria, e a vi sentar-se à minha frente. Então, ministrei a iniciação como se estivesse fisicamente presente, embora ela estivesse a três mil milhas de distância. O resultado foi verdadeiramente fantástico. Observei nitidamente os símbolos entrarem pelo chakra da coroa e moverem-se pela aura, cuja cor se tornou violeta. A mulher ficou envolvida por uma energia dourada e metálica, que parecia irradiar-se longe o bastante para iluminar toda a sala. Ela permaneceu assim nas noites seguintes em que me liguei astralmente com ela. Quando houver a possibilidade de transmitir-lhe o Reiki de corpo presente, ela estará familiarizada com a energia.

O método de iniciação que se segue apresenta uma iniciação para cada um dos graus do Reiki. Também se trata da mesma iniciação para os três graus. Não sei quem desenvolveu esse método; ele tem sido transmitido oralmente. Também introduzi pequenas alterações. Esse não é o processo iniciático Tradicional. Ao escolher um método, tornou-se claro que eu precisava de um sistema que funcionasse rapidamente, pois estaria ensinando muitas pessoas ao mesmo tempo. As classes iniciais de Reiki são muito pequenas, com poucas pessoas recebendo iniciação de uma vez só. O processo iniciático é muito complicado. Cada uma das iniciações Tradicionais demora um fim de semana inteiro, e o Reiki III tem a duração de uma ou mais semanas. Minhas aulas condensam as informações em quatro ou cinco horas para cada grau. Ofereço apostilas, e espero que a maior parte do aprendizado seja feita em casa. Essas limitações exigem um processo iniciático rápido e eficiente.

A iniciação para o agente de cura dos níveis I, II e III é a mesma. Isso ocorre, em parte, devido à intenção e à capacidade que o receptor tem de conservar o Ki. Ao fazer a iniciação para o Reiki I, provoca-se uma abertura na aura, pois a expansão áurica ainda não se iniciou. O aluno que está recebendo o Primeiro Grau não se abre totalmente durante a iniciação. À medida que seus corpos energéticos se expandem e se ajustam a uma maior quantidade de Ki, ele se torna capaz de lidar com mais energia e, portanto, começa a se abrir. A abertura completa para o Reiki I leva de três a quatro semanas. Descreveram-me esse processo como um ciclo que leva de três a quatro dias em cada chakra.

Quando se faz a iniciação no Reiki II, acontece o mesmo. O agente de cura do nível I atinge um grau de abertura da Linha do Hara, e é assim que o Segundo Grau se manifesta. Diz-se que o nível de energia no Reiki II é matematicamente elevado à segunda potência. Novamente, o aluno passa por um período de adaptação, à medida que aumenta sua capacidade de canalizar o Ki. No Reiki III, o nível de energia se expande novamente, a partir do ponto atingido no Reiki II. O processo é semelhante ao Reiki I e II, num nível energético mais expandido, pois o curador pode manipular uma maior quantidade de energia.

Esses períodos de adaptação são a causa da reação de desintoxicação que alguns agentes de cura sentem depois de receber as iniciações. Se há bloqueios energéticos nos chakras, na Linha do Hara, ou na capacidade para canalizar o Ki, eles se dissolvem pela energia das iniciações. Essa dissolução causa reações. Se os bloqueios são eliminados do corpo etérico, as reações são físicas — diarréia, coriza, inapetência por alguns dias, ou dor de cabeça. Isso é mais freqüente no Reiki I. Se os bloqueios se deslocam dos níveis emocional ou mental, a desintoxicação também ocorre nesses níveis. Essa é a desintoxicação que ocorre no Reiki II, e pode demorar vários meses, causando o desenvolvimento e as mudanças de vida.

Alterações no corpo espiritual ocorrem no Terceiro Grau. Na maior parte das vezes, não se manifestam como desintoxicação, mas na forma de um autoconhecimento cada vez maior, e uma impressão de comunhão e união com o Universo. Para a maioria dos alunos, a reação mais freqüente no Reiki III é a alegria pura. A purificação já ocorreu. Às vezes, o novo aluno de Reiki III necessita de mais horas de sono durante os dias subseqüentes, à medida que seus níveis energéticos e corpos vibracionais se reajustam para se adaptar à expansão da energia.

Tradicionalmente, de acordo com a maioria dos instrutores de Reiki moderno, o Dai-Ko-Myo só é colocado nas mãos durante a iniciação em Reiki III. Nos três graus, ele é introduzido no chakra da coroa, mas no Reiki I e II ele não é colocado na palma das mãos. Quando faço a iniciação, sempre uso o Dai-Ko-Myo nas mãos, mesmo no Reiki I e II. Tradicionalmente, os outros símbolos do Reiki são colocados no chakra da coroa, mas no Reiki I e II eles só são colocados numa das mãos. Pergunta-se ao aluno: "Qual a mão utilizada para a cura?". Isso resulta num desequilíbrio energético, que pode ser um tanto incômodo. Sempre coloco os quatro símbolos em ambas as mãos, nos três graus. Eu não imaginava que outros instrutores fizessem de forma diferente, até que uma aluna me disse como foi bom para ela sentir os símbolos em ambas as mãos. Freqüentemente, pessoas treinadas em Reiki I e II pelo método Tradicional recebem o Reiki III de mim.

Disseram-me que, quando Hawayo Takata fazia a iniciação, não usava o controle da respiração, a posição Hui Yin ou o Raku. As quatro iniciações do Reiki I não eram dadas em ordem específica, importando apenas que todas as quatro fossem dadas até o término da instrução. Ela usava o Cho-Ku-Rei, no sentido anti-horário, nos chakras da coroa, da garganta, da testa e do coração, em todos os graus, e os quatro símbolos sempre eram colocados no chakra da coroa. Os símbolos eram visualizados e "assoprados" no local. No Reiki I, nenhum dos símbolos era colocado na palma das mãos. No Reiki II, ela assoprava o Sei-He-Ki, o Hon-Sha-Ze-Sho-Nen e o Cho-Ku-Rei na palma aberta de uma das mãos, pedindo ao receptor que indicasse sua "mão de cura". No Reiki III, ela colocava o Dai-Ko-Myo sobre o chakra da coroa, e o Hon-Sha-Ze-Sho-Nen e o Cho-Ku-Rei ao longo da coluna vertebral. Só no Reiki III é que os quatro símbolos eram colocados na palma das mãos. Nos três graus, embora os símbolos não fossem colocados diretamente sobre as palmas, eles eram visualizados sobre as mãos fechadas.

Ao tornar-se Mestre, comece a fazer iniciações para uma pessoa de cada vez. Leva certo tempo e exige experiência, às vezes vários meses, até que se consiga desenvolver o músculo e o controle de respiração exigidos; portanto, comece devagar. Não inicie os cursos enquanto não tiver aprendido corretamente a forma de fazer a iniciação. O primeiro grupo deve ser pequeno — no máximo, cinco pessoas; aumente o número delas à medida que se tornar mais forte. Para mim, depois de vários anos de experiência, creio que vinte é o número adequado. Já fiz a iniciação para 75 pessoas em um dia, e depois me arrependi. O desgaste é muito grande e eu só o senti posteriormente. Mesmo durante as iniciações, ocorre apenas uma grande elevação. A pessoa ignora o excesso de tempo despendido; portanto, dê ouvidos à sua intuição para saber se você está indo longe demais.

Gosto de fazer iniciações para pessoas que estejam à beira da morte, gravemente doentes ou passando por grandes crises. Se a pessoa for capaz de usar o Reiki I para se curar, isso será ótimo, mas a iniciação, em si, já é uma grande cura. Não importa que essas pessoas não se tornem agentes de cura, embora algum dia talvez o sejam. O que importa é a cura e o grande benefício que uma iniciação proporciona no momento em que tanto se necessita. Tenho feito isso com bebês e animais. É fantástico sentir as mãos dos bebês se aquecerem. Fiz a iniciação em minha cadela Kali, que era brava e rebelde e que sofrera antes de vir para minha casa. Ela adorou o processo e começou a curar-se imediatamente. Seu comportamento começou a mudar para melhor.

Freqüentemente, os alunos que já passaram por minhas instruções voltaram apenas para repetir as iniciações. Isso não é necessário, pois as iniciações se fixam para sempre; mas a sensação é tão maravilhosa que eu não os desencorajo. Também é perfeitamente correto que um novo aluno de Reiki III pratique o modo de fazer as iniciações, e eu os estimulo a fazê-lo. Nada no Reiki, e certamente no processo iniciático, pode prejudicar alguém. Quando ensino o Terceiro Grau a um grupo, peço que se reúnam e pratiquem uns nos outros, em familiares ou em amigos. Não existe perigo de ocorrer uma sobrecarga energética quando se fazem diversas iniciações para a mesma pessoa — elas aceitam a energia no mesmo grau em que a Linha do Hara a tolera. É muito compensador verificar que alguém que recebeu a iniciação se abriu à energia, especialmente nas primeiras vezes em que isso ocorre. Uma de minhas alunas praticou tantas vezes o processo iniciático em seu gato que uma hora dessas acho que vou receber a notícia de que Spooky começou a voar! As iniciações oferecem cura a qualquer ser humano ou animal, e não há problema algum em repeti-las.

Ao começar a realizar iniciações em Reiki, inicie pelo Reiki I. Depois de ter dado várias instruções e sentir-se completamente à vontade com o processo iniciático do Primeiro Grau, passe ao Reiki II. Siga adiante só quando sentir que pode lidar bem com qualquer problema relacionado com o Primeiro Grau. O ensino do Reiki já é a sala de aula do Mestre em Reiki, contudo convém começar pelos ensinamentos básicos e depois passar aos estágios avançados. A melhor maneira de se preparar para as instruções do Reiki é fazer tanto o trabalho de cura direta como a distância o quanto mais possível, e praticar o processo iniciático. Conhecendo o Reiki profundamente, você se prepara para ensiná-lo aos outros. Há mais informações sobre como ensinar o Reiki no próximo capítulo.

A maioria dos alunos me pergunta: "Como você sabe que alguém se abriu à energia depois de ter recebido a iniciação?". No começo essa pergunta me amedrontava. Eu tinha muito pouco treino e quase nenhuma informação sobre o Reiki III. Eu não tinha a menor idéia sobre se as pessoas estavam se abrindo, duvidava muito de minha capacidade, e fui aprendendo à medida que prosseguia. Quando dei minha primeira aula, estava muito assustada, duvidando se realmente podia fazê-lo. Eu sabia que cometia enganos ao desenhar os símbolos e, quando isso ocorria, ouvia uma voz dizendo: "Continue, que nós corrigimos." Estava tão preocupada e assustada com o meu desempenho que nem observava os alunos. Olhe para o rosto deles depois da iniciação e saberá.

Uma maneira simples, de especial ajuda aos novos Mestres, é perguntar. Depois de fazer a iniciação a todos no grupo, pergunte o que viram ou o que sentiram. Se alguém não quiser falar, não insista. Depois de uma ou duas pessoas terem se manifestado, outras, em geral, fazem o mesmo. Diga a elas que fiquem alertas para sensações sutis, em vez de esperarem grandes acontecimentos; e, quando compreenderem que *algo* aconteceu, poderão querer participar da discussão. Ao descreverem o que se passou, você saberá que elas se abriram à energia. As pessoas descrevem uma grande variedade de sensações, particularmente no Reiki I. Em seguida, pergunte: "Há alguém que não tenha sentido nada?".

De vez em quando, um entre 25 ou 30 alunos diz que não sentiu nada. Primeiramente, peça para sentir as mãos da pessoa — se elas estiverem quentes, ela definitivamente se abriu à energia, quer ela compreenda ou não. Pergunte o que ela sentiu ou viu durante a iniciação — alguns alunos esperam acontecimentos grandiosos, em vez de sensações sutis, de quietude. Em geral, quase todos os problemas são resolvidos dessa forma. Se as mãos continuarem frias e o aluno não sentiu nada durante a iniciação, pergunte se ele tem alguma dúvida em relação à energia ou à cura. Os alunos que tiveram educação fundamentalista, embora possam tê-la rejeitado, podem ter dificuldade ou medo de aceitar a cura psíquica.

Se for esse o caso, pergunte se ele quer se abrir à energia e assegure-lhe que a escolha é dele. Diga-lhe que, se ele quiser, poderá fazer a cura em alguém. Nós sempre fazemos isso depois de realizar as iniciações. Pergunte-lhe o que se passa então. Diga-lhe que, se optar por se abrir à energia, que medite e peça por ela e, se decidir não recebê-la, os símbolos permanecerão em sua aura por poucas semanas e se dissiparão. Se decidir mais tarde ter essa energia, só terá de meditar e pedir por ela.

Nunca tive um aluno que rejeitasse a energia completamente, embora alguns, a princípio, tenham sido ambivalentes. Mais tarde, resolveram participar das instruções. Todos, exceto um, se abriram ao final da instrução em Reiki I, e o aluno que rejeitou a energia optou por ela depois, dispondo-se na mesma noite. Para um Mestre em Reiki inexperiente, essa é provavelmente a situação mais difícil de entender e resolver. Eu aprendi o que fazer passando por dificuldades; tento oferecer soluções e respeitar o livre-arbítrio, que é o mais importante. Se alguém recusa o Reiki, é direito seu fazê-lo. Isso só é relevante no Reiki I. Nunca vi acontecer no Segundo e Terceiro Graus.

Tive uma aluna do Primeiro Grau tão apavorada com a iniciação em si que pensei que ela não fosse recebê-la. Disse-lhe que a escolha era dela. Ela observou todas as pessoas do grupo, e então sentou-se para receber a iniciação. Perguntei-lhe: "Tem certeza?". E ela disse: "Sim", com lágrimas correndo pelo rosto. Realizei a iniciação e observei-a iluminar-se como uma vela, num sorriso maravilhoso. Ela recebeu o Reiki II no dia seguinte, dizendo que sentiu o Reiki como uma volta para casa. Disse que sabia que o Reiki mudaria sua vida. Hoje ela é Mestra e também ensina.

Antes de descrever o processo iniciático, é necessária a esta altura uma reflexão sobre as iniciações. A palavra "iniciação" também significa sintonização. E essa palavra, em sânscrito, significa "fortalecimento".[3] O Reiki dá forças a quem quer que o receba e também ao Mestre que o difunde. Um instrutor de Reiki é chamado de "Mestre", mas o termo não tem a conotação de alguém que tem "poder sobre outrem", nem de hierarquia. O Mestre é simplesmente um instrutor. Se alguma honra acompanha o título, é a de ter o Reiki em si. Recebendo as instruções e iniciações de um Mestre, o aluno pode chegar até o Terceiro Grau do Reiki, mas é através do seu compromisso e empenho que um Reiki III se transforma num Mestre. Nenhum instrutor pode torná-lo um Mestre — o aluno só pode se tornar um Mestre depois de passar pelas iniciações e ensinar o Reiki I com sucesso.

Na Índia e no Tibet, um guru Vajrayana (Mestre/Instrutor de Budismo Tântrico), é honrado por fazer parte de uma linha de adeptos que se estende a Sidarta Gautama, o Buda, ou nele tem sua origem. Na Índia, um guru assume essa responsabilidade seriamente, sem egocentrismo e sem violar a confiança que existe entre aluno e instrutor. Atualmente, o Mestre em Reiki também se enquadra numa linhagem que passa por Hawayo Takata, por Jesus e por Buda Sakyamuni, e tem origem em Shiva e nas estrelas.

Os alunos e Mestres em Reiki Tradicional também seguem uma linha de ensinamentos. O aluno identifica seu *status* dentro do Reiki pelo de seu instrutor e pelo instrutor do seu instrutor e por sua relação com Takata. O aluno foi treinado pelo Mestre A, que foi treinado pelo Mestre B, que foi treinado pelo Mestre C — até chegar na sra. Takata, que foi treinada por Chujiro Hayashi, que foi treinado por Mikao Usui. Essa é a linhagem do estudante. Estudantes e Mestres em Reiki não-Tradicional dão menos ênfase à linhagem que os praticantes Tradicionais. O que realmente importa no Reiki não-Tradicional é que o aluno ou Mestre receba o treinamento; não importa de quem. Um Mestre de qualquer linhagem tem como principal responsabilidade a prática do Reiki e sua disseminação através do ensino, e isso é o que importa.

No Budismo Tântrico existem muitos níveis de iniciação. O termo em sânscrito é "abhiseka"; em tibetano é "wong". Na Índia, diz-se que a pessoa recebe "Shaktipat". O processo iniciático é um sacramento, e eu suspeito que as iniciações em Reiki ou budistas tenham dado origem aos sacramentos do Cristianismo e, talvez, a todos os ritos de passagem. Ao receber a *abhiseka* — uma iniciação ou fortalecimento — poderes sagrados entram no corpo e aí permanecem. No Budismo Tântrico Vajrayana, uma iniciação sempre precede o início de um nível de ensinamento. Os quatro níveis do fortalecimento budista refletem exatamente os três graus do Reiki.

As três primeiras iniciações budistas acabam com os bloqueios kármicos, a quarta cura a consciência. As quatro iniciações oferecem as seguintes expansões do Ki: 1) Abertura de bloqueios energéticos; 2) Aumento de poder; 3) Acesso a novas instruções; 4) Permissão ao aluno de praticar certos processos ou rituais.[4] Esses quatro benefícios também são trazidos com as iniciações Reiki, cada grau elevando a um nível mais complexo. As quatro iniciações são as seguintes:

1. O Fortalecimento do Vaso limpa os canais psíquicos e o corpo físico de obstruções kármicas. Permite ao aluno visualizar certas divindades (Deuses). Outros benefícios são mantidos em segredo.
2. O Fortalecimento místico abre o fluxo do Ki e o poder da palavra dá eficácia aos mantras. Novamente, existem outros benefícios secretos.
3. O Fortalecimento do Conhecimento Divino purifica o corpo mental e permite a prática da Hatha Ioga, além de outras coisas.
4. O Fortalecimento Absoluto leva ao reconhecimento da verdadeira essência espiritual e à experiência direta do que, até então, era um conhecimento

apenas simbólico. Esse fortalecimento permite o estudo da Atiioga e "tem resultados místicos profundos".[5]

Comparo o primeiro fortalecimento budista à iniciação em Reiki I: ele abre os canais do Hara e purifica a pessoa no nível do corpo físico. Os Fortalecimentos Místico e Divino correspondem ao Reiki II; os símbolos correspondem ao poder da palavra, como os bijas são as formas simbólicas escritas dos sons. Os corpos mental e emocional são purificados, e os exercícios de Hatha Ioga correspondem aos exercícios de Ki. O Fortalecimento Absoluto corresponde ao Terceiro Grau do Reiki. Ele vai direto à essência espiritual, ao corpo espiritual e promove a compreensão de todo o processo. "Resultados místicos profundos" são uma boa descrição do que ocorre depois de receber o Reiki III. O aluno que se transforma num Mestre em Reiki passa por profundas transformações em sua vida.

Assim como tudo no Reiki, o processo para fazer as iniciações é extremamente simples. Envolve uma série de movimentos do corpo físico que, quando feitos em certa seqüência, têm efeitos espirituais duradouros de transformação. O Mestre/Instrutor não precisa se preocupar com o que ocorre durante o processo. Só precisa executar a seqüência correta. Coisas muito complexas ocorrem durante a iniciação em Reiki, mas o Mestre nem precisa saber o que são. Ele apenas realiza a iniciação. Os guias e a energia Reiki tomam conta de tudo o que se segue.

Para realizar qualquer iniciação, o Mestre deve ser capaz de manter a posição Hui Yin, com a língua tocando o céu da boca durante todo o processo. Deve segurar a respiração, enquanto não assopra e, ao fazê-lo, a língua fica no céu da boca — ele assopra em torno dela. Depois de assoprar, deve respirar profundamente de novo. Ao assoprar, transmite-se o Ki, e a primeira definição do Ki é "sopro vital". Ao fazer várias iniciações de uma só vez, é permitido respirar normalmente e deixar de lado o Hui Yin entre um estudante e outro. Entretanto, pode ser mais fácil manter o Hui Yin preso até que todas as iniciações sejam realizadas. Lembre-se de liberá-lo ao terminar, e integre-se. Ligue-se de novo à Terra e faça a Órbita Microcósmica, para que o Ki circule novamente e restabeleça o fluxo de energia normal do corpo.

Para receber a iniciação, o aluno senta-se numa cadeira, com as costas retas e os pés no chão. Pode tirar o sapato se quiser. A energia de alguns Mestres em Reiki é tão forte que eles chegam a quebrar relógios durante as iniciações. Se você for um desses Mestres, peça ao aluno que o tire, e tire o seu também. Tenho o costume de deixar o receptor segurar cristais nas mãos abertas quando estão recebendo as iniciações. Um cristal energizado dessa forma raramente precisa ser limpo novamente. Se alguém faz isso, tenha cuidado para não derrubá-lo, e faça a iniciação sobre as pedras. Peça aos alunos que coloquem a palma das mãos, uma contra a outra, na altura do peito, e diga que manipulará suas mãos. Se o Mestre tiver de procurar pelas mãos do aluno durante a iniciação, torna-se muito difícil manter a posição Hui Yin e controlar a respiração simultaneamente.

As iniciações podem ser realizadas individualmente ou em grupo. Comece a fazer uma iniciação de cada vez e não trabalhe com filas enquanto não adquirir mais experiência e não estiver mais forte. Coloque de dois a cinco alunos sentados em

Como Realizar a Iniciação

Mantenha a posição Hui Yin e a língua tocando o céu da boca o tempo todo. Prenda a respiração, a menos que esteja assoprando; então, respire profundamente outra vez, e prenda a respiração novamente. O Mestre em Reiki faz a iniciação em pé; os alunos mantêm-se sentados em cadeiras com espaldar reto. Suas mãos permanecem unidas sobre o peito, em posição de oração.

1. Por trás
Abra o chakra da coroa. Isso pode ser feito através da visualização ou dos movimentos feitos com as mãos.
Desenhe o Dai-Ko-Myo sobre o chakra da coroa.
Pegue as mãos do aluno por cima dos ombros, segure-as e assopre no chakra da coroa. Respire fundo e segure a respiração.
Desenhe os outros símbolos sobre o chakra da coroa: Cho-Ku-Rei, Sei-He-Ki, Hon-Sha-Ze-Sho-Nen.
Pegue as mãos do aluno por cima dos ombros, segure-as e assopre no chakra da coroa. Respire fundo outra vez e segure a respiração.

2. Passe para a frente
Abra as mãos do aluno, como um livro.
Desenhe o Cho-Ku-Rei sobre ambas as palmas.
Bata três vezes.
Desenhe o Sei-He-Ki sobre a palma das mãos.
Bata três vezes.
Desenhe o Hon-Sha-Ze-Sho-Nen sobre ambas as palmas.
Batà três vezes.
Desenhe o Dai-Ko-Myo sobre a palma das mãos.
Bata três vezes.
Traga novamente as mãos do iniciado, que estão em posição de oração, para perto de você, e segure-as com uma das suas.
Assopre do chakra da raiz ao do coração. Respire fundo e segure a respiração.

3. Volte para trás
Feche a aura, com os símbolos no interior. (Não feche o chakra da coroa.)
Desenhe o Raku ao longo da coluna vertebral, da cabeça aos pés.
Solte o Hui Yin e a respiração.

cadeiras formando uma fileira. Para mim, cinco são o ideal. Quatro não bastam, e esse número pode interromper o fluxo de energia. Com seis, pode-se provocar uma hiperventilação; com sete o trabalho é impossível. Veja o que é mais conveniente para você. Lembre-se de que estará cansado no final — o estado energético alterado termina depois de uma hora, aproximadamente. Com experiência, usando esse método que se assemelha a uma linha de montagem, você pode fazer muitas iniciações rapidamente, com menos pessoas esperando para se sentar nas cadeiras depois de cada grupo.

Eu deixo que os meus alunos me vejam fazer a iniciação, contanto que permaneçam em silêncio. Isso nunca é permitido no Reiki Tradicional. Coloque música suave durante a iniciação, se quiser, mas a sala deve estar em total silêncio. Esse é um momento em que não deve haver nenhuma interrupção. A sala onde ocorre o processo iniciático fica energizada por um bom tempo depois dele. A temperatura da sala aumentará consideravelmente durante a iniciação. Num ambiente com arcondicionado, a temperatura inicial de 23 graus centígrados passa para 33, no final. Funcionários de uma loja localizada na frente do prédio onde eram feitas iniciações afirmavam que sabiam quando eu fazia a iniciação, pois a sala da frente também se aquecia. Isso ocorre também com o Mestre. Use roupas confortáveis ou uma jaqueta que você possa tirar. Vá ao banheiro antes de começar; é impossível manter a posição Hui Yin estando com vontade de urinar.

Durante as iniciações, os alunos do Reiki I que estão à espera precisam fazer algo. Depois da iniciação de cada grupo, é extremamente importante que cada aluno faça a imposição das mãos sobre outra pessoa por vários minutos. Trabalhar os ombros e as costas da pessoa é uma boa sugestão. Isso traz a energia Reiki através da Linha do Hara da pessoa que recebe a energia. Também previne dores de cabeça e a sensação de atordoamento que ocorre posteriormente. Sempre sei quem deixou de tocar alguém depois da iniciação por causa das reclamações que fazem mais tarde — e já lhes digo de antemão que eu não me compadeço daqueles que se recusam a me ouvir. Depois de terem feito isso, diga-lhes que ministrem a cura a si mesmos.

O processo iniciático está descrito na tabela apresentada anteriormente. Comece por trás da pessoa. Concentre-se e evoque os guias do Reiki. Respire fundo algumas vezes e estabeleça a posição Hui Yin com a língua tocando o céu da boca. Respire fundo e prenda a respiração. A abertura do chakra da coroa é basicamente um processo de visualização. Faça um movimento com as duas mãos, acima e sobre a cabeça do receptor, abrindo e expandindo o chakra da coroa. Você sentirá a expansão da aura e poderá até mesmo vê-la. Os símbolos são desenhados com toda a mão, a palma voltada para o chakra da coroa. Isso é feito muito rapidamente para que se consiga visualizar uma cor. Mas é apropriado visualizar os símbolos na cor violeta, no chakra da coroa. Comece com o Dai-Ko-Myo.

Para tomar as mãos do aluno, incline-se para a frente. Elas estão unidas na altura do peito, em posição de oração. Insista para que as mãos se mantenham nessa posição; ter de buscá-las torna difícil manter a posição Hui Yin e a respiração. Assopre, permanecendo com a língua tocando o céu da boca, e respire profundamente mais uma vez. Desenhe os outros três símbolos: Cho-Ku-Rei, Sei-He-Ki e Hon-Sha-Ze-Sho-Nen. Visualize-os, penetrando no chakra da coroa. Assopre e respire profundamente.

Coloque-se diante do aluno que está sentado. Traga para a frente as mãos fechadas do aluno e abra-as como se ele segurasse um livro um pouco acima do colo. Sobre as mãos paralelas, trace o Cho-Ku-Rei e bata levemente com a palma das mãos na palma das mãos do aluno, por três vezes. Nesse momento, visualize os símbolos entrando pelas mãos. Trace o Sei-He-Ki e bata levemente com a palma das mãos nas palmas do aluno, por três vezes. Então, faça o mesmo com o Hon-Sha-Ze-Sho-Nen — desenhe o símbolo e faça-o fluir para o interior. Por último, faça o Dai-Ko-Myo, batendo levemente com suas mãos na palma das mãos do aluno, após tê-lo desenhado.

Incline-se para pegar as mãos do aluno, feche-as novamente com uma de suas mãos. Incline-se para a frente e assopre do chakra da raiz ao do coração. Os homens, em geral, ficam agitados com esse movimento e podem pular na cadeira. Alguns alunos pulam na primeira vez que se bate nas mãos — faça-o delicadamente. Depois de assoprar, respire fundo e novamente prenda a respiração.

Passe para as costas do aluno. Existem dúvidas sobre se é preciso continuar a prender a respiração, mas a posição Hui Yin ainda é necessária. Em geral, mantenho ambas (respiração e Hui Yin), bem como a língua tocando o céu da boca. Faça o movimento de fechamento da aura, visualizando os símbolos dentro dela. Isso pode ser feito através da visualização ou do gesto de trazer as mãos juntas acima da cabeça. Jamais feche o chakra da coroa. A essa altura ele estará amplamente aberto; a aura fechada o protegerá. Desenhe o Raku ao longo da coluna vertebral, da cabeça até o chão. Você sentirá um deslocamento de sua própria energia e da do aluno também, ao usar o Raku. Solte a respiração e a posição Hui Yin.

A iniciação está terminada. Leva cerca de três minutos. Aprenda a desenhar os símbolos rapidamente, de tal forma que o Hui Yin e a respiração não tenham de ficar presos por muito tempo. Com prática e experiência você conseguirá. E se conseguir visualizar claramente os símbolos, "imprima-os" em vez de desenhá-los. Envie-os na cor violeta ao terceiro olho. Ao fazer a iniciação para pessoas dispostas em fila, desloque-se primeiramente por trás e, depois, mova-se para a frente; então, desloque-se para trás, finalizando a iniciação. É muito mais rápido fazer isso com um grupo grande de pessoas do que fazer iniciações uma a uma. Entretanto, quando faço a iniciação em Reiki III, prefiro fazê-lo individualmente — a iniciação significa muito para que se faça em grupo.

Insista para que as pessoas presentes na sala se mantenham em total silêncio. O processo iniciático exige total concentração e o Mestre precisa de silêncio. A iniciação Reiki também é um grande acontecimento para a pessoa que recebe a energia, e ela merece passar pela iniciação sem que esta se interrompa. Raramente tive problemas com pessoas que não cooperaram. Os alunos podem sair da sala se estão impacientes. Só no Reiki I é necessário que as pessoas ponham as mãos em alguém, por alguns minutos, depois de receber a iniciação.

Durante um período que precede o processo iniciático, o Mestre sente sua aura "iluminar-se". Isso sempre acontece comigo antes de eu passar as instruções, e também ocorreu uma vez em que eu não pretendia realizar iniciações. Eu estava na casa de uma amiga, e alguém me perguntou sobre o Reiki. Eu não esperava, mas acabei fazendo uma iniciação. Minha amiga disse que, pelo menos uns vinte minutos antes da iniciação, minha aura começou a "iluminar-se". Foi algo de momento, eu não planejei para que isso acontecesse. Entretanto, os guias do Reiki sabiam que eu iria fazer iniciações e prepararam minha aura para tanto. Se, durante a instrução, isso se tornar incômodo — a energia pode exigir demais e às vezes você não está pronto para começar —, peça aos guias do Reiki que o acalmem. Diga-lhes: "Ainda não estou pronto, por favor, esperem." Às vezes, eles ficam ansiosos e impacientes, pois esperaram muito tempo para trazer o Reiki de volta ao mundo.

Se durante a iniciação você cometer um engano, consulte os guias. Os meus não dizem para eu recomeçar. "Nós resolvemos", eles dizem. Dê o melhor de si durante o processo. Aprenda bem e pratique-o, mas, se se esquecer de algo, ou cometer um erro, isso não será uma catástrofe. Se se esquecer completamente de um símbolo, pode precisar voltar a desenhá-lo, ou talvez nem precise. Pergunte aos guias. Com a intenção positiva de ensinar o Reiki e algum conhecimento do processo, toda ajuda lhe é oferecida.

Entre um aluno e outro, ou uma fila de alunos, respire fundo. A respiração entrecortada não é agradável. Ao final das iniciações, peça aos guias para fixá-la à Terra. Use um cristal: obsidiana ou hematita; use a Órbita Microcósmica, ou abrace uma árvore. Toque o dedo mínimo com o polegar em ambas as mãos — embora isso altere o fluxo de energia repentinamente. Algumas essências florais são muito úteis. Jantar depois das aulas também ajuda, e será ótimo receber uma cura em grupo de seus alunos recém-iniciados. Pode levar algumas horas para se acalmar, e espere pois o cansaço virá.

Existe uma forma de realizar iniciações sem a posição Hui Yin. Use o processo acima e uma grade de cristais. Para fazer isso, você precisa de oito cristais geradores de quartzo, com pelo menos quinze centímetros de comprimento. Eles devem estar bem limpos (purificados) antes de serem usados. Esta informação me foi passada e a Laurel Steinhice durante suas sessões de canalização. Só se pode fazer uma iniciação de cada vez ao usar esse método. O aluno, com as costas retas, senta-se numa cadeira. Dois cristais são colocados diretamente atrás dessa cadeira. Ambos estão voltados para os pés do aluno. Todos os cristais apontam na direção da pessoa que recebe a energia. Ao redor da cadeira e do Mestre faz-se uma grade, ou círculo, com pelo menos cinco cristais grandes, todos voltados na direção do aluno. Pode haver muitos outros cristais na grade, mas use um número ímpar.

O Mestre começa a iniciação por trás da cadeira, com os pés descalços sobre os dois cristais. Quando se move para a frente, um terceiro cristal mais próximo fica entre seus pés. Continue com o processo iniciático. Eu acho que é necessário ter à mão cristais muito poderosos para se obter o mesmo efeito do método anterior. Os cristais usados numa grade Reiki desenvolvem e mantêm uma poderosa carga. Durante as sessões de cura, a grade também pode ser colocada sob a mesa de massagem.

Ao usar cristais numa grade Reiki, use apenas o quartzo claro, de alta qualidade, e tenha certeza de que as pedras estejam bem limpas e purificadas.

Uma outra forma de manter a posição Hui Yin, que foi desenvolvida pela minha aluna Anastasie Marie, é colocar um pequeno ovo de cristal dentro da vagina e outro sob a língua. Isso não só mantém a posição Hui Yin, mas também intensifica o efeito; as iniciações feitas dessa maneira são muito eficazes. Anatomicamente, esse método só funciona com mulheres.

A iniciação em Reiki pode tornar-se um belo ritual, ou pode ser simples e rápida, como a que faço, pois ensino a numerosos grupos em muitos lugares e, em geral, com um tempo determinado em cada classe. No Reiki Tradicional, as iniciações são realizadas individualmente. A pessoa que recebe a energia é levada para uma sala, separada das outras, onde a iniciação é realizada com estilo e de forma agradável. Mas não importa o estilo; a iniciação, em si, é um acontecimento sagrado.

Fazer da iniciação um ritual — como sei que era no Budismo Tântrico — cria uma atmosfera sagrada de grande beleza, que apela a todos os sentidos. Comece com a porta fechada, sem que haja interrupções, numa sala suavemente iluminada. Tire o telefone do gancho. Acenda velas e coloque-as fora do alcance das pessoas, para que elas se movam à vontade. Queime incenso, mas certifique-se de que ninguém é alérgico a ele. Rosa, âmbar ou erva-doce são especialmente agradáveis. Coloque música de fundo bem calma, apropriada aos estados alterados de consciência, como, por exemplo: Enya, Kitaro ou Kay Gardner. Às vezes, uso uma gravação de harpa com Gail Baudino. Se o Mestre Instrutor e o aluno são Wicca, construa um altar com velas, flores, incenso, objetos indicando as quatro direções e imagens de Deuses. Ou construa um altar para meditação, sem conotação religiosa. Lembre-se de que o Reiki é sagrado, mas não é uma religião.

Comece o processo iniciático com uma meditação. Primeiramente, faça uma seqüência completa de relaxamento corporal e, então, dirija a meditação aos chakras dos alunos, para que recebam a energia Reiki. Faça com que eles voltem a uma vida passada em que a energia Reiki já foi usada, ligue-os aos seus guias espirituais, ou simplesmente dirija a energia do Ki aos seus chakras, visualizando as cores em seqüência. Leve o grupo a um planeta onde todas as pessoas tenham o Reiki, e observe a vida diária desse lugar; então, conduza-os ao futuro da Terra, onde todas as pessoas são agentes de cura, observando como a Terra é curada. As possibilidades de visualização ao se fazer uma meditação desse tipo são ilimitadas. Entretanto, concentre-se na abertura, na receptividade e, talvez, no merecimento dessa energia.

Quando os alunos tiverem entrado profundamente nos estados alterados de consciência, comece a fazer as iniciações. O Mestre pode colocar uma gota de essência de amêndoas, de rosas, de lavanda ou de menta sob a língua. Use essências puras, mas certifique-se de que é seguro colocá-las na boca. Arde um pouco, mas seu aroma é transportado para dentro da aura do aluno, com a respiração. Lembre-se de manter a língua tocando o céu da boca. Realize as iniciações. Termine o ritual com outra meditação e uma bênção final. Os budistas Vajrayanas, que desenvolveram o Reiki, usam rituais, simbolismo e misticismo em suas práticas. Estas podem ser traduzidas para qualquer sistema de crenças.

Isso descreve o método de iniciação em Reiki não-Tradicional. Tenho tentado ensinar esse processo de forma tão clara e simples quanto possível, procurando responder às perguntas mais freqüentes que um novo Reiki III pode ter. Provavelmente, a única maneira de se aprender a realizar uma iniciação é praticá-la. A experiência vem com a prática. Uma vez que um Reiki III aprende a fazer iniciações, ele está pronto para ensinar. O ato de ensinar transforma-o num Mestre. O capítulo seguinte descreve como ensinar cada um dos graus do Reiki.

1. Ajit Mookerjee, *Kundalini: The Arousal of the Inner Energy*, p. 71.
2. *Ibid.*
3. John Blofeld, *The Tantric Mysticism of Tibet*, p. 139.
4. *Ibid.*, p. 144.
5. *Ibid.*, pp. 143-144.

CAPÍTULO 9

O Ensino do Reiki

O aluno que recebeu o Reiki I, II e III — como nos cursos intensivos que dou nos fins de semana — pode sentir-se sobrecarregado. Antes de começar a ensinar (ou antes que você entre em pânico), é necessário que você explique a ele a iniciação e fale sobre a energia. Se o aluno recebeu o Reiki I na sexta-feira e o Reiki III no domingo, ele não estará pronto para ensinar. Ele precisará primeiro aprender e praticar o Reiki em si mesmo, antes de transmiti-lo a outras pessoas. Acredito que levará várias semanas, ou mesmo meses, depois do curso, até que o aluno esteja apto a fazer a iniciação de outras pessoas. Alguém que tenha esperado um certo tempo entre um grau e outro poderá requerer menos tempo de preparo para começar a ensinar. Isso varia de pessoa para pessoa; cada um conhece suas limitações e necessidades. Não existe uma regra nem um tempo determinado e rígido para isso.

Se você recebeu os três graus num curso intensivo, a primeira providência é aprender o Reiki I. Pratique diariamente a autocura pela imposição das mãos e faça tantas sessões diretamente com outras pessoas quanto for possível. Recomendo aos meus alunos que ministrem a autocura diária pelo menos no primeiro mês depois de receberem o Reiki I, e três sessões completas com outras pessoas por semana. Por ora, esqueça os Reiki II e III. Quando estiver completamente familiarizado com o Reiki I e tiver experiência com a cura direta, passe para o Reiki II. Novamente, o tempo varia de pessoa para pessoa. Então, passe para o Reiki II, mas só quando se sentir pronto.

Faça meditações noturnas e comece a cura a distância. Adicione os símbolos do Reiki nas sessões diretas e a distância, mas antes memorize-os cuidadosamente. Quando eu os aprendi, preguei-os sobre a mesa de jantar e os estudava enquanto fazia as refeições. Primeiro, envie os símbolos mentalmente nas curas direta e a distância, então visualize-se desenhando-os. Todas as linhas devem ser bem feitas, na seqüência correta. Por último, desenhe-os no papel sem copiá-los. Gaste o tempo que for necessário até se sentir seguro com o Reiki II.

Em seguida, faça diariamente os exercícios do Ki por trinta minutos. Passe pelo menos algumas semanas fazendo experiências com a Órbita Microcósmica e com o Primeiro Exercício do Ki. Essas são práticas fundamentais por si mesmas. Comece exercitando a posição Hui Yin, e vá aumentando o tempo à medida que consegue mantê-la. Pode demorar algumas semanas até que você consiga manter a posição o tempo necessário para realizar uma iniciação. Aprenda a perceber a sensação do Ki movendo-se pelo seu corpo e a mudança dessa sensação com exercícios diferentes.

Então, já familiarizado com os exercícios acima citados, é hora de acrescentar o Reiki III. Comece com os símbolos do Terceiro Grau; em primeiro lugar, escolha a versão do Dai-Ko-Myo que mais lhe agrade. Tentar usá-los na cura a distância é uma maneira de testá-los. Ignore, por ora, quaisquer símbolos que não sejam do Reiki, pois eles não são importantes. Deixe também para depois os símbolos pessoais. Acrescente o Dai-Ko-Myo à cura direta e à cura a distância, e procure sentir seu efeito. Quando estiver completamente familiarizado com a cura direta e com a cura a distância, com os cinco símbolos do Reiki e com os exercícios de Ki, é hora de começar a trabalhar com a energia do ensinamento do Reiki III.

Aprenda a usar o processo iniciático e pratique-o sempre que possível. Se você aprendeu o Reiki com um grupo de pessoas, é melhor que vocês o pratiquem juntos e que ministrem a cura uns nos outros. Compartilhar o Reiki é maravilhoso para a cura e pode ser executado facilmente ao praticar as iniciações. Quando o grupo fizer iniciações uns nos outros repetidas vezes, não espere pelas altas cargas energéticas que recebeu nas primeiras iniciações. Você provavelmente ainda sentirá o fluxo de energia, especialmente se trabalhar com os exercícios do Ki, que o tornarão sensível a isso. Você passará a ver os símbolos à medida que eles forem ensinados.

Quando você se sentir seguro com a prática do Reiki nos três níveis, então estará pronto para ensinar. Comece com uma pessoa, de preferência um membro da família, e lhe dê o Reiki I. Dê o Reiki I a outras pessoas individualmente, e talvez a um pequeno grupo com menos de cinco pessoas, antes de anunciar um curso. As informações sobre o que ensinar são discutidas neste capítulo. Quando sua capacidade de realizar iniciações aumentar o suficiente para usá-la em grupos maiores, e você se sentir completamente seguro com o Reiki I, tente o Reiki II. Novamente, comece com um pequeno grupo de amigos antes de anunciar um curso. Aprenda a lidar com a energia de cada grau antes de passar para o próximo nível.

Recomendo que dêem vários cursos de Reiki I antes de começar a ensinar o Reiki II, e que dêem cursos de Reiki II antes de começar a ensinar o Reiki III. Neste capítulo, descrevo o que ensinar em cada um dos três graus. O processo de ensino treina o Mestre/Instrutor. Este também aprende enquanto trabalha os métodos de cura de cada um desses graus. Comece a ensinar o Reiki III individualmente, em vez de em grupos, e dê aos seus alunos a oportunidade de assistir às suas aulas do Primeiro e Segundo Graus, se desejarem. É preciso que se tenha alguma experiência com o Reiki I e II para que se possa ensinar o Reiki III. Não há necessidade de se apressar. Espere até que se sinta seguro em cada grau.

Todo novo iniciado em Reiki III desenvolve seus próprios métodos de ensino. Isso é desencorajado no Reiki Tradicional, em que todos os graus são rigidamente definidos. Nos grupos de Reiki Tradicional, as capacidades psíquicas não são ensinadas, e é dada pouca ou nenhuma explicação de como ou por que o método Tradicional funciona. Os guias espirituais e os guias do Reiki não são mencionados, tampouco vidas passadas e a cura dos traumas nesta vida. Não há símbolos alternativos nem Ponto Estacionário. O processo iniciático Tradicional, embora muito mais complexo que o método ensinado neste livro, não envolve os exercícios do Ki nem o uso da posição Hui Yin.

Qualquer coisa que esteja fora do estrito esquema Tradicional é definida como "não pertencendo ao Reiki" e firmemente contestada. Quando recebi o Reiki I pela segunda vez, durante um curso, fiquei apavorada quando o Mestre/Instrutor Tradicional se recusou a falar sobre descargas emocionais ou catarses. "Isso não é Reiki", disse com raiva, em resposta à minha pergunta. É óbvio que é, e os curadores Reiki precisam saber disso, assim como o que fazer quando isso acontecer. O Mestre em Reiki não-Tradicional tem muito mais escolhas e informações para aprender e para trabalhar com elas. Tento ser bem clara no ensinamento sobre o que é e o que não é Reiki Tradicional.

Meus alunos nem sempre ensinam como eu, e não há problema quanto a isso. Se fazem iniciações com sucesso, ensinando os símbolos, as posições das mãos na cura direta e na cura a distância, estão ensinando o Reiki. Às vezes, quando se afastam muito do sistema Reiki, eu os advirto. Quando alguém ensina Reiki fazendo com que os alunos desenhem seus próprios símbolos em vez de usar os símbolos do Reiki, e oferecendo o Terceiro Grau só a terapeutas e profissionais, não considero isso Reiki, mas, sim, algum método próprio, e não tenho o direito de intervir porque a pessoa tem livre-arbítrio. A maioria dos meus Reiki III ensina o Reiki de uma forma que me deixa orgulhosa, mas poucos ensinam exatamente como eu.

A primeira coisa a aprender sobre o ensino do Reiki é como cuidar de suas próprias necessidades. Ser Mestre em Reiki implica enorme responsabilidade, e a pessoa só tem consciência disso quando obtém esse título. Provavelmente, você tem outros trabalhos no dia-a-dia, trabalha com cura, e talvez tenha de ensinar o Reiki fora do seu "ambiente". Festivais, conferências ou cursos nem sempre estarão sob o seu controle. Primeiramente, saiba quantas iniciações você pode realizar num dia sem se sentir esgotado, e não faça iniciações com um número muito grande de alunos. Determine o que é melhor para você. Ultrapassar seus limites poderá acarretar sérias conseqüências.

Ensinei o Reiki em um festival feminino em Pocono, em 1994. Anunciei no festival que daria o Reiki I, e cinqüenta mulheres se apresentaram para o curso. Embora dois alunos estivessem me ajudando, tratava-se de um número muito grande. Além disso, elas começaram a perguntar sobre o Reiki II e III. Não gosto de me recusar a ensinar a ninguém, principalmente aquelas mulheres do festival passado, que não tinham outra forma para obter a instrução mais avançada. A aula sobre o Reiki I foi no sábado, e no domingo combinei de me encontrar com as que queriam receber o Reiki II sob uma linda árvore, ao ar livre, depois do almoço.

Depois do Reiki II, passei o Terceiro Grau para vinte e poucas mulheres. Esses cursos não estavam nos planos do festival; além disso, eu havia planejado outro curso para aquela noite. Quando terminei, às 21 horas, estava muito doente. Eu realizara quase cem iniciações em 24 horas, tomara muito sol, estava exausta. A purificação kármica, que ocorre em cada iniciação, passa pela aura do Mestre em Reiki. Também há um limite para a quantidade de Ki que pode ser canalizada por uma pessoa em um dia. Eu causei o meu próprio mal, pois não respeitei meus limites. Fiquei doente e cansada nos três meses seguintes. Às vezes, ainda hoje preciso lembrar-me disso, e procuro alertar meus alunos para que cuidem de si mesmos.

Quando for ensinar, estabeleça um número de pessoas por classe. Esse limite deverá variar de pessoa para pessoa e dependerá do nível de experiência de cada um. Evite ensinar ou dar sessões individuais com muita freqüência. É mais prudente ensinar apenas uma vez por semana. Quando ensino durante um fim de semana, espero um mês antes de fazê-lo novamente. O ideal seriam dois meses. Descanse bastante depois de um curso, durma mais se precisar. Descanse bastante e, depois de ter dado muitas aulas ou de ter estado em companhia de grupos grandes, durma mais horas, se necessário. Se estiver dando aulas à tarde, tire a manhã de folga, e durma até tarde ou fique relaxado até a aula. Coma bem antes e depois de ensinar, isso ajuda a manter-se firme. As sessões de cura requerem menos limites estritos, já que o Reiki energiza o curador e o receptor. Aprenda a conhecer também quais são os seus limites na cura.

Cada Mestre tem suas próprias necessidades. Descubra quais as condições de que você precisa para ensinar o Reiki, e siga-as como for possível. Cuidar de si mesmo o ajudará a ensinar com mais freqüência e a sentir prazer nisso. O ensinamento sempre será interessante, não importa quantas vezes você repita as mesmas aulas. Ensinar o Reiki é um acontecimento e uma bênção para o resto da vida. Não há necessidade de acelerar o processo de aprendizagem, nem de se cansar com ele.

Use roupas leves. Você sentirá muito calor durante a iniciação e algum tempo depois; posteriormente, terá vontade de se agasalhar de novo. Jaquetas e roupas fáceis de tirar são úteis. Qualquer coisa que tolha o movimento das mãos e dos braços causará aborrecimento durante a iniciação. Pulseiras também incomodam. Tenho roupas que só uso em seminários — uma blusa de mangas justas, e rasguei-a várias vezes. Vista roupas fáceis de lavar, pois você vai transpirar. Depois de ter ensinado, quando a quantidade de Ki diminuir, você poderá sentir mais frio do que as pessoas que estão ao seu redor; leve um casaco para essas horas. Você provavelmente não terá disposição para ir a festas depois dos cursos.

Escolha também um lugar confortável para ensinar. Em geral, prefiro a sala de estar. Gosto de cursos informais. No Reiki I, quando todos estão deitados no chão durante a cura, um tapete macio é excelente. Se a sala de aula não tiver tapetes, peça aos alunos para trazerem travesseiros e cobertores. Ponha essa informação na propaganda do curso. Não é muito cômodo ensinar em salas em que as cadeiras estão enfileiradas; mas, se não houver outro jeito, arrume as cadeiras em círculos. Durante a cura, retire as cadeiras, empilhando-as junto às paredes ou fora da sala, e realize a cura sobre os cobertores, no chão ou numa mesa firme.

Em conferências ou festivais, as condições podem não ser boas. Certa vez, dei aulas num restaurante; forrei as mesas com cobertores e as usamos como se fossem mesas de massagem. Quando for ensinar ao ar livre, procure um lugar à sombra. A grama verde é um lugar adorável para se realizar a cura. Leve filtro solar e garrafas de água para o grupo; em qualquer curso, mantenha um copo de água, Gatorade ou sucos de fruta sempre à mão — falar durante as aulas dá sede. Faça intervalos durante as aulas. Professores e alunos precisam de uma pausa.

Cinco cadeiras retas (ou quantas você quiser usar em fila) são necessárias para realizar as iniciações. Um banco largo, como um banco de piquenique, pode ser usado. Você pode não ser capaz de manter a posição Hui Yin nem a energia se os alunos estiverem sentados no chão. Se não houver cadeiras na sala, peça aos alunos que as peguem de outras salas ou de locais onde são dados seminários. Ao concordar em fazer o seminário, especifique essa necessidade desde o início. Também deve haver um banheiro nas proximidades — é extremamente difícil manter a posição Hui Yin com vontade de urinar. Os alunos devem lavar as mãos antes de realizar a cura. Lembre-se de que as mãos serão colocadas sobre os seus olhos e os de outras pessoas.

Aceito crianças em meus cursos de Reiki I, contanto que tenham idade suficiente para não atrapalhar. Ao ensinar o Reiki a uma criança, a mãe, ou alguém próximo a ela, deverá receber o treinamento a fim de que entenda o que a criança faz e possa ajudá-la. Surpreendo-me a cada dia com a rapidez com que as crianças aprendem e como fazem isso cedo. Uma de minhas primeiras Reiki I foi Callie, neta de minha amiga Carolyn. Callie, sua mãe e Carolyn receberam o Reiki I juntas. Já que ela tinha seis anos e meio, eu não sabia o que esperar dela. No final da noite, entretanto, Callie estava ensinando-me a realizar o Reiki I. Seus comentários, como: "meias e não luvas" para as posições das mãos no Reiki, e "primeiro sobe, depois desce, e então você pode mover as mãos", hoje fazem parte dos meus ensinamentos.

As crianças aprendem as posições das mãos no Reiki, mas demoram pouco tempo em cada uma delas. Callie me disse que sabia exatamente quando movimentá-las, o que equivale a aproximadamente trinta segundos entre uma posição e outra, em vez dos cinco minutos usuais. A energia das crianças flui tão claramente que o Reiki se movimenta rapidamente através delas. Quando depois treinei Kayla, que veio para as Partilhas do Reiki quando tinha quatro anos, observei a mesma coisa. Kayla gostava de entrar na sala onde estava ocorrendo uma sessão de cura, pôr as mãos sobre alguém durante alguns momentos e depois ir embora. Ela passava em cada mesa, transmitindo sua energia de cura às pessoas nessas ocasiões. Kayla sempre foi exata nas posições, e sabia a região do corpo da pessoa que precisava de tratamento sem que nada lhe tivessem dito a respeito. Nas sessões, ela era o centro das atenções.

Kayla tinha vindo para o curso com seu pai, que não conseguira encontrar uma babá para tomar conta dela. A garota tinha três anos e meio, era quieta e não atrapalhava. Quando chegou o momento da iniciação, ofereci-lhe também. Seu pai concordou e ela sentou em seu colo para recebê-la. Depois da iniciação, ela dormiu. Não pensei que fosse curar com essa idade. Alguns meses mais tarde, seu pai me telefonou: "Você não vai acreditar no que Kayla fez." Ele estava com dor de cabeça e foi deitar-se, pedindo que ela brincasse quieta. Ela então subiu na cama dele, pôs as mãos em sua testa e disse: "Eu curo você, papai." E curou. Mais tarde, ela começou a participar das Partilhas do Reiki.

Minha aluna de Reiki II mais jovem tinha oito anos. Novamente, isso aconteceu sem que eu planejasse. Molly veio ao meu curso com a mãe, e saiu-se muito bem com o Reiki I. Quando sua mãe voltou para receber o Reiki II, no dia seguinte, ela também veio. Disse-lhe que ela poderia vir, mas que trouxesse algo com que se ocupar caso se aborrecesse. Molly ficou até o fim e recebeu a iniciação em Reiki II. Quando comecei a ensinar os exercícios do Ki, ela saiu e voltou mais tarde com várias folhas de papel contendo os símbolos do Reiki que havia desenhado, perfeitamente corretos. "Você os copiou das apostilas", eu disse. "Não", disse Molly, "aprendi a desenhá-los agora." E tornou-se uma competente curadora a distância aos oito anos de idade, participando dos Encontros Reiki — principalmente para servir de babá a Kayla.

Uma jovem veio para receber Reiki I e II, e eu pensei que ela tivesse cerca de quinze anos. Veio com a mãe e queria receber também o Reiki III. A mãe não permitiu: "Quando você tiver idade suficiente, eu mesma lhe ensinarei." Addy tinha apenas onze anos. Ela será uma grande Mestra em Reiki, provavelmente ainda muito jovem; entretanto, o Terceiro Grau não é para crianças. É preciso capacidade para ensinar e muita responsabilidade. Sempre me agrada quando crianças vêm para os cursos de Reiki I e eu as encorajo. Alguns de meus alunos dão cursos de Reiki I exclusivamente para crianças. Se você for dar aulas para elas, organize turmas pequenas.

Fiz iniciações em Reiki I a todos os membros de uma família em crise, de forma que pudessem ajudar uns aos outros, e o mais jovem deles foi Bradley, um bebê de seis meses. Ele era muito pequeno para receber os símbolos nas mãos e também se mexia muito, portanto pus os símbolos na parte frontal de seu pequeno corpo. Eu não esperava que um bebê se tornasse curador, mas passei a iniciação como cura em si. Fiquei impressionada ao sentir que suas mãozinhas se aqueceram depois da iniciação. O bebê foi avaliado pelas pessoas, que constataram isso por si mesmas. Também chorou muito depois da iniciação, e isso pode ter sido alguma forma de purificação. Um mês depois, sua mãe disse que as mãos dele ainda estavam quentes.

A energia Reiki nunca faz mal, e a iniciação cura qualquer pessoa que a receba. Eu aceito praticamente qualquer pessoa para o Reiki I. Se alguém quer fazer o curso, mas não pode pagar, sempre ofereço bolsas de estudo. Só recusei numa ocasião, e foi para o Reiki II. Em geral, acredito que, se alguém quer o Reiki, é porque deve tê-lo. Recusei-me a dar o curso devido ao fato de a mulher ter perdido a aula de iniciação e pelo menos a metade do ensinamento, pois chegou muito atrasada. Em geral, eu deixaria que as outras pessoas lhe mostrassem as posições das mãos, e eu realizaria a iniciação, mas alguma coisa me impediu de fazê-lo.

Ela queria a iniciação em Reiki I para poder obter o Reiki II no dia seguinte. Eu lhe disse que deveria esperar por uma nova ocasião. Mais tarde, as outras alunas e eu realizamos a cura nessa mulher e, durante a cura, compreendemos por que ela não deveria receber o Reiki II, já que na cura descobrimos uma vida passada em que ela havia sacrificado pessoas em rituais. Essa vida tinha relação direta com os problemas que ela tentava resolver. Ela não tinha consciência desse passado, mas três curadores o viram fisicamente e falamos sobre isso mais tarde. Todos nós havíamos sido orientados para não falar sobre o assunto durante a sessão. A mulher estava tentando eliminar um karma muito pesado com um bloqueio de consciência. É provável que o Reiki II despertasse lembranças antes que ela estivesse pronta para conhecê-las, e talvez lidar com elas na ocasião exigisse um esforço demasiado. Talvez o Reiki II desbloqueasse essa memória antes que estivesse pronta para isso.

Nunca mais recusei ninguém para o Reiki II. Entretanto, se você conhecer um aluno que seja do tipo que "manipula" as pessoas, ou que possa fazer mau uso do seu potencial psíquico, ele não poderá receber o Reiki II, pois o uso indevido dessa maravilhosa energia pode acarretar a criação de karmas ruins; portanto, é melhor prevenir para que isso não ocorra. Os símbolos não podem ser usados indevidamente, e não farão mal a ninguém, independentemente da intenção com que são enviados. O Reiki foi criado para curar e não para causar o mal. No entanto, o karma adquirido por se fazer mau uso do Reiki é bastante grave, e talvez seja melhor não pôr alguém que possa tentar fazer isso no caminho kármico. Quando houver dúvida numa situação como essa, siga os seus instintos e estabeleça contato com os seus guias ou com seus guias do Reiki. Seja cauteloso quanto a não deixar que o seu ego ou um julgamento precipitado interfira na sua decisão. Às vezes, você pode surpreender-se com o resultado da orientação, como aconteceu comigo.

Recusei apenas uma pessoa para o Reiki III em um curso dado fora da cidade. As participantes disseram que, se Beth (não era esse o seu nome) participasse do Reiki III, elas se recusariam a fazê-lo. Eu conhecia muito bem uma das mulheres para saber que algo sério se passava com Beth. Disseram-me que ela enganara pelo menos metade delas numa situação e que Beth dizia que ensinava o Reiki quando, na verdade, só tinha o Reiki I e II, que eu lhe ensinara naquele dia. Eu sabia que havia ressentimento entre Beth e uma das participantes que veio me procurar, mas não sabia o que fazer. Eu não sabia se havia conflitos de personalidade ou se, de fato, Beth era alguém que as pessoas deviam temer.

Eu não havia recebido nenhuma impressão psíquica sobre essa mulher, o que não era comum; pedi, portanto, a uma pessoa do grupo que a apontasse para mim, mas continuei sem receber impressões que me permitissem continuar. Eu me tranquei no banheiro com meu pêndulo para conversar com meus guias. Às vezes, quando viajo para dar cursos, esse é o único lugar onde tenho privacidade. Disseram-me para recusá-la, e como nunca tinha recusado ninguém antes, fiquei preocupada. Dirigi-me à mulher e disse a ela que eu não estava fazendo nenhum julgamento sobre ela, já que eu não a conhecia, mas que algumas mulheres do grupo não a queriam na classe, e eu tinha de respeitar a decisão delas. Beth começou a chorar. Senti-me péssima.

Uma amiga de longa data e minha aluna estava lá para passar o fim de semana, e perguntei-lhe que informações psíquicas recebera sobre a mulher. Não lhe contei por quê. Minha amiga, que não a conhecera antes, disse: "A aura dela apresenta coloração marrom e aspecto viscoso; há algo errado aí." Senti-me um pouco melhor com a minha decisão. Mais tarde, contei a duas mulheres que haviam organizado o curso sobre o que eu havia feito e ambas disseram que pensaram em me contar algo sobre Beth, pois também não queriam que ela participasse do Reiki III. Elas confirmaram tudo o que as outras pessoas disseram. Na manhã seguinte, em ritual com o grupo, recebi a confirmação necessária sobre Beth.

Numa outra ocasião, não gostei de uma mulher que veio para os cursos Reiki I e II. Era rude, irritante e muito negativa — um grande problema. Não aceitava nada sem argumentar. Desejei imensamente que ela não viesse para o Reiki III e, quando perguntei aos guias se deveria negar-lhe esse curso, não recebi resposta. No domingo, ela apareceu para as aulas de Reiki III. Perguntei aos meus guias novamente e eles me pediram para aceitá-la. Mais tarde, quis saber por que deveria ensinar o Terceiro Grau a essa pessoa. Certamente, ela não era o tipo para uma Mestra em Reiki. Os guias responderam que ela jamais iria usar a energia Reiki, muito menos ensinar, portanto não ia fazer mau uso dessa energia; entretanto, a energia Reiki iria curá-la.

Como regra geral, ensino qualquer pessoa que venha a mim querendo aprender, a menos que me dêem boas razões para não fazer isso. Ao ensinar um grupo, sinto que as pessoas presentes estão ali porque devem estar e o Reiki ou os guias se encarregarão de afastar as pessoas erradas. Se alguém não estiver pronto para ir além do Reiki I, ele mesmo saberá ou algo acontecerá para que não volte no dia seguinte. Se ele não deve estar presente ao Reiki III, poderá acontecer de o pneu de seu carro furar ou ocorrerá qualquer emergência que o impedirá de estar presente. A maioria das pessoas sabe quando estão preparadas para o Reiki e respeitam isso, e quando alguém não está pronto e insiste em obtê-lo, essa pessoa não usará a energia até que seja capaz.

Ao anunciar o Reiki III publicamente, não tenho controle sobre as pessoas que aparecem. Se sinto muito fortemente que alguém não deveria estar presente, eu digo, mas isso aconteceu só uma vez. Em último caso, deixo a palavra final aos guias Reiki; se há algo que eu deva saber, eles me contam. Tenho certeza de que vários alunos que não estavam prontos ficaram ali apenas para participar de um curso da Nova Era. Eles não ensinarão o Reiki, tampouco trabalharão com técnicas de cura, mas talvez possam obter a cura ou curar pessoas inconscientemente. Enfim, tive alunos nessa situação para o primeiro curso e, quando voltaram para o segundo, em outra ocasião em que estive na cidade, estavam prontos e eram evidentes as mudanças emocionais pelas quais passaram. Ninguém pode usar o Reiki para fazer o mal, e esse tipo de situação jamais prejudica o Reiki.

Uma questão relevante no Reiki é a bolsa de estudos. Deve-se ou não ensinar alguém que não pode pagar? Quantas bolsas devem ser oferecidas por curso? As pessoas que não pagam apreciarão e usarão o Reiki? Não sei de nenhum Mestre em Reiki Tradicional que tenha aceito alguém, a menos que essa pessoa pague, e bem caro. O preceito Tradicional é que, se não pagarem, não usarão a energia, tampouco a respeitarão. Meu costume é o de oferecer bolsas de estudos em todos os cursos, embora algumas pessoas não façam uso da energia, pagando ou não.

Se você estiver ensinando seis pessoas e acrescentar uma sétima, terá apenas mais uma iniciação a realizar. Se alguém quer o Reiki a ponto de solicitar uma bolsa de estudos, em geral eu a dou. Essa pessoa pode juntar-se à classe na aula seguinte. Se alguém oferece uma troca, eu aceito. Quando viajo, não tenho idéia de quem pagou o curso ou não, e realmente não me importo. Durante os festivais, ensino sem cobrar mesmo o Reiki III. Formei vários Mestres dessa forma, e eles certamente fazem bom uso do Reiki. O retorno que peço aos bolsistas é que usem os ensinamentos e a cura para ajudar os outros. Se estiverem dispostos a isso, e a maioria deles está, então eles já me pagaram totalmente.

Às vezes, aparecem pessoas com capacidades excepcionais para a cura e precisam usar esses dons. O Reiki fornece a estrutura para essas pessoas e proporciona a base para qualquer outra capacidade de cura. Já treinei em Reiki vários curadores médiuns como uma forma de aprimoramento de suas habilidades e de como usá-las. Tenho três "filhas médiuns" formadas dessa maneira. Todas elas muito pobres. Duas eram estudantes universitárias quando as conheci. Não podiam pagar pelas aulas de Reiki e as ofereci sem cobrar. Elas precisavam do Reiki e hoje curam e ensinam. Eu era uma curadora desse tipo, embora não fosse jovem quando recebi a primeira iniciação. Também não paguei para receber os três graus, mas eu o aprecio de todas as formas possíveis.

Mesmo quando alguém não faz uso do que aprendeu, o Reiki oferece a cura e algo mais de que a pessoa necessite. As iniciações são curas que duram o resto da vida. Não me arrependo de haver treinado ninguém até hoje. Creio que existe uma razão para cada pessoa treinada até os dias de hoje. O dinheiro não vem ao caso. A cura precisa ser universal e não tem preço. O que o aluno faz depois com o ensinamento é da sua responsabilidade e escolha. Se fizer bom uso, ganhará muito. Se não fizer uso da energia, ainda assim lhe terá feito bem. O Reiki muda a vida de qualquer pessoa que o receba. É raro uma pessoa não o usar nem apreciar.

Cursos de Reiki I Tradicional levam um fim de semana inteiro e envolvem quatro iniciações. Quando recebi o Reiki I, sexta-feira à noite, a aula foi sobre a história do Reiki e o Mestre realizou a primeira iniciação. No sábado, praticamos a autocura e também a seqüência de posições das mãos o dia todo, e recebemos duas outras iniciações. No domingo, praticamos a cura uns nos outros e recebemos a quarta iniciação. O processo foi lento, e as aulas foram realizadas numa sala com assoalho duro e sem cadeiras. Eu ensino o Reiki I em três, no máximo em cinco horas, usando o método de uma única iniciação.

O Reiki II Tradicional também é ensinado em um fim de semana, em que se aprende a desenhar os símbolos e se recebe uma iniciação. Exige-se que os alunos memorizem os símbolos em classe. Estes não podem ser levados para casa, e, no final do curso, os símbolos que foram desenhados são queimados num ritual. Ensino o Reiki II em aproximadamente três horas. Forneço apostilas com os símbolos para poderem levar para suas casas para que os alunos os aprendam bem. Para o Reiki não-Tradicional basta uma iniciação para cada grau.

O Reiki III Tradicional requer uma semana de aula e um ano ou mais de aprendizado. Durante o aprendizado, o aluno só pode ensinar na presença do Mestre; quando isso ocorre, é o Mestre que recebe as taxas pagas pelos alunos. Ensino o Reiki III durante o período de cinco horas e peço aos alunos que trabalhem juntos para que aprendam o processo iniciático e o método de ensino. Quando moram na minha cidade, são sempre bem-vindos para assistir às minhas aulas; embora eu não os pague, também não cobro nada deles. Jamais precisei supervisionar o curso de alguém. Convido alunos Reiki III para me ajudarem a realizar iniciações durante os festivais e sou muito grata a eles. Ofereço ajuda por telefone aos meus alunos quando eles pedem, e também, desde que eu possa, dou qualquer outro tipo de ajuda de que necessitem.

Normalmente não forneço certificados, exceto para o Reiki III. Entretanto, se pedirem para os outros graus, eles recebem. Às vezes, durante cursos de fins de semana, os responsáveis preparam certificados para todos os graus, e eu os assino. Não dou muito valor a credenciais — um papel assinado não faz um Mestre em Reiki e, sim, a capacidade de curar e de ensinar. Assim como no Reiki I e II, é a capacidade de curar que faz o agente de cura. Alguns instrutores Tradicionais aceitam meus certificados e outros não. À medida que mais alunos meus se tornam Mestres/Instrutores, há mais cursos sobre os três graus em um número maior de lugares. Continuo a oferecê-los na medida do possível durante as minhas viagens e durante os festivais. Peço aos meus instrutores de Reiki III para levar a sério o ensino, e muitos deles fazem isso.

Em círculos Tradicionais, o certificado e a linhagem tornaram-se símbolo de *status*. A cura não é o principal, o diploma, sim. Certa vez, fui a um Encontro de Reiki Tradicional. Muitas pessoas eram ricas, todas eram Reiki I e algumas Reiki II. O *status* das pessoas do Reiki II era claramente mais elevado e elas agiam de acordo com ele. Praticavam a cura umas nas outras como um evento social, mas, quando eu disse que trabalhava com problemas como a AIDS, todas se afastaram de mim e me deixaram sentada sozinha no sofá. Um certificado não faz um curador; curador é aquele que realmente faz curas.

Entretanto, neste mundo ávido de *status*, certificados fazem sentido para muitas pessoas; se alguém os quiser, eu os tenho para dar. Às vezes, eles ajudam a levar as pessoas para as sessões de cura com o Reiki, que de outra maneira não apreciariam nem compreenderiam o ensinamento. Para muitas pessoas, um diploma significa autoridade, e é isso o que elas aprenderam a respeitar. Mestres em Reiki Tradicional pedem para os alunos apresentarem seus certificados de Reiki I antes de aceitá-los para um curso de Reiki II, mas o certificado não garante que a pessoa tenha aprendido o conteúdo do grau.

A maioria dos instrutores Tradicionais fornece certificados em seus cursos; eu não tenho nada contra isso. Uma sugestão para os que os fornecem é a de que produzam seus próprios certificados no computador em vez de comprá-los, pois custam muito caro. Dessa forma, podem-se tirar cópias em papel especial e pagar-se muito menos. Isso tudo pode ser feito em casas de xerox, se você não souber fazer no seu computador. Será mais compensador se você dá cursos freqüentemente, embora possa parecer que sai mais caro.

A seguir dou uma lista específica sobre o que deve ser ensinado nos cursos de Reiki I, II e III. Cada grau requer uma iniciação, e o Mestre precisa de uma série de apostilas para distribuir aos alunos. (Casas de xerox faturam muito com a ajuda dos Mestres em Reiki...) Meus alunos têm permissão para fazer cópias de minhas apostilas a fim de distribuir em seus cursos, desde que identifiquem a fonte do material (ver apêndice). À medida que novos Mestres ganham experiência, em geral eles desenvolvem suas apostilas. O que se segue é apenas um resumo; este livro é um guia de ensino. A melhor forma de saber o que ensinar em cada grau é lembrar-se do que aprendeu quando passou pelo curso e do que foi melhor para você.

Reiki I

Gosto de começar andando pela sala, perguntando o nome das pessoas e que experiências anteriores tiveram com a cura. Isso deve ser rápido; você pode precisar interromper alguém que queira contar toda a sua biografia. Isso dá ao Mestre uma idéia do nível do grupo. Para alguém que nunca teve experiência com a cura nem outra forma energética de trabalho, o Reiki é uma boa maneira de começar. Para quem usa outros métodos — a massagem, por exemplo — o Reiki é um complemento ao seu trabalho. Em seguida, começo dizendo por que ensino o Reiki, em vez de usar outro método de cura. Digo ao grupo que, no final da tarde, serão curadores competentes e não precisarão mais de um instrutor para o Reiki I.

Em seguida, dê uma breve definição do que é o Reiki e o que este faz, contando a história desse sistema de cura. Em geral, isso leva vinte minutos. Descreva os três graus. Alguém vai querer saber o que é uma iniciação — defina da melhor maneira possível. Em geral, digo que é algo que precisa ser vivido e não pode ser definido adequadamente. Todas as pessoas que tiveram experiências com a cura Reiki têm histórias para contar. Conte a sua história e a classe pode ter algo a acrescentar. Se alguém no grupo já passou por uma cura com o Reiki ou tem o Reiki I, peça-lhe que conte como foi. Se ele já passou por alguma iniciação, peça-lhe que conte como o Reiki mudou sua vida. Fale sobre os princípios do Reiki. Você pode achar conveniente tê-los numa apostila.

Distribua desenhos mostrando as posições das mãos na cura direta e na cura de si mesmo. Mostre as posições e aconselhe os alunos a sentir a energia imediatamente para que comparem a temperatura delas depois da iniciação. Descreva o ciclo energético e diga quanto tempo as mãos permanecem em cada posição, uma vez que tenha recebido a iniciação em Reiki I. Este é um bom momento para um intervalo, durante o qual as cadeiras devem ser arrumadas para a iniciação, ou, depois do intervalo, descreva o que virá em seguida. Não permita que o grupo se afaste muito do programa preestabelecido. Os intervalos podem ser demorados se você não estabelecer um limite de tempo.

Depois do intervalo, faça as iniciações. Diga aos alunos que precisa de silêncio e que trabalhará com grupos de cinco pessoas (ou com quantas decidir). Mostre-lhes como manter as mãos na posição de oração e diga-lhes que, à medida que um grupo se levanta, as cinco pessoas do próximo grupo devem se sentar rapidamente. Realizar iniciações para um grupo de 25 pessoas leva pelo menos 45 minutos, mesmo que você trabalhe rapidamente. Mantenha-se em movimento, fazendo iniciações continuamente. Ao final de cada grupo, diga-lhes que terminou e que podem se levantar.

Quando cada grupo acabar e todos se levantarem das cadeiras, diga-lhes que ponham as mãos em alguém do grupo, mantendo-as nessa posição por vários minutos. Assim, saberão quando a energia se movimentou por elas, quando começa a fluir pelas mãos e quando as palmas das mãos começam a esquentar. As pessoas podem tocar os ombros ou as costas de alguém, ou onde quer que a pessoa que recebe a energia queira. Depois disso, devem começar a cura de si mesmos. Isso as manterá ocupadas enquanto você realiza a iniciação com as outras pessoas.

Depois de todos terem recebido a iniciação, pergunte se alguém quer falar sobre a experiência. Não se demore muito nisso, apenas consiga algumas respostas. Pergunte se alguma pessoa do grupo deixou de ter algum tipo de sensação. Se alguém se manifestar, pegue em suas mãos e, se estiverem quentes, não é necessário fazer mais nada. Entretanto, se precisar de mais ajuda, espere até que as outras comecem a praticar a cura para conversar em particular. Às vezes, alguém reage liberando energias negativas e desagradáveis, ou mesmo sentindo-se desequilibrado ou fora de si, ou ainda desconfortavelmente quente. Ponha essas pessoas para curar outras imediatamente. Essa é a melhor maneira de equilibrar a energia delas. Também uso essências florais para ajudá-las. Os florais de Bach tradicionais — Rescue, Clematis, Perelandra's Grus, Aachen Rose ou Oregold Rose — são ótimos para isso. Essas sensações passam em poucos minutos, em particular quando os alunos começam a trazer a energia através das mãos.

Em seguida, distribua as folhas, mostrando as posições das mãos para a cura direta em outras pessoas. Prepare uma mesa de massagem, se houver alguma disponível, ou trabalhe no chão, à frente do grupo, a fim de demonstrar as posições das mãos. Há sempre alguém que quer servir de modelo — mais tarde dê a essa pessoa a chance de observar uma demonstração com outra pessoa. Não faça uma cura completa, pois é demorada; só demonstre a seqüência das posições rapidamente. Enquanto estiver fazendo isso, fale sobre o tempo em que as mãos permanecem em cada posição, sobre o ciclo energético, a liberação das emoções, etc. Fale sobre a ética do Reiki: a cura só deve ser feita com a permissão da pessoa.

Depois de ter demonstrado as posições na região ântero-posterior do corpo, e de todos as terem compreendido sem mais perguntas, demonstre uma cura em grupo. Sempre procuro deixar isso para mais tarde. Faça a demonstração depois de as pessoas terem formado pares. Esse é o melhor momento. Usando um novo modelo, leve várias pessoas para a frente do grupo a fim de demonstrá-lo. Fale sobre as Partilhas do Reiki. Se alguém se interessar em planejar uma Partilha, encoraje-o. Se o curso for na sua cidade natal, você pode tomar a iniciativa, organizando a primeira.

Faça com que as pessoas formem pares a fim de praticar a cura umas nas outras. Cada aluno deve dar e receber uma sessão de cura, mesmo que haja pouco tempo ou muitos alunos na turma. Sessões individuais são importantes e devem ser efetuadas sempre que possível. Diga à classe que, se alguém continuar a ter sensações desagradáveis, praticar a cura é a solução. Esclareça que as sensações não fazem mal; fale sobre os sintomas e as desintoxicações. A cura em duplas toma quase a metade do tempo dedicado ao curso, e é muito importante. Ela traz a energia da iniciação através do toque e torna o sistema de cura uma realidade. É essa sessão depois da iniciação que os torna agentes de cura Reiki I.

Disponha-se a responder às perguntas, mas desse momento em diante não há muito mais coisas para ensinar. Se todos já formaram duplas, junte-se a eles para dar e receber a cura. Isso ajuda o Mestre a liberar a energia da iniciação, fazendo com que se sinta muito bem. Muitos curadores não têm quem lhes ministre a cura e eles precisam dela tanto quanto qualquer outra pessoa. Se houver tempo, faça no final do curso algumas curas em grupo. De agora em diante, sua ajuda não será necessária, seus alunos podem agir por conta própria. Reserve cerca de cinco horas para o Reiki I e mais um intervalo para o almoço. Em geral, prefiro o período da tarde ou da noite, pois os intervalos para refeições exigem muito tempo.

Nas apostilas de Reiki I constam as posições das mãos para a autocura e para a cura direta. Às vezes, podem ter os princípios do Reiki e informações sobre a fonte emocional das doenças. A ética do Reiki I envolve a cura com permissão da pessoa que recebe a energia de cura. Essa é a estrutura do curso do Reiki I; acrescente outras informações que considerar necessárias.

Reiki II

Gasta-se menos tempo para ensinar o Reiki II, mas são necessárias mais apostilas e mais trabalho por parte dos alunos. Novamente, prefiro um arranjo informal numa sala de aula razoável. Arrume as cadeiras em círculo ou, se for confortável, sentem-se no chão. Algumas cadeiras devem estar disponíveis para os que não podem sentar no chão. Ande pela sala e pergunte se alguém tem dúvidas sobre o Reiki I. Quando dou aulas contínuas durante fins de semana intensivos, as dúvidas estabelecem um bom vínculo no trabalho, esclarecendo qualquer tema não ventilado no dia anterior.

Mesmo que os alunos tenham recebido o Primeiro Grau há algum tempo, podem ter perguntas a fazer.

Em seguida, descreva o que é diferente no Reiki II — a cura a distância, os símbolos, etc. Pergunte se alguém na sala já realizou a cura a distância alguma vez. Em geral me surpreendo, pois quase a metade das pessoas já fez isso. Ande ao redor da sala novamente e peça às pessoas que já ministraram a cura a distância que descrevam como fizeram isso. Uma grande variedade de métodos é descrita. Pessoas que pensam que nunca fizeram esse tipo de cura antes podem se surpreender ao descobrir que fazem isso com freqüência. Então, ensine seu método para curar a distância, explicando o processo passo a passo.

Ensine os quatro passos da cura a distância. São eles: 1) imaginar a pessoa pequenina, encolhida entre as palmas das mãos; 2) imaginar-se na presença da pessoa, realizando uma cura direta; 3) usar a perna (a coxa ou o joelho) como centro de atenção; e 4) utilizar um objeto para substituir a pessoa que recebe a energia de cura (um ursinho, etc.). Diga-lhes que os símbolos são acrescentados a qualquer método de cura a distância, explicando o modo como são visualizados e enviados.

Discuta a ética do Reiki II, que envolve a obtenção da permissão da pessoa para a cura, se ela não a permitiu no plano físico. Isso é importante. Dou ênfase à ética no Reiki II, pois envolve o uso consciente da energia altamente expandida. Ao falar sobre materializações e o uso do Reiki para além da cura, enfatizo a ética novamente. Não é ético manipular uma pessoa dessa forma sem a sua permissão. Ao materializar algo, faça-o só com a permissão da pessoa. Levar a fartura à vida de alguém é ético — muitas pessoas não sabem disso — mas tirar a fartura da vida dos outros para que você a tenha não é ético de modo algum.

Em seguida, explique os símbolos, usando as apostilas que mostram os três símbolos e como desenhá-los. As apostilas também podem ter informações sobre o uso dos símbolos. Desenhe os símbolos no ar na seqüência correta, passo a passo, e peça aos alunos que pratiquem também. Nesse momento, faça uma pausa a fim de responder às perguntas que se seguem com freqüência. Fale sobre os muitos usos dos símbolos, usos que vão além do da cura — bênção e iluminação ou purificação do alimento, encaminhamento de espíritos (e entidades) presos em residências, proteção, trabalho com vidas passadas. Esteja aberto para discussões. O assunto do Reiki I envolve o tato — deve-se sentir em vez de discutir — enquanto o Reiki II é intelectual. No Segundo Grau, as palavras são criadas pela mente a partir do vazio.

Nesse momento, faça um intervalo e então comece as iniciações. Não há dificuldade na abertura à energia, como pode ocorrer com o Reiki I, e não é necessário pôr as mãos sobre alguém depois da iniciação, como ocorre no Reiki I. Em geral, a única sensação imediata é a de se ficar aéreo, mais do que no Primeiro Grau. Alerte os alunos quanto a essa possível reação, bem como para a mudança de vida e os seis meses aproximados para a cura emocional que se seguem ao Reiki II. Ao sair do curso, as pessoas devem dirigir com cuidado.

Certa vez, ensinei o Reiki I e II ao mesmo tempo e, antes de as pessoas partirem, alertei-as sobre as possíveis reações e sensações. Todas disseram que estavam bem. Meia hora depois, uma pessoa do grupo me telefonou perguntando se podia voltar para o lugar onde acontecera o seminário e passar a noite conosco. Eu estava na casa da pessoa que organizara o curso. Concordamos que ela voltasse e todos saímos para jantar e passamos a noite conversando. A certa altura, perguntei-lhe por que havia voltado. Ela ficou vermelha e pareceu zangada. Disse-lhe que, se não quisesse, ela não precisava explicar. Então ela disse: "Você estava certa sobre a possibilidade de ficarmos aéreos; eu não conseguia voltar para casa."

Termine o Reiki II dando informações sobre os exercícios do Ki e explicando por que são importantes. Diga às pessoas do grupo que, se elas não pretendem fazer o Reiki III, podem enviar os símbolos, imprimindo-os mentalmente durante a cura, não precisando memorizar passo a passo o modo de desenhá-los. Elas também podem ignorar os exercícios do Ki se não forem seguir adiante. Concluir o processo seria tão benéfico que elas deveriam considerar seriamente essa opção. Encorajo os meus alunos de Reiki II a fazer o trabalho — memorizar os símbolos e praticar os exercícios do Ki. Também os estimulo, se forem curadores sérios e se propuserem a ensinar Reiki, a continuar com o Reiki III. Com os métodos simples não-Tradicionais e preços baixos, o Reiki III está disponível a qualquer pessoa que queira se beneficiar ao utilizá-lo.

Nas apostilas do Reiki II há os três símbolos e as informações sobre como desenhá-los, como usá-los e uma explicação sobre os exercícios do Ki. A ética do Reiki II envolve a não-manipulação e a obtenção da permissão para se curar a distância.

Reiki III

O programa do Reiki III parece simples, mas o curso demora mais do que o Reiki I e II — pelo menos cinco horas com um grupo interessado. Envolve a introdução de dois símbolos, o processo iniciático, o material sobre Budismo (ver o capítulo seguinte) e informações sobre como ensinar cada um dos três graus. O ensinamento do Terceiro Grau é o mais interessante dos três. Os alunos são curadores avançados e são a fina flor; além disso, são em número menor. Durante o Reiki I e II, você começou a conhecê-los. Os alunos que não estiverem prontos para o Reiki III não são capazes de se comprometer e não estarão mais presentes.

Nesse momento, você já conhecerá os alunos pelo nome, caso contrário peça que se apresentem novamente. Pergunte se há questões que não foram respondidas ou se faltou fazer algo no Reiki II. Se algum dos alunos não recebeu o Reiki II pelo método Tradicional, deve-se começar pelos exercícios do Ki e uma dissertação da posição Hui Yin. Tenha apostilas para distribuir aos que precisam delas. Diga aos alunos que quaisquer versões dos símbolos do Reiki II que estejam usando são válidas e que continuem a usá-las, mesmo que sejam diferentes entre si; discuta sobre as diferenças entre os símbolos.

Apresente os símbolos do Reiki III, dedicando algum tempo ao Dai-Ko-Myo e ao Raku, falando sobre o uso desses símbolos na cura e fora dela. Dê apostilas com as versões Tradicional e moderna do Dai-Ko-Myo, explicando aos alunos que eles devem escolher uma delas, de acordo com sua preferência. A discussão sobre os símbolos que não são Reiki é opcional. Aborde a informação contida no capítulo seguinte. Trata-se de material avançado sobre a origem dos símbolos e do sistema Reiki de uma perspectiva fascinante. Procuro apresentar os símbolos do modo mais simples possível enquanto os alunos estão aprendendo.

O processo iniciático vem em seguida. Explique-o e demonstre. Ponha uma única cadeira no centro da sala. Realize a iniciação do Terceiro Grau para cada aluno, enquanto os outros assistem acompanhando pela apostila; a menos que o grupo seja muito grande, eu prefiro fazer as iniciações em Reiki III individualmente. Todos têm uma reação muito forte a essa energia verdadeiramente poderosa. Elas tremem ao sentar-se, como aconteceu comigo, ou começam a chorar; outros saem do corpo por alguns minutos ou começam a canalizar a energia. A energia da iniciação ao Terceiro Grau é só alegria. Você pode querer dar algumas explicações entre as iniciações ou guardá-las para o início ou para o fim.

Quando as iniciações tiverem sido realizadas e as demonstrações e perguntas tiverem terminado, indague se alguém do grupo quer tentar fazer uma iniciação imediatamente, olhando os símbolos na apostila. Alguns alunos corajosos podem até querer fazer isso, mas, em geral, estarão alterados demais. Não os force a fazer algo; eles podem praticar mais tarde. Certa vez, uma aluna, apesar de ter feito tudo corretamente durante o curso, estava convencida de que nunca seria capaz de realizar uma iniciação ou de ensinar. Disse-lhe que eu lhe provaria o contrário e solicitei que ela realizasse uma iniciação ali, naquele momento. Segurei as folhas com os símbolos para que ela fosse olhando e lhe disse o que fazer, passo a passo. Ela ficou maravilhada com a energia que sentiu e sua autoconfiança aumentou muito.

Para a maioria dos alunos, leva alguns meses, depois do curso de Reiki, até que se sintam prontos para realizar iniciações. Para grande parte das pessoas são necessárias algumas semanas de exercícios do Ki mais a posição Hui Yin. Leva tempo para memorizar os símbolos e aprender o processo. Alunos que se iniciaram no Reiki I e continuaram até o Reiki III num fim de semana precisam de muito mais tempo para aprender os três graus. Depois do curso, a maioria dos alunos está sobrecarregada de informações e energia, e é necessário algum tempo para integrá-las e assimilá-las. Eles podem precisar dormir por vários dias, enquanto a Linha do Hara se expande para comportar a energia. Entretanto, há exceções a essa regra.

Uma aluna que recebera o Reiki I e II Tradicional levou-me à sua cidade para um fim de semana intensivo. Ela obteria o Reiki III no domingo, mas eu enviei-lhe antecipadamente o material sobre ele; entusiasmada, ela recebeu o Reiki III na sexta-feira à tarde. À noite, quando ensinei o Reiki I, disse-lhe que estava pronta para começar a me ajudar. Ela pôs as folhas com os símbolos numa cadeira ao lado e realizou duas iniciações corretamente. Então, começou a chorar, falando que não podia continuar. Um mês depois, ela deu seu primeiro curso de Reiki I, e tenho certeza de que se saiu bem. Ela esperara durante dez anos pelo Reiki III e não estava disposta a esperar mais.

Depois das iniciações, comente sobre o que ensinar nos três graus. Este capítulo ocupa-se disso. A maioria das dúvidas surge durante a iniciação. Em geral, prolongo o período do curso para além do que estava previsto e todos saímos com fome e prontos para jantar. Pode ser útil elaborar uma relação com os tópicos a serem abordados em cada grau. Entre os assuntos importantes, estão: saber como os alunos se abriram à energia da iniciação e como reagiram a ela; o que fazer se não sentiram nada e como ajudá-los se tiverem reações muito fortes. Ao ensinar o Reiki I, insista para que as pessoas ponham as mãos em alguém depois de receber as iniciações. Os alunos sempre devem saber que podem ser recusados para um curso avançado.

Esperamos que cheguem ao fim estes tempos em que cura e treinamento de curadores custam fortunas. A cura precisa tornar-se acessível a todos os que a desejam e o treinamento em cura precisa estar disponível às pessoas talentosas. Não há nada de errado em se cobrar por sessões de cura ou por ensinamentos; um curador tem o direito de ganhar a vida. O Reiki traz fartura para os praticantes e instrutores. Quando são dadas bolsas de estudos e os preços são razoáveis, a fartura virá. Hoje em dia, nos Estados Unidos, temos um sistema médico que deixa pessoas pobres ou sem seguro passarem frio; isso é errado num sistema de cura nascido da filosofia budista de compaixão por todos os seres viventes. O que você envia volta multiplicado muitas vezes.

Freqüentemente, os Mestres em Reiki III discutem o problema do dinheiro. Querem saber quanto cobrar, quando oferecer bolsas de estudos, se é ético ganhar a vida com o Reiki, se o ensinamento será valorizado sem o pagamento, etc. No parágrafo acima, dei minha opinião, mas há o livre-arbítrio. A discussão em classe há de ser proveitosa já que este é um tópico importante. Como todos os Mestres em Reiki estão juntos na sala, o debate é importante. O acordo entre os estudantes pode ter implicações fundamentais para os anos que estão por vir. Deixe a discussão transcorrer ao perceber que ela é pertinente, mas não se esqueça de que cada aluno deve optar livremente e chegar por si mesmo a um acordo sobre o problema.

Vários Mestres em Reiki formados pelos métodos moderno e Tradicional participaram de meus cursos. Um casal queria ensinar o Reiki num centro destinado ao tratamento de AIDS, mas achava que seu método de iniciação era impossível com grandes grupos. Assistiram ao meu curso durante três dias e receberam a iniciação pelo meu método. Gostaram do método moderno pela simplicidade e passaram a usá-lo antes mesmo de mudar completamente para o método não-Tradicional. Freqüentemente, tenho Mestres treinados Tradicionalmente em meus cursos. Eles vêm com o objetivo de inspecionar, fazer reclamações para mim ou de mim. Saem com idéias diferentes. Uma mulher disse que tinha esperado encontrar "uma bruxa ensinando Reiki" e, em vez disso, encontrou uma "Mestra Reiki, que também é uma bruxa". Nós duas consideramos isso um elogio. Os métodos não-Tradicionais sempre são testados e considerados verdadeiros e muito eficazes.

Gosto de falar um pouco sobre a possibilidade de a pessoa se tornar presunçosa quando se torna Mestre e lembro aos alunos que sejam humildes. O Reiki é uma energia inteligente e uma qualidade sagrada que vai além dos desígnios humanos. Como instrutores, nossa responsabilidade é para com o Reiki e para com as pessoas que ensinamos. É necessário encorajarmos os grupos para que continuem ensinando e treinando mais instrutores, mais Reiki III. Alguns Mestres Reiki novos podem se sentir tentados a conservar para si mesmos os segredos e milagres dessa arte. Lembre-se do mundo em que vivemos e de como é necessário curá-lo. Quanto mais instrutores Reiki III houver, mais rápido o Reiki se tornará universal na Terra novamente, para benefício de todos.

Nas apostilas do Reiki III estão os exercícios do Ki para aqueles que nunca os viram; os símbolos do Terceiro Grau e o modo de desenhá-los e as instruções sobre como realizar iniciações. Outras apostilas, opcionais, devem incluir um resumo das informações budistas contidas no capítulo seguinte e outro sobre o que ensinar em cada grau. A ética do Reiki III envolve o cobrar preços razoáveis e o oferecer bolsas. Também considero parte da ética do Terceiro Grau o compromisso de ensinar e de divulgar o Reiki.

Esse é um breve esboço de uma aula para o Mestre em Reiki III. Não consigo explicar como é maravilhoso ensiná-lo. Treinei várias centenas de Reiki III e grande parte deles também ensina hoje, dando cursos a preços razoáveis nos Estados Unidos, no Canadá, na Alemanha e no México. Há a necessidade de muito mais Mestres e curadores em todos os lugares, e incentivo os meus Reiki III a ensinar. Posso aumentar o potencial, fazendo-lhes iniciações e dando-lhes informações sobre os ensinamentos, mas eles devem tornar-se Mestres por seu próprio esforço.

O material acima esboça o que fazer em cada um dos três graus em Reiki. Cada instrutor desenvolve seus próprios métodos — os apresentados aqui dão apenas uma orientação geral como ponto de partida. O último capítulo deste livro aborda o Reiki e o Budismo. Eles são a chave de todo o sistema Reiki. Descobri-los foi a parte mais emocionante do quebra-cabeça. Trata-se de um último capítulo porque apresenta todo o sistema Reiki de uma ampla perspectiva.

CAPÍTULO 10

O Reiki e o Caminho da Iluminação

Procurando compreender o sentido e as origens do sistema Reiki, tive a sorte de, há alguns anos, conversar com uma freira budista Mahayana. Ela conhecia muito bem os símbolos do Reiki em sua prática budista, embora não fossem associados à cura com o Reiki, e suas informações me proporcionaram uma perspectiva inteiramente nova sobre o assunto. Quando fiz pesquisas para este livro e acrescentei as descobertas resultantes do meu estudo sobre o Budismo, encontrei respostas para algumas questões sobre o sistema Reiki. Mikao Usui falou de uma fórmula simples da qual o Reiki e os símbolos derivam. Na informação que recebi sobre a filosofia budista, acho que encontrei preceitos datados de 2.500 anos atrás. A maior parte das informações sobre os símbolos do Reiki vem dessa pesquisa e dos preceitos que são apresentados abaixo.

Com base nas minhas leituras sobre Budismo Mahayana e Vajrayana, percebo semelhanças profundas entre as raízes filosóficas de quase todas as religiões. O Budismo não prega a existência de um Deus ou Deusa, mas aceita as divindades da cultura local onde se encontra. É uma filosofia universal do Ser, e não um sistema de crenças. O misticismo tântrico, que surgiu do Budismo Mahayana, mostra a essência de todos os sistemas metafísicos do mundo, inclusive o Wicca. Foi trazido para o Ocidente pela Teosofia de Helena Blavatsky. Os ensinamentos originais do Jesus histórico também são encontrados no Budismo, inclusive sua capacidade de cura, suas parábolas, sua filosofia, suas ações e seus milagres.

Sidarta Gautama, o Buda Sakyamuni, nasceu em 620 a.C. na Índia, na fronteira com o Nepal. Morreu em 543 a.C. Assim como os ensinamentos de Jesus, as palavras do Buda não foram registradas durante sua vida; os primeiros registros apareceram vários séculos depois. Isso é muito tempo. Na Bíblia cristã, só umas poucas linhas são indicadas como sendo palavras e ensinamentos exatos de Jesus; comparativamente, foram registradas mais palavras de Sidarta Gautama.

O Buda buscou maneiras de libertar todas as pessoas do sofrimento, da dor e da reencarnação. Ele aceitou tanto mulheres quanto homens para seus ensinamentos, bem como pessoas de todas as castas e classes — o que não era normal na sociedade hindu tradicional, assim como não era no tempo de Jesus, quando ele fez a mesma coisa seis séculos depois, durante o patriarcado no Oriente Médio. A Iluminação do Buda não dependeu de um Deus patriarcal, nem mesmo de um Mestre, mas da compreensão adquirida interiormente. Quando encontrou suas respostas, ele não entrou no estado de êxtase ou Nirvana que lhe foi oferecido, mas voltou para ajudar outros a encontrarem o caminho. A iluminação é "uma experiência espiritual direta, dinâmica, que se torna possível por meio... da faculdade da intuição..., ou mais simplesmente, da visão clara".[1] Resulta em liberação e liberdade, na "luz" da informação e da compreensão.

O Sermão de Benares é o equivalente budista ao Sermão da Montanha feito por Jesus. Nele, é oferecida a essência dos ensinamentos budistas. Existem "Quatro Verdades Nobres" que constam desse documento. A primeira é: "Existência é infelicidade." A segunda é: "A infelicidade é causada por apegos egoístas." A terceira é: "Apegos egoístas podem ser destruídos." O Caminho dos Oito Passos é a quarta verdade, e mostra como ele pode ser atingido. Os passos do Caminho são: 1) compreensão correta; 2) propósitos e aspirações corretos; 3) palavra correta; 4) conduta correta; 5) vocação correta; 6) esforço correto; 7) atenção correta; 8) concentração correta.[2]

Tristezas e infelicidades fazem parte da vida. Há doenças, velhice, morte, além da dor ao vermos pessoas amadas sofrendo. Dor e sofrimento causam infelicidade, e esses são os principais problemas da existência, problemas que Buda, por compaixão, procurou resolver. Durante sua Iluminação, revelou-se a Sidarta Gautama que o sofrimento é causado pelo apego ao processo da vida e às outras pessoas. As vontades da vida nunca podem ser completamente satisfeitas. Esses apegos geram frustração e ação negativa, que geram o karma. A vida cria o karma, que torna outras vidas necessárias, pois o karma só é eliminado e purificado enquanto ainda estiver no corpo.

Apegos e desejos podem ser eliminados para que o karma possa ser resgatado e o espírito não tenha mais de voltar a um corpo. No Budismo, essa é a maneira de se acabar com a infelicidade, e a única forma real de cura é o fim das reencarnações. O Caminho dos Oito Passos, o código moral dos budistas, é equivalente aos Dez Mandamentos e fornece os meios para se realizar isso. Em sua Iluminação, Buda viu que o fim da roda das encarnações e do karma era possível a todas as pessoas. Seus ensinamentos se concentram em tornar a Iluminação possível a todos, um processo de compreensão interior de liberação kármica.

Esforço, atenção e concentração — os meios de se controlar a mente — são algumas das capacidades exigidas para se lograr esses objetivos, já que a realidade é uma criação da mente. Quando a mente está completamente livre de apegos ou desejos, a pessoa entra em Nirvana e não precisa mais renascer. Compreendendo-se a verdade da mente e o processo da existência, alcança-se a liberdade. O Nirvana é descrito, não como extinção, mas como "libertação, paz e força interiores, compreensão da verdade, prazer da união completa com a realidade e amor por todas as criaturas do universo".[3]

A realidade é criada pela ação da Mente a partir do Vazio. O Vazio é a profundeza da paz sem fronteiras, pureza, perfeição, mistério e alegria. Em termos Wicca, é o Espírito, Éter ou Deusa. Todos os Seres vêm do Vazio, que é a essência de toda a existência. Todos os Seres se encontram num estado de perfeição, pois fazem parte da Natureza de Buda (ou Deusa/Deus interior). A realidade também é o Não-Vazio, que é Todo potencial, um complexo infinito de mundos e universos. A mente que emerge do Vazio é a primeira fonte do Buda, mas essa fonte é obscura para a maioria das pessoas em virtude da ilusão dos sentidos, o Não-Vazio. A realidade criada pelo obscurecimento da Mente Pura é como a realidade criada num espelho. As pessoas encarnadas não despertam para a sua pureza intrínseca (o Vazio) que existe além dos sentidos. Sua compreensão é baseada na ilusão do Não-Vazio. Uma mente deturpada age na Terra criando uma realidade distorcida, o que resulta em sofrimento.

"A mente que se manifesta como sabedoria é intrinsecamente do Vazio, ainda assim tudo provém dele e é, portanto, criação da mente."[4] Tudo o que é real é criado a partir da perfeição do Vazio. Ainda assim, por causa das distorções e ilusões, percebemos o mundo como imperfeito e continuamos apegados à ilusão. Sabedoria = energia = criação = Vazio, que é parte do Nirvana. A percepção humana da realidade é o Não-Vazio, baseado no potencial, e participa na criação do sofrimento do mundo pela mente. Iluminação é compreensão da alegria do Vazio, da Natureza perfeita do Buda de cada um, deixando de lado o apego e a ilusão do Não-Vazio e dos sentidos. Assim que a verdadeira realidade é percebida, os apegos e os anseios não têm mais sentido: o Nirvana é obtido. Essa compreensão é a Iluminação, que libera a alma do karma e da encarnação. Isso acontece ao livrar-se a Mente da ilusão.

O fundamento dos ensinamentos budistas está nas Moradas Divinas, nas qualidades da gentileza amável, da compaixão, da alegria simpática e do caráter equânime.[5] O Buda expressou essas virtudes quando recusou o Nirvana para livrar as pessoas do sofrimento. Depois do início do Budismo Theravada, nos primeiros séculos seguintes à morte de Buda (ascensão, Parinirvana), o Budismo Mahayana se desenvolveu no norte da Índia durante o primeiro e segundo séculos. Esse ramo do Budismo ainda é muito importante e baseia seus ensinamentos nos fundamentos acima. Um preceito fundamental do Budismo Mahayana é a certeza de que todos podem alcançar a Iluminação, inclusive os que não podem viver uma vida religiosa. Outra contribuição do Mahayana é o conceito de Bodhisattva.

Bodhisattva é alguém que atingiu a Iluminação, mas prorroga sua entrada no Nirvana até que todos ao seu redor também alcancem a Iluminação. Ele permanece no mundo para ajudar a todos os Seres. Kwan Yin é, provavelmente, o exemplo de Bodhisattva mais conhecido. Ela é conhecida como Kannon, no Japão, e sua equivalente próxima no Tibet é Tara. Jesus também se enquadra na descrição de um Bodhisattva, assim como sua mãe, Maria. A maioria dos Bodhisattvas é masculina. Um Bodhisattva tem as virtudes de um Buda e se tornará um Buda quando deixar a Terra. Sidarta Gautama não foi o único Buda, mas o primeiro a encontrar o Caminho. Um Bodhisattva é a pessoa ideal no Budismo Mahayana.

O Budismo Tântrico ou Vajrayana se desenvolveu no Tibet a partir da seita Mahayana, um desenvolvimento místico e esotérico do Budismo que afirma lealdade a um instrutor ou guru e contém rituais exóticos, iniciações, mantras e mandalas, deuses pacíficos e irados, visualizações para o controle da mente, práticas de meditação avançadas e uma grande variedade de simbolismos. Devido ao clima árido e

A *Stupa* e os Cinco Elementos[7]

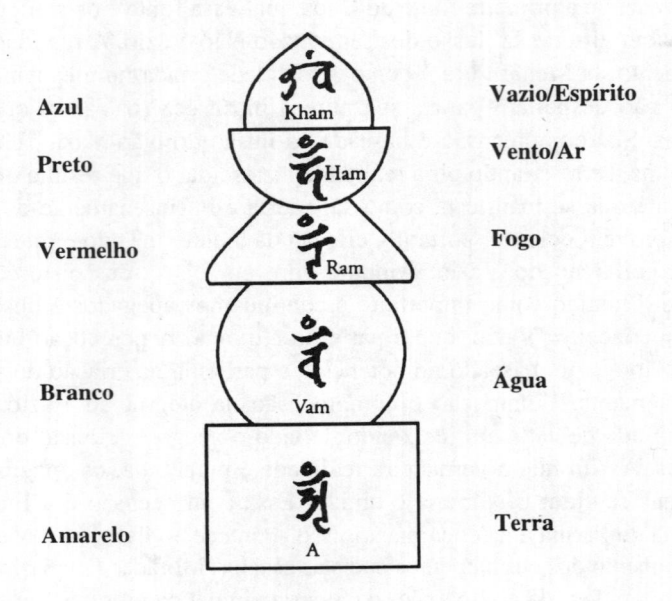

Azul	Kham	Vazio/Espírito
Preto	Ham	Vento/Ar
Vermelho	Ram	Fogo
Branco	Vam	Água
Amarelo	A	Terra

As Cincos Formas

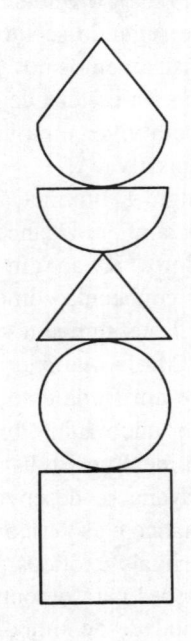

ao isolamento do Tibet, o Budismo Vajrayana transformou-se numa religião muito diferente da que se praticava na Índia, mas todos os princípios foram tirados dos *Sutras* e da filosofia Mahayana. Os tantras veneram o Buda simbolizado por estátuas sagradas e trabalhos de arte, mas nas meditações eles buscam o Buda e o Bodhisattva no interior de sua mente.[6] Seus adeptos trabalham para entender as muitas realidades e a perfeição do Vazio.

A fórmula do Reiki nasceu dos *Sutras* Mahayana, e suas interpretações místicas, do Vajrayana. Os cinco símbolos do Reiki correspondem aos cinco níveis da mente que levam à Iluminação. Eles são conhecidos entre os budistas como o próprio Caminho da Iluminação. Também representam os cinco elementos, as cinco cores e as cinco formas representadas freqüentemente na arte tântrica. Os cinco elementos são: terra, água, fogo, vento (ar) e Vazio (Espírito). As cinco cores são: o amarelo, o branco, o vermelho, o preto e o azul. As cinco formas são: o quadrado, o círculo, o triângulo, o semicírculo e o "cintamâni" que compõe a *Stupa*. Elas podem ser comparadas aos cinco pontos do Pentáculo em Wicca, em que o Vazio é o Espírito ou Éter. Os cinco elementos também estão associados aos chakras.

Juntos, os cinco símbolos do Reiki são a não-dualidade da mente e do objeto, e o esvaziamento do ego, que alcança o Nirvana budista. Uma vez obtido, a fórmula e o processo Reiki liberam a alma da roda das encarnações. Originariamente, os símbolos eram usados com propósito espiritual e não de cura — Iluminação com propósito de ajudar os outros, o Caminho do Bodhisattva. Os símbolos do Reiki representam a sabedoria — energia-criação, perfeição do Vazio sem distorções, e culminam em liberação.

É importante notar que os *Sutras* e os textos Vajrayanas foram escritos em sânscrito (a partir dos textos Theravada anteriores, escritos em páli). O Buda não falava sânscrito, que é a língua dos intelectuais, assim como o latim o é no Ocidente, mas falava o dialeto bihári de seu local de origem. A Índia é um país de muitas línguas. O Budismo deslocou-se da Índia para o Tibet, através do sudoeste asiático: a China, a Coréia e o Japão. Ao longo do caminho, sofreu muitas alterações devido a diversas interpretações e culturas por vários séculos. Os ensinamentos do Reiki também foram transmitidos assim por mais de 2.500 anos, transcendendo uma variedade de línguas e culturas, até chegar ao Ocidente. Sua tradução para as línguas ocidentais modernas representa de novo outra grande alteração.

Através de todas essas mudanças, traduções e interpretações, tanto o Budismo como o Reiki sobreviveram. O Budismo é a religião de cerca de um terço a um quinto da população mundial hoje em dia, e está vivo em várias culturas. O fato de o sistema de cura Reiki budista ter sobrevivido com tanta vitalidade entre os ocidentais, assim como nos países e línguas de origem, é um tributo a si próprio. O Reiki da Índia provavelmente era diferente do Reiki do Tibet, pois sua cultura e seus costumes eram diferentes. O Reiki que Jesus trouxe da Índia foi, provavelmente, diferente do Reiki atual. Da mesma forma, o Reiki do Japão deve ter sido diferente do do Tibet e do da Índia.

No Ocidente, o Reiki é diferente da tradição que Mikao Usui redescobriu, e parece ter vitalidade própria. Isso não é surpresa para alguém com conhecimentos

A *Stupa* e o Corpo

Vazio/Espírito/Deusa
Azul
O Absoluto
A nova Consciência
Iluminação
O Raku

Vento
Preto
Nirvana
Os cinco sentidos
Corpo Espiritual
Dai-Ko-Myo

Fogo
Vermelho
Iluminação
Mente
Corpo Mental
Hon-Sha-Ze-Sho-Nen

Água
Branco
Prática
A "mente apaixonada"
Corpo Emocional
Sei-He-Ki

Terra
Amarelo
O Despertar inicial
A Consciência "armazenada"
Físico/Etérico
Cho-Ku-Rei

sobre o Budismo. Como o próprio Budismo, o Reiki adapta-se a qualquer cultura do século em que se encontre, assim como às mais variadas línguas e sociedades. Esse é mais um dos milagres do Reiki.

Fenômenos psíquicos não são estimulados pela prática budista, mas eles também ocorrem. Meditações com o objetivo de controlar a mente também despertam os sentidos interiores. Os exercícios de ativação do Ki purificam a Linha do Hara e os chakras. A cura não é tão desencorajada por budistas quanto as habilidades psíquicas, mas é considerada um desvio do Caminho da Iluminação. A freira budista com quem conversei sentiu que o meu interesse pela cura era incomum, pois julgava que eu poderia contribuir mais para o mundo alcançando a Iluminação, para o bem dos outros, entrando no Caminho do Bodhisattva. Quando Mikao Usui tentava encontrar informações sobre o método de cura do Buda, provavelmente achou uma resposta parecida. Não é que a cura seja considerada irrelevante — é que ela exige muitos anos de treinamento para a Iluminação, antes de se manifestar como uma capacidade. E, mesmo assim, a cura é considerada secundária no decorrer do Caminho da Iluminação.

A espiritualidade supera em importância todos os assuntos que dizem respeito ao Budismo. Quando Mikao Usui viu os mendigos que curara voltarem aos lugares onde os encontrara, ele constatou o fato que os budistas sempre afirmaram — que, sem cuidar dos processos mentais e espirituais, o corpo não pode ser curado permanentemente. Os budistas pregam que só a cura é a libertação do ciclo de encarnações. Enquanto a reencarnação for necessária, haverá insatisfação, doença e sofrimento. O karma só pode ser eliminado enquanto a pessoa estiver encarnada, o que gera um ciclo interminável de desesperança. Ao entrar para o Caminho da Iluminação, ocorre a liberação do apego, o karma é curado, a mente é liberada da criação de ilusões e o processo reencarnatório cessa. O Caminho para o término das reencarnações está contido na fórmula simbólica do Reiki.

Nos cinco símbolos, encontram-se os cinco estágios do Caminho da Iluminação. O Cho-Ku-Rei corresponde ao estágio inicial e representa os níveis físico e duplo etérico. O Sei-He-Ki corresponde à transformação da emoção e do ego, características do corpo emocional. E o Hon-Sha-Ze-Sho-Nen corresponde à criação da verdadeira realidade pela compreensão da Mente Pura no nível do corpo mental. O Dai-Ko-Myo corresponde à entrada do Caminho de Bodhisattva e representa o corpo espiritual. O Raku é a Iluminação em si, transcendência e Nirvana, o nível transpessoal para além do corpo. Cada um dos símbolos corresponde à representação de um dos corpos vibratórios. A fórmula, no sistema Reiki, representa o caminho de estudo dentro do Budismo Mahayana e Vajrayana, onde é amplamente discutida e está longe de ser secreta. O uso dos símbolos para a cura é considerado secundário em relação ao seu valor espiritual.

Os símbolos do Reiki são formas japonesas derivadas do sânscrito e têm, pelo menos, 2.500 anos. Foram concebidos psiquicamente como figuras e sons (mantras), e também como letras decifrando seus significados. A freira reconheceu os símbolos e sentiu que as variações eram culturais. Determinado conjunto pareceu-lhe mais como uma tentativa da versão em sânscrito para o japonês. Ela os identificou claramente, conhecia seus mantras e os conceitos que envolviam cada um. Eles simbolizam o Caminho da Iluminação, fórmula a ser seguida e usada pelo Reiki no contexto da cura. Seguem-se informações sobre cada um dos símbolos, sua complexidade e a melhor interpretação sobre eles que posso oferecer.

O Cho-Ku-Rei

O Cho-Ku-Rei é o primeiro passo e a primeira experiência ao longo do Caminho, o estágio inicial. O aluno recebe uma mandala sobre a qual deve meditar. Seu objetivo é concentrar-se, em estado alterado de consciência, numa figura circular, até que não perceba nenhuma diferença entre o mundo da sua meditação e a Terra física. O desapego do plano terrestre e a entrada no estado de ausência do ego e do Vazio são o objetivo do exercício. O aluno começa aprendendo a meditar, a desapegar-se da vida do dia-a-dia, mesmo que só por um momento, concentrando-se na imagem. A mandala é, então, desenhada no coração do aluno. Na transferência da realidade para a mandala, a pessoa desapega-se do Não-Vazio do mundo e entra na perfeição do Vazio. Algumas pessoas que praticam a meditação começam com um simples objeto, como um jarro de água, enquanto outras mandalas são mais complexas. O aluno aprende a concentrar sua atenção além de si para dentro da figura.

A Mandala

As mandalas da arte tântrica representam o Todo, e suas partes (unidades) simbolizam o processo da Iluminação, assim como o Todo se refere ao Buda e as unidades a Todas as pessoas. A realidade máxima é a unificação da matéria e energia e dos cinco primeiros elementos (terra, água, fogo, ar e Vazio/Éter) com o sexto elemento, a consciência. A mandala representa a não-dualidade (união) da realidade máxima do Universo. A palavra mandala, em si, significa "ter atingido a Iluminação perfeita e insuperável".[8] "Manda" significa essência e "la" significa completa.

Visualmente, não são padrões simplesmente abstratos, mas podem conter figuras de deuses, Budas e Bodhisattvas. Seu uso na meditação treina a mente em práticas de visualizações complexas. No Budismo Vajrayana, isso é feito para ganhar o controle mental, a capacidade de criar imagens mentais e de entrar em contato com Deuses e com outras forças psíquicas (criações mentais), e para alcançar estados alterados de consciência. A mandala é descrita como um grande círculo de entidades mansas e iradas.[9]

À medida que o aluno se torna mais hábil, as entidades da mandala ajudam-no a superar os obstáculos ao longo do caminho. As entidades são reconhecidas como tendo vida própria e também como criações mentais. Ao se identificar com as entidades, o aluno atinge o Vazio de todas as coisas. O aluno e a mandala e o aluno e a entidade formam uma unidade e ambos fazem parte do Vazio. A entidade e a mandala são desenhadas no coração, e o aluno se transforma na entidade. Em linguagem alquímica, "o objeto de adoração, a adoração, e a pessoa a adorar são os mesmos".[10]

John Blofeld, em *The Tantric Mysticism of Tibet*, apresenta o estágio Cho-Ku-Rei de meditação em Tara, a Deusa/Bodhisattva tibetana.

"O coração de Tara revela a sílaba *Dham* envolta por seu mantra especial, do qual emanam raios de luz em todas as direções. O adepto dirige esses raios 'como chuva ou néctar' em direção ao coração, passando pelo coronário e, então, seu corpo se torna 'puro como um vaso de cristal...'

Tara olha para ele com grande alegria e, diminuindo aos poucos seu tamanho até o de um polegar, penetra em seu corpo pelo topo da cabeça e vem repousar no disco solar, acima de um disco lunar e do lótus no coração. Agora, o corpo do adepto começa a diminuir, tornando-se cada vez menor até coexistir com a figura diminuta de Tara. Tara... e o adepto são realmente um, sem nenhuma distinção."[11]

Meditar no Cho-Ku-Rei tem conseqüências semelhantes, levando a pessoa pelo labirinto, desapegando-a do plano terrestre. Em termos metafísicos atuais, ensina-a a sair do corpo, entrando nele. Aprender a meditar e a entrar em estados alterados, o desapego da realidade mundana, ter a experiência de paz do Vazio e o esvaziamento do ego são o início do processo em todas as disciplinas espirituais. Em qualquer estado profundo de meditação o ego é posto de lado para dar espaço à Natureza de Buda ou Deusa Interior. A princípio, o iniciante consegue concentrar-se por um breve tempo, mas, com a prática, sua concentração aumenta. Com o tempo, ele treina a mente para criar mundos. No Reiki, o Cho-Ku-Rei é o "interruptor de luz" que liga a energia de cura, aumentando seu poder. No estágio inicial, atua na cura do corpo físico, é o início da cura com o uso da energia Reiki. O Cho-Ku-Rei é o "interruptor", a entrada para o Reiki e para a cura.

O Sei-He-Ki

A transformação das emoções é o processo alquímico e o segundo estágio no Caminho da Iluminação budista. A Terra e as pessoas aí encarnadas são consideradas impuras. Elas são representadas pela cor amarela. O fogo da sabedoria purifica, elevando o nível terrestre e o aluno a um novo estado de consciência (dourado). Esse tipo de transformação foi uma preocupação central dos alquimistas renascentistas europeus. Nessa cultura, os alquimistas queriam transformar o chumbo em ouro, mas, durante o processo, era a consciência do próprio alquimista que se transformava. A alquimia era uma combinação de magia e de ciência em estágio inicial. O mesmo se dá com o Budismo: sabedoria é igual a energia que é igual a criação.

Isso é um estado subconsciente de realização e consciência alerta. A pessoa que viveu num mundo distorcido percebe de repente a verdade do Vazio. Ela vai além da distorção do espelho. Através da realização do Vazio, ela atinge a Iluminação. Os aspectos negativos são purificados pela sabedoria e o amarelo é transformado em luz dourada. Poucas pessoas alcançam esse estágio de desenvolvimento — o estado de Buda. O Buda é a união do Uno com as Individualidades, e existe como verdadeira natureza de todos os Seres.

A eliminação do eu é um conceito central dos ensinamentos budistas. O ego é visto como um obstáculo artificial que obscurece a Natureza de Buda, um abrigo de ilusões para as ações no plano terrestre. É efêmero, assim como a vida, e cheio de erros de interpretação, desilusões e faltas. As coisas das quais se desiste ao esvaziar o ego são coisas que impedem o progresso espiritual. Resistências, bloqueios, ilusões e dor, hábitos negativos e emoções tais como a inveja, o ódio, o ressentimento e a raiva devem ser eliminados do ego. A ausência é a qualidade central do Vazio, caracterizado pelo estado de paz total, pela calma interior e pela alegria. No grande Vazio, somente a sabedoria pode entrar.[12]

Do *Sutra da Essência da Sabedoria Perfeita* (*O Sutra Prajna Paramita Hrdaya*):

> O vazio não difere da forma,
> a forma não difere do vazio;
> o que quer que seja forma é vazio,
> o que quer que seja vazio é forma.[13]

A realidade máxima do Universo e do ego é o Vazio.

Quando as emoções negativas forem liberadas, as Moradas Divinas serão cultivadas, substituindo-se as emoções negativas por positivas. Quando o ego é liberado, ocorre a unidade com todas as coisas, outro conceito budista importante. As Moradas Divinas são: a compaixão, a serenidade, a amabilidade e a alegria. Uma crença fundamental do Budismo Mahayana é a de que todas as pessoas podem atingir a Iluminação. No Reiki, o Sei-He-Ki é o símbolo da cura das emoções e da transformação de sentimentos negativos em positivos. Também é o processo mágico/alquímico de purificação, limpeza e proteção. As emoções criam apego e karma.

O Hon-Sha-Ze-Sho-Nen

Escrevi muito mais sobre o Hon-Sha-Ze-Sho-Nen do que sobre qualquer um dos outros símbolos. As informações que se seguem levaram-me a usar esse símbolo no trabalho de liberação de traumas desta vida e de vidas passadas. Não aprendi sobre essas possibilidades no Reiki II e não sei o quanto isso é conhecido entre os praticantes do Reiki hoje em dia. Essas possibilidades seriam intrínsecas à cura na cultura budista. A cura mental é a cura de todo o Ser no Budismo, assim como toda a realidade é criada pela consciência mental. Todo karma é criado e pode ser liberado pela mente.

No Budismo, a mente é a realidade última; mente, pensamento e consciência são sinônimos. A tradução literal de Hon-Sha-Ze-Sho-Nen é "sem passado, sem presente, sem futuro". Pela eliminação do eu (ausência do ego), transcendem-se todas as limitações. Iluminação é a transcendência da mente à Natureza de Buda (Deusa Interior) em todos nós. Quando a mente está alerta para a verdadeira realidade (o Vazio), existe abertura. O resultado é a eliminação do tempo, do espaço, da ilusão e da limitação. A dissolução da limitação significa a compreensão de todas as coisas. Liberdade da ilusão do Não-Vazio é a liberação do karma, assim como o karma é a ação da mente.

Todas as limitações humanas são criações mentais. Porque percebemos a realidade como num espelho, essa verdade não é clara. Quando a conhecemos, todas as coisas que nos mantêm presos à ilusão do plano terrestre são liberadas. A compreensão do mecanismo de funcionamento do mundo consiste nisso. No caso da cura a distância, a energia Reiki pode ser enviada a milhares de quilômetros. Pode ser transmitida para se repetir numa hora específica, ou mesmo enviada para o passado ou para o futuro. O tempo linear é uma ilusão que pode ser transformada. Quando descobrimos que o tempo é uma falsidade, conseguimos viver em harmonia. Os sentidos são a mente entrando em contato com seus objetos. A realidade é o que construímos mentalmente. Existe um ditado Wicca que diz: "Magia é a arte de mudar a consciência conscientemente." Não existem limitações, existe apenas a vontade.

A idéia central aqui é a consciência da mente. Essa consciência libera as limitações kármicas e a necessidade de se voltar novamente para um corpo a fim de resolver o karma no plano terrestre. A resolução de vidas passadas e do karma é uma das coisas que atualmente ocorre às pessoas deste planeta. Na seqüência de curas, esses assuntos vêm à tona de tal forma que, para quase todo padrão negativo desta vida, podemos associar um padrão kármico. O Hon-Sha-Ze-Sho-Nen ajuda a completar a liberação kármica, e o processo é criado na mente consciente. Ao direcionar imagens do presente para curar o passado, ocorre a liberação kármica. A liberação é permanente e, com cada item que se vai, também desaparece a necessidade de reencarnação para a sua resolução.

O símbolo é uma entrada para os Registros Akáshicos, o livro de registros de cada espírito encarnado. A consciência pode ser usada para reescrever esse livro. Use esse poder sabiamente. Todos os exercícios e práticas budistas têm como objetivo o treinamento mental — meditação, visualização, contato com entidades, concentração e movimentação do Ki pelo corpo. O treinamento do controle da mente também é capaz de alterar a realidade. No Reiki, esse símbolo soluciona problemas não resolvidos do passado, do presente e do futuro; transcende o tempo, elimina o karma e torna possível a cura psíquica a distância. Isso tem implicações importantes para a nossa geração no final desta era. Outra definição para essa energia é "Abra o livro da vida e leia-o agora". O símbolo cura o corpo mental.

O Dai-Ko-Myo

Dai-Ko-Myo é o Caminho de Bodhisattva. Isso é "a unidade com o coração Mahayana de doação", a pessoa que atinge a Iluminação para o bem de todos. Ela compreende que a grande unificação é a base da compreensão de todas as coisas. Quando fica iluminada, ela é *liberada da encarnação e de todo o sofrimento*. Ainda assim o Bodhisattva se recusa a aceitar o êxtase do Nirvana, enquanto os outros permanecem na dor, no ego e na ilusão. Ela volta e reencarna para ajudar os outros a entrar no Caminho da Iluminação. A palavra "Bodhisattva" significa um "Ser Iluminado" e na linguagem tibetana é traduzida por "Ser Heróico". O adepto Mahayana ou Vajrayana dedica-se ao difícil trabalho da busca da Iluminação, mas espontaneamente não quer entrar no Nirvana enquanto todos não tiverem a possibilidade de chegar lá também. Ele se condena às encarnações praticando o bem neste mundo, enquanto espera por esse dia.

Um dos fundamentos do Budismo é o respeito pela unidade de toda vida e a compaixão pelo sofrimento alheio, inclusive dos animais. Muitos budistas também são vegetarianos. Essa compaixão é o início do estado de Bodhisattva e também há outras virtudes a serem desenvolvidas. Elas são doação, moralidade, paciência, zelo, meditação e sabedoria.[14] Algumas das figuras mais amadas deste mundo são Bodhisattvas; elas são respeitadas e adoradas por budistas e não-budistas. Os maiores exemplos de Bodhisattvas são a Deusa chinesa Kwan Yin, a tibetana Tara e, entre os cristãos, Jesus e Maria. O nome completo de Kwan Yin é Kuan Shih Yin: A-Que-Atende-Aos-Choros-Do-Mundo.

A Iluminação requer a perfeita união da sabedoria com a compaixão. A compreensão direta da não-existência do eu faz parte da sabedoria, e a compaixão é a atitude mais eficaz para se acabar totalmente com a ilusão do egoísmo. O ego/eu representa a separação, ao passo que a não-existência do eu traz a unidade. Bodhi é o nome que se dá para o desejo de compaixão e de Iluminação. Dessa fonte vem a liberação da energia da sabedoria e da compaixão. O fluxo da energia Bodhi é incorporado nas presenças celestes — Budas que entraram no Nirvana depois da Iluminação e Bodhisattvas que atingiram a Iluminação, mas permanecem na Terra.[15]

Os escritos budistas primitivos registram poucas mulheres Bodhisattvas, afirmando que uma mulher deveria renascer num corpo masculino antes de atingir a Iluminação. Mesmo Kwan Yin e Tara originaram-se do Bodhisattva masculino, Avelokitesvara, que se transformou em presenças femininas na China, no Japão e no Tibet. A esposa de Buda, Yasodhara, pode ter sido o modelo de Kwan Yin, assim

Definição Budista Tibetana dos Cinco Símbolos do Reiki

Os cinco símbolos do Reiki correspondem aos cinco níveis da mente. Juntos, eles eliminam a dualidade mente-matéria, desintegrando o ego para alcançar os níveis mais altos ao final do Caminho da Iluminação (Nirvana Budista). Quando alcança esse estado, o ser se vê livre da necessidade da reencarnação.

O uso original dos símbolos não foi para a cura (material), mas Iluminação para ajudar o próximo — cinco níveis de sabedoria que culminam na Iluminação.

Cho-Ku-Rei: Início ou entrada, estágio de geração. Colocação da mandala no coração. Meditação até que não haja diferença entre a mente e o mundo. Vazio, desprendimento do plano terrestre. O primeiro passo, a primeira experiência. (Definição dada pelo Reiki: o interruptor de luz.)

Sei-He-Ki: A Terra (e a pessoa encarnada) são consideradas territórios impuros. Território impuro (amarelo) e purificado pela sabedoria do ouro. Purificação, transmutação, mudança alquímica de matéria impura em ouro (pureza). Isso é a Iluminação que poucos atingem (o estado de Buda), pela realização e desativação de si próprio. Purificação pelo fogo da sabedoria em ouro/pureza. (Definição dada pelo Reiki: cura emocional, purificação, limpeza, proteção.)

Hon-Sha-Ze-Sho-Nen: Sem passado, sem presente, sem futuro. Liberdade da ilusão e do karma (karma definido como criação da mente). A mente cria o tempo, limitação de espaço e ilusão. Iluminação é ir além da mente ao estado de Buda (Deus/Deusa dentro de si) em todos nós. Quando a mente está alerta, existe abertura e desprendimento: liberdade de tempo, de espaço, de ilusão e de limitação. Acabar com a limitação significa compreender as coisas. (Definição Reiki: cura do passado, do presente, do futuro; cura do karma, cura a distância.)

Dai-Ko-Myo: "Aquele que tem o coração Mahayana de doação" ou "Templo da luz branca". A pessoa que deseja a Iluminação para o bem alheio, alcançá-la-á. Ela entende que a base da compreensão de todas as coisas é uma grande unificação (unidade, consciência em Deus/Deusa). Quando ela se ilumina, liberta-se da reencarnação e do sofrimento. No Budismo, essa é a única cura real. (Definição dada pelo Reiki: cura da alma/espírito.)

Raku: Completação, alcance do Nirvana inferior, desintegração do ego. Aparição da imagem de Buda/Deus/Deusa interior. Liberdade, iluminação, paz total. A liberação da ilusão do mundo material, liberação do corpo e da reencarnação, cura total. No Budismo, esse símbolo é usado dos pés ao chakra da coroa para afastar um espírito/entidade/ser de um corpo. No Reiki, é usado do chakra da coroa aos pés para fixar e extrair a energia do Universo para o corpo/ser. (Intenções opostas e significado: Reiki é o uso material dos símbolos; Iluminação é o uso espiritual budista. O pensamento budista considera irrelevantes o corpo e a cura dele.) (Definição dada pelo Reiki: o raio de luz, conclusão, integração.)

Harmonização = Iniciação = Capacitação

como, no Ocidente, Jesus tem precedência sobre Maria, mas é à Maria que as pessoas recorrem durante as necessidades. Essa deturpação, que ocorre no mundo todo, está sendo eliminada nos tempos modernos. Um grande número de mulheres são budistas e têm feito votos de Bodhisattva de não entrarem no Nirvana até que todos também tenham essa possibilidade. As qualidades do Budismo são muito mais femininas do que masculinas, envolvendo a compaixão, a unidade e a conduta respeitosa. No Budismo atual, também se inclui o ativismo para a mudança do mundo. O Budismo Tibetano em particular aceita o feminino, incorporado na Deusa/Bodhisattva Tara. No Vajrayana, a unidade só pode ser atingida através do feminino.

O Dai-Ko-Myo representa a cura do espírito, liberando o ciclo de reencarnações. A doutrina budista concentra-se na transcendência do corpo e só reconhece como cura verdadeira a que ocorre no corpo espiritual. O Dai-Ko-Myo é transmitido de coração a coração no Reiki, e é no coração que Tara ou Kwan Yin residem. O símbolo é constituído por uma espiral de dentro para fora, do centro para o Vazio, e a forma e o Vazio são uma unidade. O Dai-Ko-Myo tem seu nível na unidade de toda vida. O curador está no Caminho de Bodhisattva, tenha ou não escolhido o Caminho da Iluminação budista. Ele trabalha para transformar o sofrimento em liberdade para si e para todos. Em Wicca, o conceito é "Você é a Deusa". O Reiki é um instrumento e uma virtude de Bodhi, o desejo de liberdade, compaixão e Iluminação, que são fundamentais para a cura da alma. Se a alma está sofrendo, não pode haver cura física, mental ou emocional.

O Raku

O Raku é muito mais do que um mecanismo para ligar a energia à Terra no final do processo iniciático, embora também se use para esse fim. É o objetivo do sistema inteiro e representa a Iluminação em si. O Raku é o fim do processo, o alcance do Nirvana interior. É o alcance da ausência do ego. Quando Buda atingiu a Iluminação, ele voltou ao plano terrestre para ensinar o que aprendera. Quando completou seus ensinamentos e, finalmente, partiu, ou morreu, entrou no estado de Parinirvana ou ascensão. Desse estado, que vai além do Nirvana para o Vazio, não há retorno nem reencarnação num corpo. O Buda Sakyamuni não voltará mais; ele deixou instruções sobre como todos podem atingir o mesmo estado. Outras pessoas também podem atingir a Iluminação e tornar-se Budas. Isso pode ser interpretado como um repouso desejado, uma conquista abençoada da paz total.

A Iluminação, da maneira simbolizada pelo Raku, é a liberação da ilusão do mundo material. Na meditação, aparece a imagem da entidade adorada pelo adepto. A pessoa experiente em meditação consegue a concentração absoluta, libertando sua mente da distração e de toda vontade egoísta. Ocorre a unidade entre a entidade adorada e a pessoa que a adora, a união ou não-dualidade da mente. A liberdade de desejos significa liberdade de reencarnações e ilusões, e a pessoa que medita ou a adepta entra no Nirvana. Ela está livre, cheia de verdade e alegria. E. A. Burtt, em seu livro: *The Teachings of the Compassionate Buddha*, define o Nirvana como "libertação, paz interior e força, visão da verdade, alegria da unidade completa com a realidade, e amor por todas as criaturas do universo".[16]

A mente constitui-se dos sentidos entrando em contato com seus objetos. As causas são os sentidos, as condições são os objetos; mas as causas e as condições são realmente uma só. O objeto cria a aparência — as pessoas podem vê-lo de forma diferente. As percepções diferem, por exemplo, quando duas pessoas vêem uma árvore; uma pode ver somente folhas mortas e limpar o chão. Projetamos nossas imagens na realidade, e o que criamos está baseado na nossa crença e condicionamento. A não-dualidade da mente é a resolução dos opostos — o conhecimento e a compreensão de que os dois, embora pareçam opostos, na realidade são um.

Ao se completar o processo com a Iluminação, a crença e o condicionamento são substituídos pelo Vazio e pelo Nirvana. A ilusão é descartada e o que é real (a mente, o Vazio e a Natureza de Buda) permanece. O objeto e a mente são unos e a ilusão do mundo material desaparece. As sementes da Iluminação são realizações da consciência. Com a atenção, o estado de alegria do Nirvana inferior é atingido. Trata-se da união das Partes com o Todo (Uno). O Raku simboliza o Absoluto e a Nona Consciência. Também é o Éter, o Espírito e o Vazio. O eu é substituído pelo Todo e o resultado é a libertação.

O Vajra

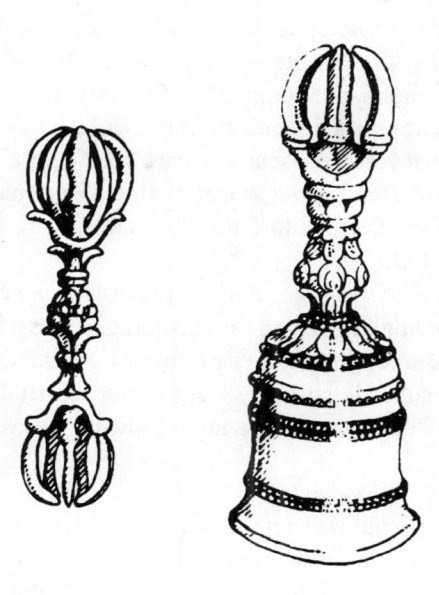

O Raku também é o raio de luz, o Vajra do Budismo Vajrayana. "Vajra" significa diamante; "Yana" significa veículo. Em linguagem tibetana, a palavra é "Dorje". O diamante é uma substância tão resistente que nada no universo pode penetrá-lo ou cortá-lo. Irresistível, invencível, brilhante e claro.[17] É inquebrantável e nada consegue detê-lo. Quando um adepto chega muito perto da Iluminação a ponto de nada poder afastá-lo do Caminho, ele desenvolve o corpo-Vajra e se torna um Ser-Vajra. O Ser-Vajra ou Vajrasattva é a forma mais pura do princípio de Buda, no centro ou do lado esquerdo das mandalas. O Vajra é o duro diamante e a sabedoria aguçada que conduz ao estado de Buda, dissipando a ilusão. Os que se tornam o Vajra, os Vajra-Dharas, são os Bodhisattvas e os Budas.

O Vajra, como instrumento usado em rituais, simboliza a capacidade, a compaixão e a sabedoria que levam ao estado de Buda e à Iluminação. É a realidade máxima, o próprio Caminho da Iluminação. O Vajra é a resolução dos opostos, a não-dualidade da mente e do objeto, a união entre o Mundo de Buda e o Mundo dos Seres. É um bastão em cujos extremos há cinco pontas; os dois extremos são a união dos opostos, e os cinco prolongamentos simbolizam o número cinco que aparece com freqüência no simbolismo budista. Representam cinco níveis da Mente no Caminho da Iluminação, os cinco elementos, as cinco cores, os cinco corpos, os cinco Budas e os cinco símbolos do Reiki. Também representam as cinco energias ou sabedorias da mandala.[18] Os ensinamentos Vajrayanas afirmam que, pelos exercícios místicos, rituais e meditações, o adepto alcança sua natureza Vajra/diamante. Ele ganha um corpo de diamante (corpo Vajra) e torna-se um Ser iluminado ou Vajrasattva.

No Reiki, o Raku ou Vajra é desenhado da cabeça para os pés, do Universo para o corpo. Ele centraliza o agente de cura a partir do nível de consciência da energia iluminada do Reiki no seu corpo. No Budismo, ele é usado na direção oposta, dos pés para o chakra da coroa, levando a pessoa para fora do corpo e em direção do Universo Vazio. Reiki é um sistema de utilização prática dos cinco símbolos, dos cinco passos no Caminho da Iluminação. O pensamento budista considera a cura irrelevante, pois a única cura é a própria Iluminação. O Reiki traz a Iluminação para o corpo, em vez de levar a consciência para fora dele a fim de alcançá-la. Sandy Boucher, em seu livro *Turning the Wheel,* define a Iluminação como "visão clara".[19] Também é a luz do conhecimento e da informação; o Ki é a energia da força vital, do Raku e da cura Reiki.

Ao fazer a iniciação, peço aos alunos que testem o Raku no sentido ascendente. Trata-se de uma rápida viagem para fora do corpo, e eles a descrevem como a viagem de sua vida. O Raku só é usado durante o processo iniciático para integrar a energia; não é usado no trabalho de cura. É o raio de luz do Budismo Vajrayana, a facção tântrica mística do Budismo Mahayana, a intuição, a revelação e a energia elétrica da Iluminação.

Essa seqüência de símbolos tem importância fundamental no Budismo e também no sistema de cura Reiki. Ainda assim nunca ouvi esse assunto ser comentado por nenhum Mestre do Reiki. Minhas conversas com a freira budista e as leituras posteriores foram uma revelação extraordinária. Os comentários da freira sobre o Reiki (alguém que não recebera a iniciação Reiki, nem mesmo a queria) conferiram ao processo de cura uma nova dimensão. Mikao Usui deveria estar completamente familiarizado com a fórmula e o Caminho da Iluminação na época de sua abertura para o Reiki, pois era budista. Se Jesus foi um Mestre em Reiki treinado na Índia ou no Tibet — como parece ter sido —, então compreendeu os termos do processo da Iluminação. O Jesus histórico pode ter-se envolvido com o Budismo e o Caminho de Bodhisattva mais do que os cristãos possam compreender. Quando terá parado a transmissão dessa informação? Isso também é uma parte importante da história do Reiki.

Os dados acima tornam mais claro o uso de cada símbolo na cura. Os símbolos têm um propósito mais amplo e um poder de cura e transformação mais profundos do que se ensina. O Reiki existe há pelo menos 2.500 anos; é um produto do misticismo repleto da tradição budista Vajrayana. Pode ter sido uma criação isolada dos tibetanos. Fomos informados, durante as sessões de canalização, que o Reiki foi trazido à Terra com as primeiras pessoas encarnadas. Shiva trouxe a energia da cura e quer ser lembrado por isso. O Reiki pode até ser mais antigo que o Budismo Mahayana e sua origem pode estar nas estrelas.

1. Sandy Boucher, *Turning the Wheel: American Women Creating the New Buddhism* (Boston, MA, Beacon Press, 1993), pp. 15-16.
2. E. A. Burtt, *The Teachings of the Compassionate Buddha* (Nova York, NY, Mentor Books, 1955), p. 28.
3. *Ibid*, p. 29.
4. John Blofeld, *The Tantric Mysticism of Tibet*, p. 112.
5. Sandy Boucher, *Turning the Wheel*, p. 17.
6. *Ibid.*, pp. 18-20, e John Blofeld, *The Tantric Mysticism of Tibet*, p. 91.
7. Pierre Rambach, *The Secret Message of Tantric Buddhism* (Nova York, NY, Rizzoli International Publications, 1979), pp. 56-57, 60.
8. Pierre Rambach, *The Secret Message of Tantric Buddhism*, p. 44.
9. John Blofeld, *The Tantric Mysticism of Tibet*, pp. 84-85.
10. *Ibid*, p. 85.
11. *Ibid*, p. 216.
12. Edward Conze, *Buddhism: Its Essence and Development* (São Francisco, CA, Harper and Row Publishers, 1975), p. 101.
13. Pierre Rambach, *The Secret Message of Tantric Buddhism*, p. 42.
14. John Blofeld, *The Tantric Mysticism of Tibet*, pp. 135-136.
15. John Blofeld, *Bodhisattva of Compassion: The Mystical Tradition of Kuan Yin* (Boston, MA, Shambala Publications, Inc., 1977), p. 22.
16. E. A. Burtt, *The Teachings of the Compassionate Buddha*, p. 29.
17. John Blofeld, *The Tantric Mysticism of Tibet*, p. 117.
18. John Blofeld, *The Tantric Mysticism of Tibet*, pp. 117-118.
19. Sandy Boucher, *Turning the Wheel*, p. 15.

Posfácio

O Futuro do Reiki em Nossos Tempos de Crise Planetária

Vivemos num tempo de mudanças aceleradas, de sofrimento individual e coletivo. O tempo parece que passa mais depressa com o deslocamento do pólo magnético do planeta, dando origem ao caos em todos os níveis da vida planetária. Países são desintegrados, pessoas estão desabrigadas e sitiadas e a situação política é instável. A Terra também passa por uma crise de ordem física, com furacões, terremotos, incêndios, vulcões, secas, tornados, enchentes e deslizamentos de terra ameaçando a existência a cada momento. Existem novas doenças incuráveis, e velhas doenças se tornam mais difíceis de ser tratadas. A maioria da população dos Estados Unidos morrerá de câncer, de problemas cardíacos ou de derrame. Nossos reservatórios de água não são mais seguros, o ar e o solo estão contaminados por poluentes. Estupros, tiroteios, assaltos, abuso de crianças e vários outros tipos de violência são fatos gritantes da vida diária. As crianças são presas fáceis, e também se tornam predadores.

O velho está cedendo lugar ao novo. Trata-se de um processo de renascimento, mas o nascer nunca é fácil e, freqüentemente, é acompanhado pela morte. Estamos em tempos de morte e em tempos em que uma nova vida se inicia. Os líderes das nações precisam de ajuda, da mesma forma que as autoridades médicas, para facilitar as mudanças e diminuir o sofrimento do qual ninguém está isento. Arrogância, intolerância religiosa, discriminação e racismo são as reações a esse estado de desesperança — tentativas vãs de responsabilizar alguém por essa situação. A vida, que agora nasce, é frágil, e sua sobrevivência ainda é incerta.

Mas o nascimento está ocorrendo claramente. Há uma consciência maior da necessidade de mudança, a necessidade de purificar a Terra e a nossa atitude com relação a ela. Embora os governos não tomem uma iniciativa e os negócios impeçam muitas mudanças, um processo lento, mas certo, está a caminho. Sistemas políticos morrem de uma forma para renascer de outra. Abuso de crianças, espancamento de mulheres, incesto e estupro, finalmente, são reconhecidos, e esperamos que possam ser eliminados nas gerações futuras. Em tempos de desastre, as pessoas se ajudam mutuamente. Elas não podem mais esperar que a burocracia se encarregue de tomar a providência certa. Governos estão sendo forçados a tomar conta das pessoas tão bem quanto podem, em vez de tomar parte em guerras.

Uma nova consciência está nascendo lentamente. A autoridade se desloca do governo e da medicina para ir além, rumo ao poder interno. Isso é claramente representado pela força cada vez maior das mulheres. Vivemos tempos em que o poder é retirado de poucos e devolvido a muitos. As vozes, que clamam por mudanças, são as vozes das mulheres, dizendo "não" ao abuso e à violência, e "sim" à compaixão e às mudanças pacíficas. Elas se recusam a aceitar a violação delas mesmas, de seus filhos e da Terra, e insistem em igualdade, bom senso, amparo e cura.

Junto com a liberação das mulheres, vem a liberação para o desenvolvimento humano. O movimento metafísico da Nova Era oferece alerta de consciência e desenvolvimento interior para muitas pessoas. Isso pode começar como o movimento mais comum em prol do Potencial Humano e pode dirigir-se radicalmente para religiões incomuns, como Wicca, Espiritualismo e Budismo moderno. Trata-se de uma volta às velhas formas de percepção e de pensamento, a valores que estão faltando à vida moderna. É uma volta ao que realmente somos, seres sensíveis e agentes de cura, pessoas que participam da vida conscientemente e a examinam continuamente.

Um número cada vez maior de pessoas recusa as velhas formas de medicina mecanizada. A medicina tecnológica, sua falta de compaixão, seu tratamento do corpo como uma máquina inerte e sua crueldade e indiferença continuamente desestimulam as pessoas. No mundo dos negócios, as taxas excessivamente altas, os seguros e as companhias farmacêuticas tornam a medicina inacessível a um número cada vez maior de pessoas. A medicina atual tem poucas respostas para as doenças e para os doentes. Hoje, vemos o ressurgimento dos métodos utilizados pelas mulheres e pessoas comuns, bem como de antigos métodos inofensivos, que foram postos de lado pela Inquisição entre os séculos XII e XIII. Vemos também o ressurgimento de métodos contemporâneos que não prejudicam a pessoa. Ervas, homeopatias, massagens, acupuntura, essências florais e cura psíquica estão entre as técnicas redescobertas. Esses são instrumentos eficazes e freqüentemente bem-sucedidos, utilizados quando o sistema médico falha.

O Reiki é um desses métodos — um método abrangente e importante. Nenhum instrumento ou produto é exigido, só as mãos do curador, e pode ser usado como parte de qualquer outro método de cura. É um método disponível de imediato e qualquer pessoa, inclusive as crianças, pode usá-lo. Simples e profundo, o Reiki ensina um tratamento básico útil em qualquer doença — emocional, mental, física ou espiritual. É fácil de ensinar. Ele faz parte da capacitação da mulher numa era de fraqueza e medo. O Reiki é uma volta ao passado remoto e um nascimento do futuro desconhecido.

Vindo de uma cultura em que a compaixão e a unidade têm importância capital, o Reiki traz de volta à Terra certos valores. Trata-se de um método sem conseqüências negativas; jamais causa dor ou danos. Num mundo de sofrimento, o Reiki é um refúgio de bem-estar. Promove o bem-estar, acalma e alivia a dor, acelera a cura física, acaba com os traumas emocionais do presente e do passado. Não pode ser mal usado nem deturpado, nem retirado do agente de cura — Os guias do Reiki sabem que tipo de situação necessita dessa cura, e asseguram isso. O desenvolvimento do Reiki no Ocidente apenas começou.

Nestes tempos de mudanças e de violência na Terra, o Reiki faz parte da cura do planeta. Ele pertence a todos e à própria Terra. É o maior potencial de bondade que pode ser dado às pessoas deste planeta. Nas culturas primitivas da Terra, o Reiki era universal. Ligou-se ao nosso sistema genético, ao nosso DNA, e não devia ter desaparecido. Quanto mais pessoas puderem aprender este método, mais tranqüilos serão os próximos anos de mudança na Terra, menor será o sofrimento humano e mais seguras sentir-se-ão as pessoas no futuro. Este é o momento de levar o Reiki a todos.

Isso é um chamado à ação para as mulheres, para os homens conscientes, para os agentes de cura, para os pacifistas e os obreiros da luz. É um chamado à ação — devolver o Reiki às pessoas e torná-lo universal como sempre deveria ter sido. Curar as pessoas deste planeta, curar os animais, curar a Terra, curar a consciência humana. Pratique e ensine o Reiki para difundir a paz, a cura, o bem-estar e as mudanças positivas. As técnicas estão sendo divulgadas agora, pela primeira vez; não há mais segredo nem exclusividade. Agora é a hora. Peço a todos os agentes de cura Reiki que utilizem a cura e o Reiki de todas as formas que puderem. Peço aos formados em Reiki III que adotem todo o sistema para o ensinar. Que reduzam os preços de forma que o Reiki possa voltar a todos.

Agora é o momento de curar a Terra, as pessoas e os animais. Não pode haver mais desculpas nem atrasos. Cada dia traz mais sofrimento, dor e crises para o mundo. Não há mais tempo. Não se pode esquecer a compaixão, a amabilidade e a união, bases do Reiki e de toda cura. Reconheçamos a necessidade de cura para todas as pessoas nestes tempos de dor e de mudança planetária. Agora é o momento de devolver o Reiki a todos.

Apêndice

Seguem-se as apostilas para os cursos de Reiki I, II, III. A maioria dos instrutores prefere dar suas próprias apostilas. Use este material livremente, mas indique esta fonte.

Posições do Reiki I[1]

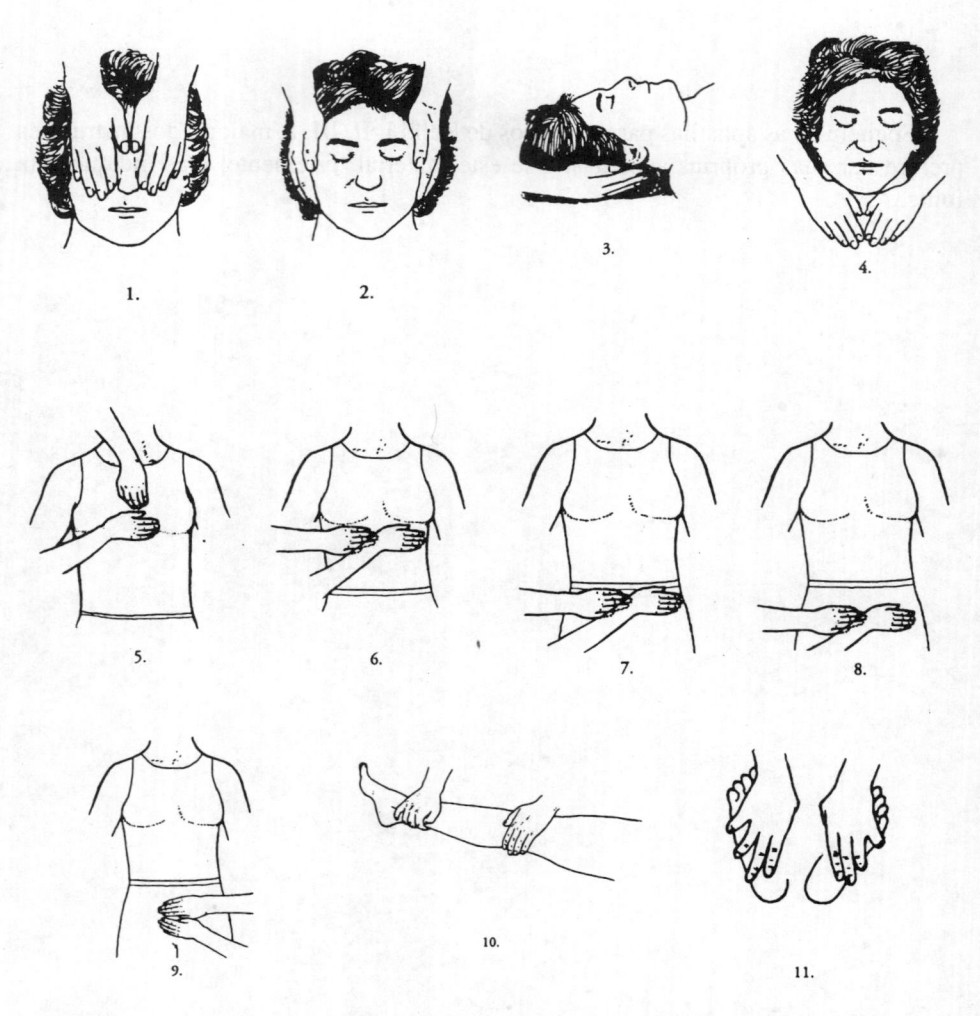

Posições 1-4, o curador posiciona-se atrás; posições 5-9, o curador desloca-se para a lateral; posições 10 e 11, o curador desloca-se para baixo. Ao chegar aos pés, o curador pode se deslocar para além deles. Repetir as mesmas posições na parte posterior do corpo.

1. Diane Stein, *All Women Are Healers* (Freedom, CA, The Crossing Press, 1990), pp. 45-46.

> **Os Princípios ou Máximas do Reiki**
>
> Só hoje, não se preocupe.
> Só hoje, não se aborreça.
> Honre seus pais, seus mestres e os mais velhos.
> Seja grato por todas as coisas.
> Ganhe a vida honestamente.

Reiki I © Diane Stein

Reiki II
Os Símbolos do Segundo Grau

1. **Cho-Ku-Rei** — Aumento do Potencial energético, do Poder — Interruptor de Luz. Reverter para diminuir a potência. (Por exemplo, no caso de um tumor.) Use-o em toda sessão de cura. Focalize a energia em um ponto, invocando a energia da Deusa ou do Universo. Visualize a figura e/ou diga o mantra em voz alta ou mentalmente, três vezes. Os principiantes devem meditar sobre o símbolo para aprender seu significado e compreender sua profundidade.
2. **Sei-He-Ki** — Cura Mental e Emocional; também Proteção, Purificação, Limpeza/Clareamento, Desapego. "A Terra e o Céu se unem; assim na Terra como no Céu."
3. **Hon-Sha-Ze-Sho-Nen** — Sem passado, sem presente, sem futuro; cura a distância e acesso aos Registros Akáshicos. "Abrir o Livro da Vida e lê-lo agora", ou "O(A) Deus(a) que existe em mim saúda o(a) Deus(a) que existe em você." Cura do passado, presente e futuro, cura kármica. Sempre o use ao ministrar a cura a distância.

Esses símbolos devem ser memorizados e você deve ser capaz de desenhá-los com precisão. As linhas mais claras mostram como desenhá-los. (Página 248.) Você pode usá-los durante a cura direta, visualizando-os enquanto impõe as mãos; pode usá-los uma vez no início da cura ou a qualquer hora que sentir necessidade. Pode repetir o Cho-Ku-Rei várias vezes, se quiser. Siga seus guias. Os símbolos são sagrados e contêm grande poder. Use-os com respeito.

Movimentos das Mãos

Desenhe os símbolos com toda a mão, como se espalhasse tinta numa tela. Visualize-os com a cor violeta ou deixe que mudem de cor. Na cura a distância, visualize os símbolos em vez de desenhá-los. *Envie-os por inteiro*. Para aumentar o poder dos símbolos, pressione a ponta da língua contra o céu da boca enquanto os usa. Na cura direta, você pode desenhá-los com a língua, com a mão ou visualizá-los.

Os símbolos podem ser usados para a manifestação (o Cho-Ku-Rei em particular). Visualize claramente, tenha cuidado com o que pedir e tenha a certeza de que não está contrariando a vontade de ninguém. Faça a seguinte afirmação: "Peço isso, seu equivalente ou algo melhor, de acordo com o livre-arbítrio, sem fazer mal a ninguém e para o bem de todos." Os símbolos também podem ser utilizados em forma dupla.

Os Símbolos do Reiki II

Cho-Ku-Rei
Aumento da Energia

Sei-He-Ki
Cura Emocional

Hon-Sha-Ze-Sho-Nen
Cura a Distância

Reiki II © Diane Stein

Reiki II
Os Símbolos do Segundo Grau e como Desenhá-los

Cho-Ku-Rei
"O Interruptor de Luz"
Aumento da Potência (sentido horário)

Hon

Sha

Ze

Sho

Nen

Sei-He-Kei
Cura Emocional, Purificação,
Proteção, Limpeza

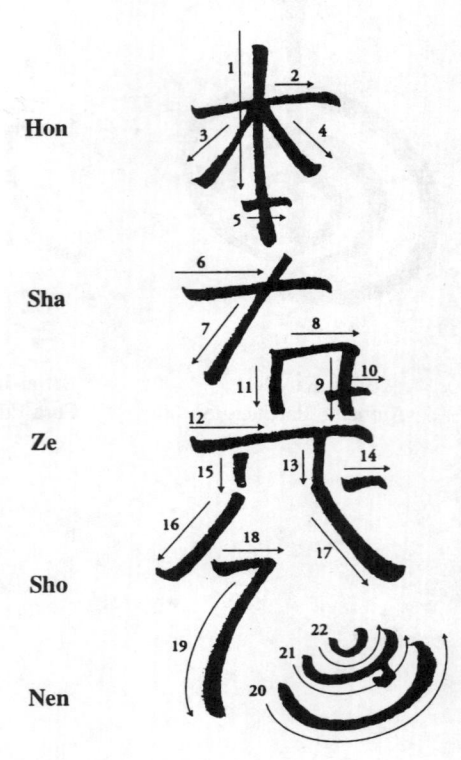

Hon-Sha-Ze-Sho-Nen
"O Pagode"
Cura a Distância, os Registros Akáshicos,
Passado-Presente-Futuro

Grade de Materialização (Manifestação)

1. Visualize-se na situação desejada.
2. Atente para a sua localização e para tudo o que está ao seu redor.
3. Envolva a imagem numa grade dourada, diagonal ou espiral, formando-se de cima para baixo.
4. Desenhe o Cho-Ku-Rei sobre toda a figura.
5. Conserve viva essa imagem, por tanto tempo quanto possível e, então, deixe-a desaparecer.
6. **Tenha cuidado com o que pedir, você pode conseguir!**

Reiki II © Diane Stein

Reiki II
Símbolos Alternativos do Reiki II e como Desenhá-los
Reiki Tradicional de Usui

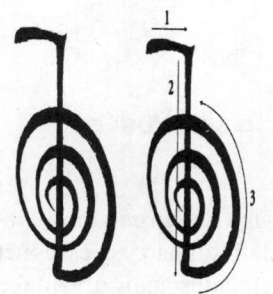

Cho-Ku-Rei
"Traga o poder aqui" ou "Deus está aqui"
(anti-horário).

Sei-He-Ki
"Chave do universo" ou
"Homem e Deus tornam-se um".

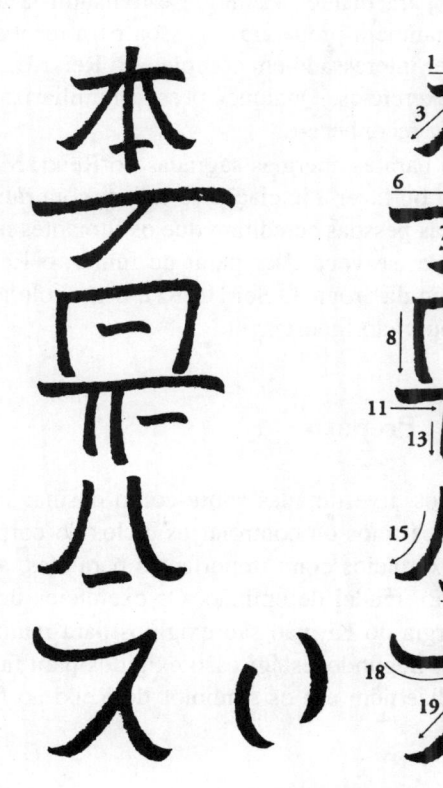

Hon-Sha-Ze-Sho-Nen
"O Buda que existe em mim busca o Buda que existe em você
para promover iluminação e paz."

Reiki II © Diane Stein

Reiki II
Exercícios para Desenvolver o seu Poder

A forma de ensino não-Tradicional envolve o uso do corpo como um canal de energia para fazer a iniciação. O Reiki Tradicional de Usui não usa esse método nem os exercícios para desenvolver o poder da pessoa oferecidos aqui. A vantagem desses exercícios é que, com eles, você só precisa fazer a iniciação uma única vez para transmitir o Reiki I, em vez de fazê-la quatro vezes para cada nível. Os exercícios que se seguem ensinam o método para manter a energia e transmiti-la através do corpo no processo iniciático. Eles também preparam a pessoa para receber o Reiki III e fazer a iniciação. Se não estiver interessado em completar o Reiki III, você não precisa conhecer nem usar esses exercícios. Qualquer pessoa familiarizada com a Ioga avançada ou com o Ch'i Kung reconhece-os.

Você é um canal para a cura e para as energias sagradas do Reiki. Mantenha o seu corpo puro — nunca tente curar ou fazer a iniciação se estiver com raiva, doente ou sob a influência de drogas. Muitas pessoas acreditam que os fumantes não podem ser um canal claro para essa energia; se você quer parar de fumar, o Reiki é uma grande ajuda para purificar seu corpo da droga. O Sei-He-Ki é o símbolo apropriado para ajudar a eliminar um hábito ou vício indesejável.

Preparo

Quando aprendi esses exercícios, tive dúvidas sobre como ensinar mulheres a aumentar ou diminuir o tamanho dos seios ou controlar os ciclos do corpo. Muitas mulheres me disseram que esses exercícios eram importantes para elas, até mesmo já haviam salvado suas vidas; então, mudei de opinião. Os exercícios do Primeiro Estágio ensinam a canalizar a energia do Ki; não são exigidos para realizar as iniciações ou fazer curas Reiki. Os do Segundo Estágio são exigidos para fazer iniciações e para o Reiki III. Não visualize nem use os símbolos do Reiki ao fazer esses exercícios.

Primeiro Estágio para Mulheres

Sente-se com as pernas abertas, de forma tal que você possa pressionar o calcanhar de um dos pés contra a vagina e o clitóris. Pressione contínua e firmemente.

Se você não consegue dobrar o corpo para fazer isso, use uma bola de tênis ou um cristal grande para fazer a pressão. Você pode sentir algum estímulo sexual, ou mesmo chegar ao orgasmo.

Esfregue as mãos uma contra a outra; aquecendo-as pela fricção, aumenta-se nelas a energia.

Ponha as mãos sobre os seios; sinta o calor sem estimular os mamilos.

Movimente os seios lentamente para cima e para os lados, com movimento circular para cima. Complete pelo menos 36 movimentos giratórios e nunca exceda 360, duas vezes por dia. Você pode começar com 36 e ir aumentando aos poucos.

Essa forma de movimento giratório (para cima e para fora) chama-se Dispersão. Ao fazer os movimentos dessa forma, os nódulos dos seios diminuem ou se dispersam, e também o tamanho deles se reduz. Isso pode diminuir ou eliminar sintomas indesejáveis da menopausa.

O movimento giratório no sentido oposto (para cima e para dentro) chama-se Inversão. Rotações nesse sentido podem aumentar o tamanho dos seios, mas também podem aumentar o tamanho dos nódulos. Se tiver nódulos nos seios ou seios fibrosos, faça apenas os exercícios de Dispersão.

Você pode fazer metade dos movimentos como Dispersão e a outra metade como Inversão. Nesse caso, os seios não se alteram.

Reiki II
Segundo Estágio para Mulheres

Essa é a posição Hui Yin (Hon Yin) exigida para fazer a iniciação Reiki. Sentada, você contrai os músculos da vagina e do ânus. Se já fez os exercícios Kegel, isso lhe parecerá familiar. Em seguida, contraia o músculo anal, como se tentasse contrair o reto dentro do corpo. Você terá a certeza de que adotou a posição certa quando tiver a sensação do ar soprando na vagina e no ânus. Mantenha essa posição enquanto se sentir bem; relaxe e repita o procedimento.

Para muitas mulheres no princípio isso é difícil. À medida que você pratica e desenvolve o controle muscular, conseguirá manter a posição mais confortavelmente por um tempo mais longo. Muitas vezes, você será capaz de mantê-la continuamente durante o dia todo — você deve ser capaz de manter a posição Hui Yin até por dois ou três minutos e, ao mesmo tempo, prender a respiração. Sem prender a respiração, você deve conseguir manter essa posição ainda por mais tempo, o suficiente para fazer a iniciação. No começo, tente fazer isso prendendo o fôlego. Quando conseguir manter a posição corretamente, você sentirá uma carga de energia percorrer a Órbita Microcósmica ou Linha do Hara.

Enquanto estiver mantendo a posição Hui Yin, coloque a língua no céu da boca, atrás dos dentes, no palato duro. Essa posição da língua liga os Vasos Governador e da Concepção, criando um circuito fechado de energia. Mantenha as posições do períneo e da língua e sinta a energia circular por dentro. Respire profundamente e prenda a respiração o máximo que puder; pratique. Você deve ser capaz de conservar essa posição (em pé) por até três ou quatro minutos. O objetivo, aqui, é fechar os canais, manter a energia na Linha do Hara e, então, transmiti-la pelo corpo, liberando-a pelo sopro e pelas mãos. Isso é o que acontece na iniciação em Reiki e o que faz um Mestre. Você pode sentir o circuito da energia na forma do número oito, o símbolo egípcio de infinito.

Notas

O objetivo desses exercícios é o alerta espiritual e a ligação dos níveis físico e espiritual através da transmissão controlada de energia. A energia é concentrada e redirigida para as mãos, quando se faz a iniciação em Reiki.

Durante o processo, você pode ser estimulada sexualmente e até mesmo ter orgasmos múltiplos. Depois de certo tempo praticando esse exercício, os orgasmos desaparecem.

Algumas mulheres sentem o que o Ch'i Kung chama de "Reversão do Sangue". Isso significa que a menstruação diminui ou mesmo se interrompe para mulheres que fazem os exercícios do Primeiro Estágio. Significa ainda que o nível de estrógeno também diminui. Faça os exercícios moderadamente; a interrupção da menstruação não é necessariamente positiva. Tente um número menor de movimentos giratórios nos seios — menos de cem por dia. Se a menstruação se interromper, não poderá haver concepção enquanto ela não voltar, e isso não ocorrerá enquanto a pessoa estiver fazendo os movimentos giratórios em número excessivo. Acontece que a energia utilizada para preparar o óvulo para a concepção é redirigida para o chakra da coroa. O potencial feminino é, então, canalizado para o desenvolvimento espiritual, levando grande quantidade de energia para o corpo físico. Quando o número de movimentos giratórios diminui, a menstruação volta.

Não existem efeitos negativos resultantes desses exercícios. Eles trarão poder e talvez curem mulheres com nódulos nos seios ou que precisam desenvolver o controle da mente e do corpo. Para mulheres que estão passando pela menopausa, esses exercícios diminuem os sintomas indesejáveis. Eles param o relógio biológico. A criatividade e a concentração também aumentam.

Faça os exercícios duas vezes ao dia: ao se levantar e antes de dormir. Os exercícios do Segundo Estágio são exigidos para o Reiki III.

Reiki II
Para Homens

Estes são os exercícios de poder do Reiki, adaptados para a fisiologia masculina. Eles têm quatro objetivos:

1. Fortalecer os tecidos físicos dos órgãos sexuais.
2. Elevar a consciência espiritual e a integração entre a mente, o corpo e o espírito. A próstata se comunica com as outras glândulas ao longo dos canais da coluna ou Kundalini e da Linha do Hara. O aumento de circulação resultante do abdômen transforma-se num fluxo de energia que, por sua vez, transforma os nutrientes e a energia espiritual do sêmen no resto do corpo e particularmente através do chakra da coroa. Quando a conexão de energia se completa, você sente um "arrepio" ou um "formigamento" através da coluna até a cabeça, parecido com um orgasmo. Se sentir isso no chakra da coroa, mas não sentir nada nas costas, sua sensibilidade aumentará com a prática. Se as sensações energéticas não se desenvolverem com o tempo, pode ser que haja bloqueios que devam ser eliminados. Tente a Órbita Microcósmica.
3. A autodeterminação é o terceiro objetivo. Se um dos chakras ou pontos de energia está bloqueado, o movimento de energia estanca nesse ponto. Dirija a cura para a área bloqueada, trabalhe com a emoção para eliminar o obstáculo energético, e o bloqueio se dissolverá. Quando a glândula ou chakra estiver fluindo novamente, o fluxo se movimentará para cima. Se a energia subir até o chakra da coroa, não há bloqueios. Tenha a certeza de que a energia se concentra no Hara, no final dos exercícios.
4. O quarto objetivo é o desenvolvimento da paz interior. Com o tempo, a criatividade e o processo mental aumentam, e você sente mais tranquilidade, mais espiritualidade e paz.

Primeiro Estágio para Homens

Faça os exercícios sentado, em pé ou deitado. Esfregue uma mão contra a outra rapidamente, elevando o calor e a energia nas mãos.

Em seguida, segure os testículos com a mão direita, de forma tal que a palma os envolva completamente. Não os aperte; segure-os delicadamente e sinta o calor da mão.

Em seguida, coloque a palma da mão esquerda no Hara, uma polegada abaixo do umbigo. Fazendo uma leve pressão e sentindo um calor crescente na mão, com a mão esquerda faça o movimento giratório no sentido horário 81 vezes.

Troque de mão, primeiro esfregando uma contra a outra para aumentar a energia e o calor. Segure os testículos com a mão esquerda e coloque a mão direita sobre o Hara. Dessa vez, faça movimentos no sentido anti-horário, 81 vezes. Concentre-se no movimento físico e sinta o calor aumentar.

O resultado desse exercício é certa sensação de união entre o corpo, a mente e o espírito.

Precaução: Não visualize os símbolos do Reiki, nem utilize a mente para aumentar essa energia. A visualização do Raku pode ser perigosa, por ser uma superestimulação do Ki. Se você ultrapassar os limites, use algum método para integrar a energia à Terra; abrace uma árvore, deite-se no chão, concentre-se e balance o corpo; enquanto estiver sentado, visualize raízes no coração da Terra; visualize a energia do fogo sendo guardada e voltando ao chakra da raiz.

Reiki II
Segundo Estágio para Homens

Essa é a posição Hui Yin (Hon Yin), usada para fazer a iniciação Reiki. É parecida com a posição para as mulheres, mas só os músculos do ânus são contraídos.

Contraia os músculos do ânus. Quando a posição for executada corretamente, você tem a impressão de que está inspirando o ar para dentro do corpo pelo reto. Fique assim tanto tempo quanto possível. Relaxe e repita tantas vezes quanto puder, enquanto se sentir bem.

Você terá uma sensação de "formigamento" elétrico deslocando-se pela Linha do Hara/Kundalini. Isso é uma sensação normal que vem e se vai rapidamente; não use a mente para forçar o ciclo. Isso não deve ser controlado conscientemente.

Coloque a língua atrás dos dentes, no palato duro, mantenha a posição Hui Yin, a língua encostada ao céu da boca, e segure a respiração enquanto puder. Então, solte o ar e tente novamente. Você deve ser capaz de se manter nessa posição por três ou quatro minutos, para poder fazer a iniciação.

Faça os exercícios duas vezes ao dia, pela manhã, ao acordar, e à noite, antes de dormir. À medida que você aprende a controlar essa posição por períodos mais longos (Segundo Estágio) e a fazer os movimentos giratórios (Primeiro Estágio), você começa a sentir os estímulos naturais e sensações de bem-estar total. Para mulheres, os exercícios do Segundo Estágio são exigidos para fazer a iniciação, mas, para os homens, os exercícios do Primeiro Estágio são importantes para liberar os bloqueios energéticos, elevar a consciência espiritual e conseguir a integração entre a mente e o corpo, assim como o bem-estar. Eles também melhoram o desempenho sexual, além de resolver certos problemas da próstata.

Eu particularmente saúdo os homens que estão se desenvolvendo espiritualmente nesta era de mudanças na Terra. Sua consciência iniciou-se com a autocura, que faz parte da cura de todos os homens deste planeta.

Reiki III
Símbolos do Reiki III e como Desenhá-los

Dai-Ko-Myo
Cura da alma, realizando-se iniciações
(pode ser usado em todas as curas daqui para a frente).
Desenhe a partir do centro da espiral.

Raku
O relâmpago
(só ao fazer iniciações).

Símbolos Tradicionais do Terceiro Grau:
Formas Alternativas do Dai-Ko-Myo

Símbolo de Mestrado Reiki; homem-mulher-universo = energia total

Reiki III © Diane Stein

Como Fazer as Iniciações

Conserve a posição Hui Yin e a língua tocando o céu da boca, o tempo todo. Prenda a respiração, a menos que esteja assoprando; então, respire profundamente outra vez, e prenda a respiração novamente. O Mestre em Reiki faz a iniciação em pé; os alunos mantêm-se sentados, em cadeiras com espaldar reto. Suas mãos permanecem unidas sobre o peito, em posição de oração.

1. Por trás:
Abra o chakra da coroa através da visualização ou dos movimentos das mãos.
Desenhe o Dai-Ko-Myo sobre o chakra da coroa.
Pegue as mãos do aluno por cima dos ombros, segure-as e assopre no chakra da coroa. Respire fundo e prenda a respiração.
Desenhe os outros símbolos sobre o chakra da coroa: Cho-Ku-Rei, Sei-He-Ki, Hon-Sha-Ze-Sho-Nen.
Pegue as mãos do aluno por cima dos ombros, segure-as e assopre no chakra da coroa. Respire fundo outra vez e prenda a respiração.

2. Passe para a frente:
Abra as mãos do aluno, como se fosse um livro.
Desenhe o Cho-Ku-Rei sobre ambas as palmas.
Bata três vezes.
Desenhe o Sei-He-Ki sobre ambas as palmas.
Bata três vezes.
Desenhe o Hon-Sha-Ze-Sho-Nen sobre ambas as palmas.
Bata três vezes.
Desenhe o Dai-Ko-Myo sobre ambas as palmas.
Bata três vezes.
Traga novamente as mãos do iniciado, que estão em posição de oração, para perto de você e segure-as com uma das suas.
Assopre do chakra da raiz ao do coração. Respire fundo e prenda a respiração.

3. Volte para trás:
Feche a aura com os símbolos dentro (não feche o chakra da coroa).
Desenhe o Raku ao longo da coluna vertebral, da cabeça aos pés.
Solte o Hui Yin e a respiração.

Resumo: Definição Budista Tibetana dos Cinco Símbolos do Reiki

Os cinco símbolos do Reiki correspondem aos cinco níveis da mente. Juntos, eles eliminam a dualidade mente-matéria, desintegrando o ego para alcançar os níveis mais altos ao final do Caminho da Iluminação (Nirvana Budista). Uma vez alcançado esse estado, o ser não tem mais a necessidade da reencarnação.

O uso original dos símbolos não foi para a cura (material), mas para Iluminação da ajuda ao próximo — os cinco níveis de sabedoria que culminam na Iluminação.

Cho-Ku-Rei: Início ou entrada, estágio de geração. Colocação da mandala no coração. Meditação até que não haja diferença entre a mente e o mundo. Vazio, desprendimento do plano terrestre. O primeiro passo, a primeira experiência. (Definição dada pelo Reiki: o interruptor de luz.)

Sei-He-Ki: A Terra e a pessoa encarnada são consideradas territórios impuros. O território impuro (amarelo) é purificado pela sabedoria do ouro. Purificação, transmutação, mudança alquímica de matéria impura para ouro (pureza). Essa é a Iluminação que poucos atingem (estado de Buda) pela compreensão e esvaziamento do ego. Purificação pelo fogo da sabedoria em ouro ou pureza. (Definição dada pelo Reiki: cura emocional, purificação, limpeza, proteção).

Hon-Sha-Ze-Sho-Nen: Sem passado, sem presente ou futuro. Libertação da ilusão e do karma (karma definido como a criação da mente). A mente cria o tempo, limitação de espaço e ilusão. A Iluminação é ir além da mente ao estado de Buda (Deus ou Deusa dentro de si) em todos nós. Quando a mente está alerta, existe abertura e desprendimento: liberdade de tempo, espaço, ilusão, limitação. Dissolução de limitação significa compreensão das coisas. (Definição dada pelo Reiki: cura do passado, do presente, do futuro; cura do karma, cura a distância).

Dai-Ko-Myo: "A pessoa com o coração Mahayana de doação" ou "Templo da luz branca". A pessoa que deseja a Iluminação alheia há de alcançá-la. Ela entende que a base de compreensão de todas as coisas é uma grande unificação (união, consciência em Deus/Deusa). Quando ela se ilumina, liberta-se da reencarnação e do sofrimento. No Budismo, essa é a única cura real. (Definição dada pelo Reiki: cura da alma ou espírito).

Raku: Concluir/completar, alcance do nirvana inferior, esvaziamento do ego. Aparição da imagem de Buda/Deus/Deusa interior. Liberdade, iluminação, paz total. Liberação da ilusão do mundo material, libertação do corpo e da reencarnação, cura total. No Budismo, esse símbolo é usado dos pés até o chakra da coroa para afastar um espírito, entidade ou ser de um corpo. No Reiki, é usado do chakra da coroa aos pés para absorver a energia do Universo para o corpo/ser. (Intenções opostas e significado: Reiki é o uso material dos símbolos, Iluminação é o uso espiritual budista. O pensamento budista considera o corpo e sua cura irrelevantes.) (Definição dada pelo Reiki: o raio de luz, conclusão, integração.)

Bibliografia

Larry Arnold e Sandi Nevius. *The Reiki Handbook*. Harrisburg, PA, PSI Press, 1982.
Bodo Baginski e Shalila Sharamon. *Reiki: Universal Life Energy*. Mendocino, CA, LifeRhythm Press, 1988.
Alice Bailey. *The Rays and the Initiations, Volume V*. Nova York, NY, Lucius Publishing Company, 1972.
Raoul Birnbaum. *The Healing Buddha*. Boulder, CO, Shambala Publications, Inc., 1979.
John Blofeld. *Bodhisattva of Compassion: The Mystical Tradition of Kuan Yin*. Boston, MA, Shambala Publications, Inc., 1977.
John Blofeld. *The Tantric Mysticism of Tibet: A Practical Guide to the Theory, Purpose and Techniques of Tantric Mysticism*. Nova York, NY, Arkana Books, 1970.
Sandy Boucher. *Turning the Wheel: American Women Creating the New Buddhism*. Boston, MA, Beacon Press, 1993.
Barbara Ann Brennan. *Light Emerging: The Journey of Personal Healing*. Nova York, NY, Bantam Books, 1993. [*Luz Emergente: A Jornada de Cura Pessoal*, publicado pela Editora Pensamento, São Paulo, 1995.]
Fran Brown. *Living Reiki: Takata's Teachings*. Mendocino, CA, LifeRhythm Press, 1992.
Rosalyn L. Bruyere e Jeanne Farrens, orgs. *Wheels of Light: A Study of the Chakras, Vol. I*. Sierra Madre, CA, Bon Productions, 1989.
E. A. Burtt. *The Teachings of the Compassionate Buddha*. Nova York, NY, Mentor Books, 1955.
Earlyne Chaney e William L. Messick. *Kundalini and the Third Eye*. Upland, CA, Astara, Inc., 1980.
Dr. Stephen T. Chang. *The Tao of Sexology: The Book of Infinite Wisdom*. São Francisco, CA, Tao Publishing, 1986.
Mantak e Maneewan Chia. *Awaken Healing Light of the Tao*. Huntington, NY, Healing Tao Books, 1993.
Mantak Chia. *Awakening Healing Energy Through the Tao*. Santa Fé, NM, Aurora Press, 1983. [*A Energia Curativa através do Tao*, publicado pela Editora Pensamento, São Paulo, 1987.]
A. J. Mackenzie Clay. *The Challenge to Teach Reiki*. Byron Bay, NSW, Austrália, New Dimensions, 1992.
A. J. Mackenzie Clay. *One Step Forward for Reiki*. Byron Bay, NSW, Austrália, New Dimensions, 1992.
Mary Coddington. *In Search of the Healing Energy*. Nova York, NY, Destiny Books, 1978.
Edward Conze. *Buddhism: Its Essence and Development*. São Francisco, CA, Harper and Row Publishers, 1975.
John Diamond, MD. *Your Body Doesn't Lie*. Nova York, NY, Warner Books, 1979.
Sherwood H. K. Finley, II. "Secrets of Reiki: Healing with Energy in an Ancient Tradition". In *Body, Mind and Spirit*, março-abril, 1992, pp. 41-43.
Laeh Maggie Garfield e Jack Grant. *Companions in Spirit*. Berkeley, CA, Celestial Arts Press, 1984.

Helen J. Haberly. *Reiki: Hawayo Takata's Story*. Olney, MD, Archedigm Publications, 1990.
Louise L. Hay. *Heal Your Body: The Mental Causes for Physical Illness and the Metaphysical Way to Overcome Them*. Santa Monica, CA, Hay House, 1982.
Louise L. Hay. *You Can Heal Your Life*. Santa Monica, CA, Hay House, 1984.
Frank Homan. *Kofutu Touch Healing*. Filadélfia, PA, Sunlight Publishing, 1986.
Holger Kersten. *Jesus Lived in India: His Unknown Life Before and After the Crucifixion*. Dorset, Inglaterra, Element Books, Ltd., 1991.
Barbara Marciniak e Tera Thomas, orgs. *Bringers of the Dawn: Teachings From the Pleiadians*. Santa Fé, NM, Bear and Company Publishing, 1992.
Paul David Mitchell. *Reiki: The Usui System of Natural Healing*. Coeur d'Alene, Idaho, The Reiki Alliance, 1985. Booklet.
Ajit Mookerjee. *Kundalini: The Arousal of the Inner Energy*. Rochester, VT, Destiny Books, 1991.
Duane Packer e Sanaya Roman. *Awakening Your Light Body*. Oakland, CA, LuminEssence Productions, Inc., 1989. Série de Audiovisuais, seis volumes.
Pierre Rambach. *The Secret Message of Tantric Buddhism*. Nova York, NY, Rizzoli International Publications, 1979.
William L. Rand. "A Meeting With Phyllis Furumoto". In *Reiki News*, primavera de 1992, pp. 1-2.
William L. Rand. *Reiki: The Healing Touch, First and Second Degree Manual*. Southfield, MI, Vision Publications, 1991.
Starhawk. *The Spiral Dance: A Rebirth of the Ancient Religion of the Great Goddess*. São Francisco, CA, Harper and Row Publishers, 1979.
Alice Steadman. *Who's the Matter With Me?* Washington, DC, ESPress, Inc., 1966.
Diane Stein. *The Natural Remedy Book for Dogs and Cats*. Freedom, CA, The Crossing Press, 1994.
Diane Stein. *Natural Healing for Dogs and Cats*. Freedom, CA, The Crossing Press, 1993.
Diane Stein. *Dreaming the Past, Dreaming the Future: A Herstory of the Earth*. Freedom, CA, The Crossing Press, 1991.
Diane Stein. *All Women Are Healers: A Comprehensive Guide to Natural Healing*. Freedom, CA, The Crossing Press, 1990.
Hawayo Takata. *The History of Reiki as Told by Mrs. Takata*. Southfield, MI, The Center for Reiki Training, 1979. Cópia em Áudio e Vídeo.
Amy Wallace e Bill Henkin. *The Psychic Healing Book*. Berkeley, CA, The Wingbow Press, 1978.
Marion Weinstein. *Positive Magic: Occult Self-Help*. Custer, WA, Phoenix Publishing Co., 1981.